Vina Jackson est le pseudonyme de deux écrivains établis, qui collaborent ici pour la première fois. L'un d'eux est un auteur à succès, l'autre publie ses ouvrages tout en travaillant à La City.

Ce livre est également disponible
au format numérique

www.milady.fr

Vina Jackson

80 Notes de jaune

Traduit de l'anglais (Grande-Bretagne) par Angéla Morelli

Milady Romantica

Milady est un label des éditions Bragelonne

Titre original : *Eighty Days Yellow*

Suivi d'un extrait de : *Eighty Days Blue*

ISBN : 978-2-8112-1020-5

1re édition : janvier 2013
2e tirage : février 2013

Bragelonne – Milady
60-62, rue d'Hauteville – 75010 Paris

E-mail : info@milady.fr
Site Internet : www.milady.fr

Remerciements

Nous voudrions remercier tous ceux sans qui cette série n'aurait jamais vu le jour, et qui ont fait de son écriture un plaisir : Sarah Such de l'agence littéraire du même nom, Jemima Forrester et Jon Wood d'Orion, qui ont cru en nous, ainsi que Matt Christie pour la photographie (www.mattchristie.com).

Tous nos remerciements à ceux, que nous ne nommerons pas, qui nous ont assistés par leurs recherches, leur soutien et leurs leçons de violon ; au *Groucho Club* et aux restaurants de Chinatown, qui ont hébergé nos conversations perverses ; et à nos partenaires respectifs, qui ont supporté nos horaires impossibles et ont accepté de nous voir passer tout notre temps à écrire.

L'une des moitiés de Vina Jackson tient à remercier son employeur, pour son incroyable soutien, sa compréhension et sa tolérance.

Un dernier remerciement pour la compagnie britannique de chemins de fer de l'Ouest, la First Great Western, qui a joué le rôle du destin en facilitant la réservation en ligne des billets du train qui nous a réunis.

1

Une femme et son violon

Tout est la faute de Vivaldi.

Ou, plus précisément la faute du CD des *Quatre Saisons*, à présent posé sur la table de nuit, du côté de mon petit ami, qui ronflait doucement.

Quand Darren était rentré à 3 heures du matin de son voyage d'affaires et m'avait trouvée allongée sur le sol de son salon, nue, le concerto diffusé aussi fort que son système stéréo le permettait, il n'avait pas vraiment apprécié.

Le *presto* de *L'Été*, le concerto n° 2 en sol mineur, était sur le point d'atteindre son apogée quand Darren avait fait irruption dans la pièce.

Je n'ai rien perçu de son arrivée avant qu'il me frappe légèrement l'épaule du bout de son pied encore chaussé.

J'ai ouvert les yeux et je l'ai vu, penché sur moi. C'est alors que j'ai remarqué qu'il avait allumé les lumières et éteint la musique.

— Mais qu'est-ce que tu fous, putain ?

— J'écoute de la musique, ai-je répondu d'une toute petite voix.

— J'ai bien compris ! On l'entend à l'autre bout de la rue ! a-t-il crié.

Il rentrait de Los Angeles, et il avait l'air remarquablement net pour quelqu'un qui sortait d'un vol long-courrier. Il portait toujours son costume d'homme d'affaires, une impeccable chemise blanche et un pantalon bleu marine à très fines rayures, maintenu par une ceinture en cuir, la veste négligemment jetée sur une épaule. Il tenait fermement la poignée de son bagage à roulettes. Apparemment, il pleuvait, même si je n'avais strictement rien entendu à cause de la musique : de fines rigoles d'eau dégoulinaient le long des flancs de la valise et formaient une petite mare sur le sol, à côté de ma cuisse. Le bas du pantalon de Darren, trop loin de la protection offerte par le parapluie, lui collait aux mollets, humide.

Je me suis retournée vers sa chaussure et j'ai entraperçu sa cheville mouillée. Une odeur musquée se dégageait de lui, un mélange de sueur, de pluie et de cuir ciré. Quelques gouttes d'eau sont tombées sur mon bras.

Vivaldi avait toujours eu un effet particulier sur moi, et ni l'heure matinale ni l'expression agacée de Darren ne pouvaient détourner mon attention de la chaleur que je sentais se répandre rapidement dans mes veines comme la musique un peu plus tôt.

Je me suis écartée sur le côté, le bras toujours pressé contre sa chaussure, et j'ai glissé ma main le long de son mollet.

Il a immédiatement reculé, comme si ma caresse l'avait brûlé, et a secoué la tête.

— Tu es hallucinante, Summer.

Il a rangé sa valise contre le mur près de la chaîne hi-fi, ôté *Les Quatre Saisons* de la platine et s'est dirigé vers sa chambre. J'ai envisagé un instant de me lever et de le suivre, mais j'ai décidé de n'en rien faire. Impossible d'avoir le dernier mot dans une dispute avec Darren quand j'étais nue. J'espérais qu'en restant allongée sans bouger, je pourrais désamorcer sa colère. J'étais moins visible, je me fondais plus dans le décor, nue sur son parquet, à l'horizontale plutôt qu'à la verticale.

Je l'ai entendu ouvrir la porte de l'armoire et suspendre sa veste. Depuis six mois que nous sortions ensemble, je ne l'avais pas vu une seule fois balancer son manteau sur le dossier d'une chaise ou sur le canapé, comme toute personne normalement constituée. Il rangeait sa veste dans l'armoire, s'asseyait pour retirer ses chaussures, ôtait ses boutons de manchette, déboutonnait sa chemise, la déposait dans le panier à linge sale, puis enlevait sa ceinture, qu'il suspendait sur la petite tringle prévue à cet effet, à côté de la demi-douzaine d'autres ceintures bleu marine, noires et marron. Il portait des caleçons de grands couturiers, ceux que je préférais chez les hommes : moulants, avec un large élastique à la taille. J'adorais la façon excitante dont ses caleçons se tendaient sur ses fesses, même si, hélas, Darren les dissimulait immédiatement sous un peignoir. Il ne se promenait jamais en sous-vêtements chez lui. La nudité le dérangeait.

Nous nous étions rencontrés à un récital l'été précédent. C'était une incroyable chance pour moi : l'un des violonistes s'était fait porter pâle au dernier moment et on m'avait demandé de le remplacer au pied levé. L'orchestre jouait un morceau d'Arvo Pärt, que je détestais, parce que je le trouvais saccadé et monotone ; mais pour décrocher un contrat dans un récital classique sur une véritable scène, même minuscule, j'aurais été prête à jouer un morceau de Justin Bieber et à faire semblant d'aimer ça. Darren était dans le public et il avait adoré le concert. Il avait un faible pour les rousses ; il m'avait avoué plus tard que l'angle de son siège l'avait empêché de voir mon visage mais qu'il avait eu une vue imprenable sur mes cheveux, qui, sous la lumière des projecteurs, irradiaient comme un brasier. Il avait acheté une bouteille de champagne et fait jouer ses relations pour me rejoindre dans ma loge.

Je n'aime pas le champagne mais j'en ai bu quand même : il était grand, séduisant et c'était la première fois que j'avais un admirateur.

J'ai voulu savoir ce qu'il aurait fait s'il m'avait manqué des dents ou si, pour une raison ou pour une autre, il ne m'avait pas trouvée à son goût. Il m'a répondu qu'il aurait tenté sa chance avec la percussionniste : même si elle n'était pas rousse, elle était plutôt jolie.

Quelques heures plus tard, j'étais ivre et dans le lit de Darren, dans son appartement d'Ealing, me demandant comment je m'étais retrouvée sous les draps d'un homme qui avait interrompu nos ébats pour suspendre sa veste et ranger ses chaussures côte à côte avant de me prendre. Finalement, comme il était bien membré et qu'il avait un bel appartement, et même si nous n'avions absolument pas les mêmes goûts musicaux, nous avons commencé à nous voir tous les week-ends. Malheureusement pour moi, nous passions bien trop peu de temps au lit et beaucoup trop dans des expositions d'art branchées que je n'appréciais guère et que Darren, j'en étais convaincue, ne comprenait pas.

Les hommes qui me voyaient jouer dans de vrais concerts, et pas dans les bars ou le métro, faisaient la même erreur que Darren et croyaient que j'avais toutes les caractéristiques d'une violoniste classique. Ils m'imaginaient sophistiquée, cultivée, raffinée, féminine et gracieuse, dotée d'une garde-robe simple et élégante de robes de concert, rien de vulgaire ni de décolleté. Ils pensaient que je portais en permanence des chaussures à petits talons, inconsciente de l'effet produit par mes jolies chevilles.

En réalité, je ne possédais qu'une longue robe noire, que je sortais pour les concerts ; je l'avais payée 10 livres dans une friperie de Brick Lane, et l'avais fait reprendre par une couturière. Elle était en velours, avec un col haut et un dos nu, mais elle était au pressing la nuit où j'ai rencontré Darren. J'avais acheté un fourreau chez *Selfridges* et caché l'étiquette dans mon soutien-gorge. Heureusement, Darren était un amant très propre et il m'avait fait l'amour sans nous tacher, ma robe et moi. J'avais pu la rapporter et me la faire rembourser le lendemain.

Je louais une chambre à Whitechapel, où je passais toutes les nuits en semaine. C'était un meublé, plus petit qu'un studio, qui comportait un lit une place, un portant qui me servait d'armoire et un minuscule coin cuisine, avec un évier, un réfrigérateur et une gazinière.

Je partageais une salle de bains, située au bout du couloir, avec quatre autres locataires, que je ne croisais que rarement.

Même si l'appartement était mal placé et l'immeuble mal entretenu, je n'aurais jamais eu les moyens de le louer si je n'avais pas conclu un marché avec le véritable locataire, rencontré dans un bar un soir tard après une visite du British Museum. Il ne m'a jamais expliqué pourquoi il voulait sous-louer le studio pour un loyer moindre que celui qu'il payait, et j'ai toujours pensé qu'il avait dissimulé quelque chose sous le plancher, un cadavre ou de la drogue. Il m'arrivait souvent de rester éveillée la nuit, m'attendant à moitié à voir surgir le SWAT.

Darren n'avait jamais mis les pieds chez moi. Je soupçonnais qu'il n'aurait pas pu entrer dans l'immeuble sans avoir auparavant exigé sa complète décontamination, et de toute façon, je voulais garder une certaine indépendance. Peut-être ai-je toujours su que notre liaison serait éphémère et ne voulais-je pas qu'après avoir été rejeté, mon amant brise ma vitre à coups de caillou.

Il avait suggéré à plusieurs reprises que j'abandonne mon appartement pour emménager avec lui. Il pensait que je pourrais investir l'argent ainsi économisé dans un meilleur violon ou dans des cours de perfectionnement, mais j'ai toujours refusé. Je déteste vivre avec quelqu'un, à plus forte raison si c'est un petit ami, et je préférerais faire la manche au coin de la rue plutôt que de vivre aux crochets d'un homme.

J'ai entendu se refermer le couvercle de la boîte dans laquelle il rangeait ses boutons de manchette, et j'ai fermé les yeux et serré les jambes, dans une tentative de me rendre invisible.

Il est revenu dans le salon, m'a dépassée et a gagné la cuisine. Le bruit du robinet m'est parvenu, suivi du doux sifflement du gaz, et, quelques minutes plus tard, du gargouillement de la bouilloire. Il possédait une bouilloire flambant neuve qui imitait les anciennes et qui devait être réchauffée sur la gazinière. Je n'ai jamais compris pourquoi il n'avait pas acheté une bouilloire électrique mais il prétendait que l'eau n'avait pas le même goût et qu'il fallait qu'elle soit chauffée correctement pour faire un bon thé. Je n'aime pas le thé. L'odeur me rend malade. Je bois du café mais Darren refuse de m'en préparer après 19 heures parce que ça m'empêche de dormir et que mon agitation perturbe son sommeil.

Je me suis détendue sur le plancher, en imaginant que je me trouvais ailleurs. J'ai ralenti ma respiration afin de rester parfaitement immobile, comme une morte.

— On ne peut pas discuter quand tu es dans cet état-là, Summer.

Sa voix me parvenait de la cuisine, désincarnée. C'était l'une des choses que je préférais chez lui : son accent sophistiqué d'ancien élève d'école privée, parfois doux et chaleureux, parfois dur et cassant. J'ai senti la chaleur se répandre entre mes cuisses et j'ai serré les jambes aussi étroitement que possible en me souvenant que la seule fois où nous avions fait l'amour sur le sol du salon, Darren avait au préalable étalé une serviette sur le parquet. Il détestait le désordre.

— Dans quel état ? ai-je répondu sans ouvrir les yeux.

— Celui-là ! À poil et étalée par terre comme une folle ! Lève-toi et habille-toi, bon sang !

Il a terminé sa tasse de thé et en l'entendant déglutir, j'ai imaginé sa bouche entre mes jambes. La pensée m'a fait rougir.

Darren ne pratiquait le cunnilingus que si je sortais de la douche, et même dans ces conditions, sa langue restait timide et il la remplaçait par un doigt dès qu'il pouvait se permettre de le faire sans être impoli. Il n'utilisait jamais qu'un doigt et l'unique fois où j'avais guidé sa main pour qu'il en mette deux de plus, il l'avait mal pris.

— Si tu continues comme ça Summer, tu ressembleras à une autoroute à trente ans.

Il s'était ensuite lavé les mains dans la cuisine avec du liquide vaisselle avant de regagner le lit et de s'endormir immédiatement en me tournant le dos. J'étais demeurée immobile, les yeux rivés au plafond. Si j'en croyais les bruits d'eau qui m'étaient parvenus, il s'était frotté jusqu'aux coudes, comme un vétérinaire sur le point de mettre au monde un veau ou un prêtre se préparant à un sacrifice.

Je n'avais plus jamais réclamé quoi que ce soit par la suite.

Darren a déposé sa tasse dans l'évier et est retourné dans sa chambre sans me regarder. J'ai attendu encore un peu avant de me lever, embarrassée à l'idée de lui paraître obscène, même si, à présent que j'étais sortie de ma rêverie vivaldienne, j'avais froid et j'étais ankylosée.

— Viens te coucher quand tu seras prête, a-t-il dit de sa chambre.

Quand je l'ai entendu se mettre au lit, j'ai enfilé mes sous-vêtements et ai patienté jusqu'à ce que sa respiration devienne imperceptible pour me glisser sous les draps à ses côtés.

La première fois que j'ai entendu *Les Quatre Saisons* de Vivaldi, j'avais quatre ans. Ma mère et mes frères étaient partis chez ma grand-mère pour le week-end. J'avais refusé de les accompagner : je ne voulais pas quitter mon père, qui ne pouvait venir parce qu'il travaillait. J'avais hurlé, cramponnée à lui, tout le temps que mes parents avaient essayé de me faire entrer de force dans la voiture, jusqu'à ce qu'ils finissent par céder.

Mon père me permit de manquer l'école et m'emmena au travail avec lui. Je passai trois jours merveilleux de liberté presque totale à courir dans son garage en escaladant des piles de pneus, en humant la délicieuse odeur de caoutchouc et à le regarder se glisser sous les véhicules de ses clients, seules ses jambes restant visibles. Je ne m'éloignais jamais, terrifiée à l'idée qu'un jour une voiture lui tomberait dessus et le couperait en deux. Je ne sais si c'était de l'arrogance ou de la naïveté mais j'ai toujours pensé, même aussi jeune, que je serais capable de le sauver ; l'adrénaline me donnerait la force de retenir la voiture quelques secondes afin qu'il puisse s'échapper.

Quand il avait terminé sa journée, on rentrait par le chemin des écoliers et j'avais droit à une glace avant le dîner, ce qui était exceptionnel. Mon père choisissait toujours rhum-raisins, alors que je testais un parfum différent tous les soirs, demandant parfois deux moitiés de boule afin de pouvoir en goûter deux d'un coup.

Un soir tard, incapable de m'endormir, j'avais erré jusqu'au salon, où je l'avais trouvé étendu dans le noir, éveillé. Il avait rapporté son tourne-disque du garage et j'entendais le glissement de l'aiguille à chaque tour.

—Coucou, ma fille, dit-il.

—Qu'est-ce que tu fais? demandai-je.

—J'écoute de la musique, répondit-il comme si c'était la chose la plus banale au monde.

Je m'allongeai à ses côtés, histoire de sentir sa chaleur et l'odeur de caoutchouc mêlée à celle du détergent pour les mains. Je fermai les yeux, immobile, jusqu'à ce que le sol se dissolve et que la seule chose qui existe pour moi soit *Les Quatre Saisons* de Vivaldi.

Après ça, j'ai demandé un nombre incalculable de fois à mon père de passer le disque, peut-être parce que j'ai longtemps cru que j'avais été prénommée en hommage au deuxième concerto, théorie que mes parents n'ont jamais confirmée.

Mon enthousiasme était tel que cette année-là, mes parents m'offrirent un violon et des cours particuliers pour mon anniversaire. J'étais une enfant impatiente et indépendante, pas vraiment prédisposée à l'apprentissage de la musique, mais je voulais, plus que tout au monde, jouer quelque chose qui me ferait m'envoler, comme lorsque j'avais entendu Vivaldi pour la première fois. À partir du moment où j'eus entre les mains mon violon et son archet, je m'entraînai dès que j'avais un instant.

Ma mère commença à s'inquiéter : elle me trouvait obsessionnelle dans mon apprentissage et voulut m'enlever temporairement le violon. Elle pensait que je pourrais ainsi me consacrer davantage aux études et me faire des amis, mais je refusai catégoriquement d'abandonner. J'avais l'impression, l'archet à la main, de pouvoir m'évader instantanément. Sans lui, je n'étais plus rien qu'un corps englué dans le sol comme une pierre.

Je fis des progrès fulgurants, et à neuf ans, je jouais bien mieux que ce que mon professeur de musique abasourdi aurait pu imaginer.

Mon père me trouva un autre professeur, un vieux monsieur hollandais, Hendrik van der Vliet, qui vivait à deux pas de chez nous et sortait rarement. C'était un homme grand, d'une maigreur maladive, qui se déplaçait avec la maladresse d'une marionnette ; il donnait l'impression de se mouvoir dans un air différent du nôtre, plus épais, comme une sauterelle nageant dans du miel. Mais lorsqu'il jouait du violon, ses mouvements devenaient fluides. Quand je le regardais manier l'archet, j'avais l'impression que son bras se soulevait et s'abaissait comme une vague et que la musique jaillissait sous ses doigts telle la marée.

À la différence de Mme Drummond, mon professeur de musique à l'école, qui trouvait mes progrès étonnants et même un peu choquants, M. van der Vliet n'était pas ému plus que ça par mes talents. Il parlait peu et ne souriait jamais. Nous habitions une petite ville, Te Aroha, mais personne ne le connaissait, et pour ce que j'en savais, il n'avait pas d'autre élève que moi. Mon père me raconta que Hendrik avait jadis joué dans l'orchestre royal du Concertgebouw à Amsterdam, sous la direction de Bernard Haitink et qu'il avait abandonné sa carrière classique quand il avait rencontré une Néo-Zélandaise à l'un de ses concerts. Il l'avait suivie en Nouvelle-Zélande : elle était morte dans un accident de voiture le jour de ma naissance.

Comme Hendrik, mon père était quelqu'un de taciturne, mais contrairement à lui il connaissait tout le monde à Te Aroha. Même le plus ermite des hommes finissait par crever un pneu, que ce soit celui de sa voiture, de son vélo, ou de sa tondeuse à gazon, et comme on savait que mon père ne refusait jamais de faire une réparation, même modeste, il passait beaucoup de temps à rendre service aux habitants. C'est ainsi qu'il avait fait la connaissance de Hendrik, qui était entré au garage avec un pneu de bicyclette à réparer et en était ressorti avec une élève.

Je ressentais une étrange loyauté à l'égard de M. van der Vliet, comme si, parce que j'étais née le jour de la mort de sa femme, j'étais en quelque sorte responsable de son bonheur. Je me sentais contrainte de lui faire plaisir et sous sa tutelle, je m'entraînais jusqu'à en avoir les bras endoloris et le bout des doigts à vif.

Je n'étais pas une élève populaire, mais pas non plus une laissée-pour-compte. Mes notes se situaient invariablement dans la moyenne, et je ne me distinguais en rien de mes camarades, excepté en musique, où mes cours particuliers et mes aptitudes me plaçaient bien au-dessus des autres. Mme Drummond mettait un point d'honneur à m'ignorer en classe ; peut-être craignait-elle que mes camarades ne me jalousent ou n'éprouvent un sentiment d'infériorité.

Je m'enfermais dans le garage tous les soirs pour pratiquer le violon ou écouter de la musique, le plus souvent dans l'obscurité, parcourant dans ma tête les œuvres classiques. Mon père me rejoignait parfois. Nous parlions peu mais je me sentais liée à lui par la musique, ou peut-être par notre étrangeté mutuelle.

J'évitais les fêtes et je n'avais pas d'amis. En conséquence, les expériences sexuelles avec les garçons de mon âge étaient plus que limitées. Mais avant même d'atteindre l'adolescence, j'avais ressenti en moi l'éveil de ce qui se révélerait être plus tard un solide appétit sexuel. Jouer du violon avait aiguisé mes sens. J'avais l'impression que le monde entier se dissolvait dans la musique et je n'étais plus attentive qu'à mon propre corps. À l'adolescence, j'associai ce sentiment avec le désir. Je me demandai pourquoi j'étais aussi facilement excitée et pourquoi la musique avait ce pouvoir sur moi, et j'étais inquiète d'éprouver autant de désir sexuel.

M. van der Vliet me traitait comme un instrument et non comme une personne. Il corrigeait la position de mes bras ou de ma colonne vertébrale comme si j'étais faite de bois et non de chair. Il posait ses mains sur moi de manière inconsciente, comme si j'étais une extension de lui-même. Il n'avait jamais eu un geste déplacé mais en dépit de son âge, de l'odeur un peu âcre exhalée par son corps et de son visage squelettique, je commençai à ressentir quelque chose pour lui. Il était étonnamment grand, plus que mon père, et du haut de son mètre quatre-vingt-quinze, il me dominait largement. Adulte, je mesure un mètre soixante-cinq et à treize ans, ma tête atteignait à peine le niveau de sa poitrine.

J'attendais impatiemment ses leçons, pour des raisons qui n'avaient plus rien à voir avec la musique. De temps en temps, je faisais exprès de faire une fausse note ou de mal positionner mon poignet, dans l'espoir qu'il me corrige en posant sa main sur la mienne.

— Summer, me dit-il gentiment un jour, si tu continues ainsi, je ne te donnerai plus de leçons.

Je ne fis plus jamais une fausse note.

Jusqu'à cette nuit, quelques heures avant ma dispute avec Darren.

Je jouais dans un bar, à Camden Town, avec un petit groupe de blues rock, quand soudain mes doigts se sont raidis et j'ai manqué une note. Aucun des musiciens ne l'a remarqué et, hormis quelques fans qui étaient là pour Chris, le chanteur guitariste, le public nous ignorait. On était mercredi, et la foule était encore plus difficile à satisfaire que les ivrognes du samedi soir : à l'exception des habituelles groupies, les clients n'étaient là que pour boire une bière, tranquillement accoudés au bar, complètement imperméables à la musique. Chris m'avait conseillé de ne pas leur prêter attention.

Il jouait de l'alto et de la guitare, et il avait abandonné le premier au profit de la seconde, qu'il pensait plus à même d'attirer les foules. Nous aimions les cordes plus que tout et nous avions développé un lien *via* cette passion commune.

— Ça arrive à tout le monde, chérie, m'a-t-il rassurée.

Mais pas à moi. J'étais mortifiée.

J'avais refusé de boire un verre avec le groupe et pris le métro jusqu'à l'appartement de Darren, à Ealing : il n'était pas là mais j'avais une clé. Je m'étais mélangé les pinceaux dans ses heures de vol : je croyais qu'il voyageait de nuit et qu'arrivant dans la matinée, il se rendrait au bureau sans s'arrêter chez lui. Je comptais passer la nuit seule dans un lit confortable et écouter de la musique. C'était l'une des raisons pour lesquelles je continuais à sortir avec lui : il avait un système hi-fi d'excellente qualité et un salon assez grand pour que je puisse m'allonger par terre. Darren était l'une des rares personnes de ma connaissance à posséder encore une vraie chaîne stéréo avec un lecteur de CD et je n'avais pas assez de place dans mon studio pour m'étendre sur le sol, à moins de mettre la tête dans le placard sous l'évier.

Après quelques heures à écouter Vivaldi en boucle, j'en suis venue à la conclusion que cette liaison, même si elle était globalement agréable, nuisait à ma créativité. Après six mois d'expositions tièdes, de musique tiède, de barbecues tièdes en compagnie de couples tièdes, et de baise tiède, je me retrouvais à tirer sur la corde que je m'étais volontairement passée au cou et qui m'étranglait.

Il était temps d'en finir.

Darren avait le sommeil léger mais il prenait toujours un somnifère quand il rentrait de Los Angeles, afin d'éviter les effets du décalage horaire. L'emballage avait été soigneusement jeté dans la corbeille à papier vide.

Même à 4 heures du matin, il ne pouvait pas laisser traîner quoi que ce soit sur sa table de nuit.

Le CD de Vivaldi était posé sur son chevet, à côté de sa lampe. Ne pas ranger un CD dans son boîtier était pour Darren sa façon d'exprimer son mécontentement. Malgré le somnifère, j'étais surprise qu'il parvienne à dormir en sachant qu'un disque était exposé aux rayures.

J'ai quitté le lit à l'aube, après avoir dormi une heure ou deux, et lui ai laissé un petit mot sur le plan de travail de la cuisine. « Désolée pour le bruit. Dors bien. Je t'appellerai, etc. »

J'ai pris le métro vers le West End, sans idée précise de ma destination. Mon appartement était perpétuellement en désordre et je n'aimais pas jouer chez moi : les murs étaient très mal isolés et j'avais peur que les autres locataires ne finissent par protester, même si ma musique était agréable. Je brûlais d'envie de jouer, pour évacuer toutes les émotions qui bouillaient en moi depuis la nuit précédente.

Le temps que j'arrive à Shepherd's Bush, le métro était bondé. J'avais choisi de monter en queue de train et de m'appuyer contre le strapontin près de la porte : c'était plus pratique que de m'asseoir avec mon étui à violon entre les jambes. Du coup, j'étais comprimée contre des employés de bureau à la mine maussade et en nage, de plus en plus nombreux à chaque station.

Je portais toujours la robe noire en velours du concert de la veille, et des Doc Martens rouge vif. Je mettais des escarpins pour les concerts classiques mais je les remplaçais par des bottes pour retourner chez moi : j'avais ainsi une démarche plus assurée et, je l'espérais, plus menaçante, pour traverser l'est de Londres la nuit. Je me tenais droite, le menton haut, bien consciente que pour la plupart des voyageurs, du moins ceux qui pouvaient me voir, j'avais l'air de rentrer d'une nuit avec un amant de passage.

Qu'ils aillent au diable. J'aurais bien aimé que ce soit le cas. Darren voyageait beaucoup et je jouais le plus souvent possible : résultat, nous n'avions pas fait l'amour depuis presque un mois. Avec lui j'atteignais rarement l'orgasme, et seulement si je me caressais le plus rapidement possible après qu'il avait joui. Même si j'avais peur qu'il ne se sente incompétent, je le faisais malgré tout : c'était ça ou passer vingt-quatre heures insatisfaite et frustrée.

Un ouvrier du bâtiment est monté à Marble Arch. Nous étions serrés comme des sardines et les autres voyageurs ont froncé les sourcils, mécontents, voyant qu'il se glissait dans un minuscule espace entre la porte et moi. Il était grand, puissamment musclé, et il s'est penché un peu pour permettre aux portes automatiques de se refermer.

— Avancez, s'il vous plaît, a poliment demandé l'un des passagers, un peu irrité.

Personne n'a bougé.

Comme je suis bien élevée, j'ai légèrement déplacé mon étui à violon afin de faire un peu de place au nouveau venu, qui, sans l'écran de l'étui, s'est retrouvé tout près de moi.

Le métro a démarré brusquement et nous avons tous perdu l'équilibre. Il a été projeté contre moi et je me suis raidie pour ne pas bouger. J'ai senti, pendant une seconde, son torse se presser contre moi. Il portait un tee-shirt à manches longues, un gilet de sécurité et un jean usé. Il n'était pas gros mais imposant, comme un rugbyman qui se laisse un peu aller. Tandis qu'il était comprimé dans cette rame, le bras tendu pour se tenir à la barre du plafond, ses vêtements avaient l'air trop petits pour lui.

J'ai fermé les yeux et j'ai essayé d'imaginer ce qui pouvait bien se cacher sous son pantalon. Je n'avais pas eu le temps de le détailler quand il était entré dans le wagon mais il avait des mains larges et épaisses : ce qui était dissimulé dans son caleçon devait l'être aussi.

Le métro s'est arrêté à Bond Street et une blonde menue, pleine de détermination, s'est glissée dans la rame.

J'ai eu le temps de me demander si le métro allait encore démarrer brutalement.

Il l'a fait.

Monsieur Muscle a trébuché contre moi et, soudain audacieuse, j'ai serré les cuisses à son contact. Il s'est raidi. La blonde a commencé à s'agiter, et son coude a rencontré le dos de l'homme quand elle a fourragé dans son sac en cherchant son livre. L'ouvrier s'est légèrement déplacé vers moi pour lui faire de la place, à moins qu'il n'ait apprécié la proximité de nos deux corps.

J'ai serré mes cuisses plus fort.

Il y a eu une nouvelle embardée.

L'homme s'est détendu.

Son corps était à présent fermement pressé contre le mien, et, entraînée par cette proximité qui avait l'air fortuite, j'ai reculé imperceptiblement de manière que le bouton de son jean frotte l'intérieur de ma jambe.

Il a ôté sa main de la barre et l'a posée sur le mur juste au-dessus de mon épaule: nous étions presque dans les bras l'un de l'autre. J'ai eu l'impression d'entendre son souffle s'accélérer et son cœur s'emballer, même si le bruit du métro s'engouffrant dans le tunnel couvrait tous les sons.

Mon cœur battait la chamade et subitement j'ai eu peur d'être allée trop loin. Que ferais-je s'il décidait de me parler? Ou de m'embrasser? Je me demandais quelle sensation ferait naître sa langue dans ma bouche et comment il embrassait. Était-il du genre à faire jaillir sa langue comme un lézard ou mettrait-il les mains dans mes cheveux pour m'embrasser avec ardeur ?

J'ai senti une chaleur moite se répandre entre mes jambes et je me suis rendu compte, à la fois embarrassée et excitée, que ma culotte était humide. J'étais soulagée d'avoir résisté à l'envie de ne pas mettre de sous-vêtements et d'avoir déniché une culotte que j'avais laissée chez Darren.

Le visage tourné vers moi, Monsieur Muscle essayait de croiser mon regard. J'ai gardé les yeux baissés et le visage impassible, comme si notre position n'avait rien d'anormal et que c'était toujours ainsi que je prenais le métro.

Un peu effrayée à l'idée de ce qui pourrait se produire si je restais plus longtemps coincée entre le mur et cet homme, je suis descendue à Chancery Lane, sans un regard en arrière. Je me suis brièvement demandé s'il allait me suivre. Je portais une robe et Chancery Lane était une station calme : après ce qui s'était passé dans le wagon, il pouvait imaginer quantité de façons de conclure. Mais le métro a disparu en l'emportant.

J'avais l'intention de prendre à gauche en sortant de la station et de me rendre au restaurant français qui faisait les meilleurs œufs Benedict que j'aie mangés depuis mon départ de Nouvelle-Zélande. La première fois que j'y étais allée, j'avais dit au chef qu'il faisait le meilleur petit déjeuner de Londres, ce à quoi il s'était contenté de répliquer un sobre « Je sais ». Je comprends pourquoi les Britanniques n'aiment pas les Français : ils sont tellement arrogants. Mais c'est justement là quelque chose qui me plaît chez eux, et je suis retournée dans cet établissement aussi souvent que possible.

Cependant, la tête ailleurs, j'ai tourné à droite. De toute façon, le restaurant n'ouvrait qu'à 9 heures. En attendant, je pourrais toujours aller à Gray's Inn Gardens et jouer un peu s'il n'y avait personne.

Parvenue au milieu de la rue, à la recherche de l'allée anonyme qui menait aux jardins, j'ai pris conscience que je me tenais devant l'entrée de la boîte de strip-tease dans laquelle je m'étais rendue quelques semaines après mon arrivée à Londres. J'avais visité le club en compagnie d'une amie, une fille avec laquelle j'avais travaillé en Australie, et que j'avais croisée par hasard dans l'auberge de jeunesse où j'avais passé ma première nuit londonienne. Elle avait entendu dire que le strip-tease était le moyen le plus facile de se faire du fric à Londres et qu'après un mois ou deux à travailler dans un bouge, il était facile de décrocher un job dans un bar huppé de Mayfair, fréquenté par les célébrités et les footballeurs à l'argent facile.

Charlotte m'avait entraînée avec elle pour visiter le bar et tenter de se faire embaucher. À ma grande déception, l'homme qui nous avait reçues ne nous avait pas dirigées vers une salle remplie de femmes à moitié nues mais vers son bureau.

Il avait demandé à Charlotte si elle avait de l'expérience – aucune, si on exceptait les podiums sur lesquels elle se trémoussait en boîte de nuit. Il l'avait ensuite déshabillée du regard, de la même manière qu'un jockey détaille le cheval qu'il envisage d'acheter.

Il avait fait la même chose avec moi.

— Tu cherches aussi un travail, poupée ?

— Non, merci. J'en ai un. Je me contente de l'accompagner.

— Les clients n'ont pas le droit de toucher les danseuses, a-t-il ajouté, espérant manifestement que ça me ferait changer d'avis. On les met dehors s'ils ont des gestes déplacés.

J'ai secoué la tête.

J'avais vaguement envisagé de vendre mon corps, cela dit, mais, mis à part les risques inhérents à la profession, j'aurais plutôt choisi de me prostituer. Ça me paraissait plus honnête. Je trouvais le strip-tease un peu factice. Pourquoi aller si loin si c'était pour s'arrêter là ? De toute façon, je devais garder mes soirées pour les concerts et j'avais besoin d'un job qui ne m'épuiserait pas.

Charlotte a été virée au bout d'un mois : elle avait quitté le club avec deux clients et une des danseuses l'a dénoncée au patron.

C'était un jeune couple, l'air tout ce qu'il y avait de plus innocent, m'a raconté Charlotte. Tous deux étaient arrivés tard, un vendredi soir : lui, manifestement ravi, elle, émoustillée et nerveuse comme si elle n'avait jamais vu un corps de femme avant. Il avait proposé de lui payer une danse et elle avait choisi Charlotte. Peut-être parce que cette dernière n'avait pas encore investi dans une garde-robe appropriée ni dans des faux ongles. C'était ce qui la distinguait des autres filles : c'était une strip-teaseuse qui n'avait pas l'air d'en être une.

La jeune femme avait semblé très vite excitée et son petit ami avait rapidement viré au rouge pivoine. Charlotte adorait pervertir les gens innocents et elle était flattée de les voir répondre ainsi aux mouvements de son corps.

Elle s'était penchée vers eux, remplissant le peu d'espace qui les séparait.

— Vous voulez venir chez moi ? avait-elle murmuré à leur intention.

Ils avaient rougi puis acquiescé, avant de s'entasser tous trois à l'arrière d'un taxi qui les avait menés à l'appartement de Charlotte, à Vauxhall. Cette dernière avait suggéré qu'ils se rendent plutôt chez eux, mais les jeunes gens avaient hâtivement décliné.

Quand le colocataire de Charlotte lui avait apporté une tasse de thé le lendemain matin, il avait eu la surprise de la trouver au lit non pas avec un inconnu, mais avec deux.

Je n'avais plus beaucoup de nouvelles d'elle. Londres a la fâcheuse tendance d'absorber les gens, et je ne suis pas très douée pour garder le contact. Je conservais cependant un souvenir très net de notre visite au club.

Il n'était pas situé, contrairement à ce qu'on pouvait penser, dans une sombre allée malfamée, mais sur une avenue passante, entre un *Prêt à Manger* et un magasin de sport. Il y avait un restaurant italien un peu plus bas : j'y avais eu un jour un rendez-vous galant, que je ne risquais pas d'oublier, étant donné que j'avais accidentellement mis le feu au menu en le tenant au-dessus de la bougie qui décorait la table.

L'entrée du club se trouvait légèrement en retrait et l'enseigne n'était pas lumineuse, mais en voyant les vitres teintées et le nom évocateur – *Les Chéries* –, on ne pouvait guère se tromper sur l'activité qui y était pratiquée.

Prise soudain de curiosité, mon violon tout contre moi, j'ai fait un pas en avant et j'ai poussé la porte.

Fermée. Ça n'avait finalement rien d'étonnant un jeudi matin à huit heures trente. Je l'ai cependant poussée de nouveau.

En vain.

Une camionnette blanche a ralenti à ma hauteur.

—Reviens à l'heure du déjeuner, a dit l'un des deux hommes par la vitre ouverte.

Il semblait plus compatissant qu'émoustillé. Entre ma robe noire et le maquillage de scène que je n'avais pas ôté, j'avais certainement l'air d'être désespérément à la recherche d'un emploi. *Et alors, quelle honte à ça?*

La faim m'avait gagnée, et j'avais la bouche sèche et les bras douloureux. J'étais cramponnée à mon violon, ce qui était toujours chez moi signe d'inquiétude ou d'angoisse. Je n'avais pas le courage de me rendre au restaurant français dans mes vêtements de la veille: pas question que le chef me prenne pour une rustaude.

J'ai repris le métro en direction de Whitechapel, regagné mon appartement, me suis déshabillée et mise au lit après avoir réglé la sonnerie de mon réveil sur 15 heures, histoire de pouvoir jouer dans le métro, auprès des voyageurs de la fin d'après-midi.

Même dans les pires moments, quand mes doigts étaient malhabiles et raides, et que mon esprit était embrumé, je trouvais le moyen de jouer quelque part, même si c'était dans un parc avec les pigeons pour seul public. Ce n'était pas par ambition, bien que je rêve d'être repérée et de décrocher un contrat au Lincoln Center ou au Royal Festival Hall. Je ne pouvais simplement pas m'en empêcher.

J'ai émergé à 15 heures, reposée et optimiste, ce qui est finalement dans ma nature profonde. Il faut une bonne dose de folie ou un optimisme sans faille, à moins que ce ne soit un peu des deux, pour aller vivre à l'autre bout du monde avec pour seules possessions une valise, un compte en banque vide et un rêve. Mes instants de déprime sont toujours passagers.

J'ai une garde-robe assez fournie pour jouer dans la rue, des vêtements achetés sur les marchés ou sur eBay, étant donné que je ne roule pas sur l'or. Je porte rarement des jeans : ma taille étant trop fine par rapport à mes hanches, je trouve les essayages pénibles, et je porte donc uniquement des jupes et des robes. Je possède un ou deux shorts effrangés que je mets quand je suis d'humeur à jouer de la musique country, mais aujourd'hui était un jour Vivaldi, ce qui nécessitait une tenue plus classique. La robe noire s'imposait d'elle-même mais elle était roulée en boule sur le sol, là où je l'avais laissée en attendant de la déposer au pressing. J'ai donc choisi une jupe noire qui se resserrait au niveau des genoux et un chemisier en soie ivoire avec un col en dentelle, qui venait de la même friperie que la robe noire. J'ai complété ma tenue avec des collants opaques et des bottines à lacets avec de petits talons. Dans cette tenue victorienne revisitée, j'espérais avoir l'air sage. Darren n'aurait pas du tout apprécié : il pensait que les friperies étaient réservées à ceux qui se la jouaient branché et qui oubliaient de se laver.

Quand je suis arrivée à Tottenham Court Road, la station de métro où j'avais le droit de jouer, les gens commençaient à sortir du travail. Je me suis installée contre le mur en bas des premiers Escalator. J'avais lu une étude dans un magazine, qui expliquait que les gens donnaient plus volontiers s'ils avaient eu quelques minutes pour se décider. Ma position, qui permettait aux usagers de m'entendre quand ils descendaient l'escalier mécanique, était donc parfaite, puisqu'elle leur laissait le temps de sortir leur porte-monnaie. Je n'étais pas non plus au beau milieu de leur chemin, ce qui semblait convenir aux Londoniens : s'écarter de leur route pour me donner une pièce relevait donc de leur propre chef.

Je savais que je devais regarder les donateurs et les remercier d'un sourire, mais j'étais tellement immergée dans ma musique que j'oubliais toujours de le faire. Quand je jouais Vivaldi, c'était encore pire. Si l'alarme incendie avait retenti, je ne l'aurais certainement pas entendue. J'ai coincé le violon sous mon menton, et en quelques minutes mon environnement a disparu, me laissant seule avec Vivaldi.

J'ai joué jusqu'à ce que mes bras deviennent douloureux et que mon estomac crie famine, signes évidents que j'étais restée là bien plus longtemps que ce que j'avais initialement prévu. Quand je suis rentrée chez moi, il était 22 heures.

Ce n'est que le lendemain matin que j'ai compté ce que j'avais gagné : j'ai découvert un billet rouge soigneusement glissé dans une déchirure de la doublure de mon étui.

Quelqu'un m'avait donné 50 livres.

2

Un homme et ses désirs

Les marées du destin ont de bien curieuses manières. Il avait parfois l'impression que sa vie avait été un long fleuve tranquille, dont les méandres avaient trop souvent été gouvernés par le hasard : il ne l'avait jamais prise en main, se contentant de se laisser dériver depuis l'enfance, le long du littoral accidenté de l'adolescence et du début de l'âge adulte, jusqu'aux eaux sereines de la quarantaine, ballotté comme une embarcation sans but sur des mers étrangères. Mais après tout, n'était-ce pas la même chose pour tout le monde ? Il possédait de meilleurs talents de navigateur que les autres, voilà tout, et les tempêtes l'avaient toujours épargné.

Le cours avait duré plus longtemps que prévu : il avait été submergé par les questions de ses étudiants. Il ne s'en plaignait pas. Plus ils étaient intéressés, mieux c'était. Cela prouvait qu'ils étaient attentifs et enthousiastes, ce qui n'était pas toujours le cas. La promotion de cette année était un bon cru, mélange idéal d'élèves étrangers et de Londoniens, qui le maintenaient alerte. Contrairement à nombre de ses collègues, il variait souvent le contenu de son enseignement, ne serait-ce que pour échapper aux pièges de l'ennui et de la répétition. Ce semestre, son cours de littérature comparée avait pour thème la récurrence du suicide et le motif de la mort chez les écrivains des années 1930 et 1940. Il s'appuyait sur les œuvres de l'Américain F. Scott Fitzgerald, du Français Drieu La Rochelle, souvent considéré à tort comme un écrivain fasciste, et de l'Italien Cesare Pavese. Ce n'était pas un sujet particulièrement gai mais il touchait manifestement un point sensible chez ses étudiants, notamment les filles, qui avaient certainement abusé de la lecture de Sylvia Plath. Tant que ça ne les poussait pas à mettre la tête dans le four, il se contentait d'en sourire.

En réalité, il n'avait pas besoin de travailler. À son grand étonnement, il avait hérité d'une coquette somme à la mort de son père, dix ans auparavant. Ils n'avaient jamais été proches, et il avait toujours présumé que la fortune paternelle reviendrait à ses frères et sœurs, avec lesquels il ne s'entendait guère et entretenait des relations pour le moins lointaines. La surprise en avait été d'autant plus agréable : encore un heureux hasard dans sa vie.

Après le cours, il avait reçu des étudiants dans son bureau pour planifier des séances de tutorat et répondre à leurs questions, ce qui l'avait mis en retard. Impossible à présent d'aller voir un film en fin d'après-midi dans le West End comme il l'avait prévu. Ce n'était pas bien grave, il pourrait s'y rendre pendant le week-end.

Son portable vibra et émit un « bip » tout en se déplaçant latéralement sur son bureau. Il s'en saisit et lut le texto.

« On se voit ? C. »

Dominik soupira. *La voir ou ne pas la voir ?*

Sa liaison avec Claudia durait depuis un an et il n'était plus certain de ses sentiments pour la jeune femme. D'un point de vue éthique, il était irréprochable, puisqu'ils avaient commencé à coucher ensemble alors qu'elle n'était plus son élève – certes, seulement quelques jours après. Mais il avait beau être moralement inattaquable, il n'était pas certain de vouloir continuer à la fréquenter.

Il décida de ne pas lui répondre tout de suite et de prendre le temps de la réflexion. Il attrapa sa veste en cuir noir, suspendue au portemanteau, rangea livres et cours dans son sac en toile, et sortit. Il ferma sa veste pour se protéger du vent glacial qui venait de la Tamise et se fraya un chemin vers le métro. La nuit tombait déjà, parant la ville de cette morne teinte métallisée automnale, typiquement londonienne. La foule des voyageurs qui se hâtaient dans les deux sens en le frôlant lui parut presque menaçante. En temps normal, à cette heure de la journée, il avait déjà quitté le centre de la capitale ; il avait l'impression de découvrir à présent une autre facette de la ville, une dimension inhabituelle entièrement dominée par le monde du travail, inhumain et écrasant. Dominik accepta le journal gratuit qu'on lui tendait et s'engouffra à son tour dans la station.

Claudia était allemande. C'était une fausse rousse et un super coup. Elle sentait le chocolat, à cause de l'huile dont elle aimait enduire son corps et cette odeur donnait mal à la tête à Dominik s'il passait la nuit entière avec elle, ce qui était finalement assez rare. Ils faisaient l'amour, discutaient de choses sans importance et se séparaient jusqu'à la fois suivante. Leur liaison était sans attaches, sans questions, sans exclusivité. Ils remplissaient ainsi un besoin quasi hygiénique. Il n'était pas à l'origine de cette histoire ; elle avait certes envoyé des signaux montrant qu'elle était disponible, mais il n'avait pas fait le premier pas. Les choses arrivent parfois ainsi.

L'arrêt de la rame interrompit sa rêverie. Il devait changer de ligne et emprunter un dédale de couloirs pour rejoindre la Northern line. Il détestait le métro mais une étrange fidélité au souvenir de jours moins prospères l'empêchait de prendre un taxi pour aller à l'université et en revenir. Il possédait une voiture et aurait été prêt à payer le péage du centre de Londres, mais il était impossible de se garer près de la faculté, sans compter les embouteillages cauchemardesques sur Finchley Road.

L'odeur familière de l'heure de pointe – un mélange de transpiration, de résignation et de dépression – l'assaillait de toutes parts. C'est alors qu'en se dirigeant vers l'Escalator, il entendit la musique.

Le serveur leur avait apporté leurs cafés en terrasse : un double expresso pour Dominik, comme à son habitude, et une version plus sophistiquée du cappuccino avec une multitude de suppléments faussement italiens pour Claudia. Elle avait allumé une cigarette après avoir demandé sa permission, accordée même s'il ne fumait pas.

— Les cours vous ont plu ? s'était-il enquis.

— Absolument.

— Que comptez-vous faire à présent ? Rester à Londres ? Continuer vos études ?

— Probablement.

Elle avait les yeux verts et ses cheveux auburn étaient coiffés en chignon, si ce terme était toujours d'actualité. Elle avait une fine frange.

— J'aimerais bien faire une thèse mais je pense que je ne suis pas prête. Je vais peut-être enseigner l'allemand. Plusieurs personnes m'ont déjà demandé si je voulais bien donner des cours.

— Vous allez abandonner la littérature, alors ? s'enquit Dominik.

— C'est fort probable, répondit la jeune femme.

— C'est dommage.

— Pourquoi ? questionna-t-elle avec un sourire étonné.

— Vous êtes douée.

— Vraiment ?

— Vraiment.

— Merci du compliment.

Dominik prit une gorgée de café. Il était chaud, fort et très sucré. Il y avait fait fondre quatre morceaux de sucre afin d'en effacer complètement l'amertume.

— Je suis sincère.

— J'ai trouvé vos cours captivants, déclara-t-elle en le regardant par en dessous.

Il eut l'impression qu'elle avait battu des cils mais la pénombre l'empêcha d'en être certain. C'était peut-être un tour que lui jouait son imagination.

— Vos questions étaient toujours pertinentes, reprit Dominik. Vous avez souvent eu une bonne approche du sujet.

— Vous êtes un homme passionné… par les livres, ajouta-t-elle hâtivement.

— Je l'espère, répondit-il.

Elle leva les yeux vers lui et il remarqua la vive rougeur qui s'était répandue sur son cou jusqu'à son spectaculaire décolleté. Ses seins, fermes et blancs, étaient comprimés dans un soutien-gorge *push-up*. Elle portait toujours des chemisiers blancs cintrés qui mettaient en valeur ses formes opulentes.

Impossible de se méprendre. Elle avait donc une idée derrière la tête quand elle lui avait proposé de prendre un café avec elle, et cette idée ne concernait pas la suite de ses études. Voilà qui était clair.

Dominik retint un instant son souffle et examina froidement la situation. Elle était vraiment attirante et – une pensée lui traversa soudain l'esprit – cela faisait une vingtaine d'années qu'il n'avait pas couché avec une Allemande. La dernière fois, il était adolescent et Christel avait dix ans de plus que lui, ce qui, à l'époque, lui paraissait énorme. Il avait depuis eu des maîtresses de toutes les nationalités, sa quête du plaisir ne connaissant pas de frontières géographiques. Pourquoi ne pas succomber ?

Il fit glisser lentement sa main sur la table en bois et couvrit les doigts aux longs ongles vermillon de Claudia. Elle portait deux grosses bagues dont une ornée d'un diamant.

Elle baissa les yeux vers ses mains et répondit à la question qu'il n'avait pas formulée.

—Je suis fiancée depuis un an. Mon petit ami est rentré en Allemagne. Il vient de temps en temps me voir. Je ne suis pas certaine que ça soit toujours sérieux, au cas où vous le demanderiez.

Dominik aimait son accent allemand.

—Je vois, fit-il en pensant qu'elle avait les mains étonnamment chaudes pour la saison.

—Pas d'alliance ? interrogea-t-elle.

—Non, répondit-il.

Une heure plus tard, ils étaient dans la chambre de l'appartement de Claudia à Shoreditch, près de Hoxton, où leur parvenait par la fenêtre ouverte le bruit des conversations des clients qui faisaient la queue devant la boîte de nuit en bas.

—Laisse-moi faire, ordonna-t-il.

Ils s'embrassèrent. Le souffle de Claudia, mélange de cigarette, de cappuccino et de désir, se fit plus court quand les mains de Dominik glissèrent sur sa taille. Il la pressa contre lui et sentit ses tétons durcir, signe de son excitation. Elle soupira contre son cou quand il taquina délicatement de sa langue le creux à la jointure de son oreille gauche. Il mordilla son lobe puis lécha la peau sensible juste en dessous. Elle se tendit et ferma les yeux : elle n'était plus qu'attente et plaisir.

Il défit un par un les boutons de son chemisier. Le tissu était tellement tendu qu'il se demandait comment elle pouvait respirer. À chaque bouton ouvert un morceau de peau satinée apparut et son chemisier flotta, dégagé de sa tâche. Elle avait des seins spectaculaires, qui inspiraient la joie. C'étaient deux collines dans lesquelles il pouvait s'enfouir, même si ses goûts le poussaient plutôt vers des femmes moins généreusement pourvues par la nature. Claudia était une jeune femme imposante, par sa personnalité, son exubérance et ses courbes.

Elle tendit la main vers le pantalon de Dominik, à présent tendu par son érection. Il recula, peu pressé d'être dévêtu.

Il passa la main dans les cheveux couleur de flamme de la jeune femme et rencontra une douzaine de pinces à chignon qui maintenaient la délicate coiffure. Il soupira et les enleva volontairement avec lenteur, libérant de longues mèches de cheveux qui vinrent se poser délicatement sur les fines bretelles de son soutien-gorge.

Il adorait ces instants-là. *Le calme avant la tempête. Le rituel de l'effeuillage. Savoir que le point de non-retour a été atteint et que l'on va finir au lit.* Dominik voulait en savourer chaque instant, les ralentir, imprimer au fer rouge chaque souvenir dans sa mémoire, toutes ces nouveautés découvertes non par ses yeux, mais par le bout de ses doigts et relayées par tout son corps, y compris son sexe dur, puis gravées de manière définitive dans son cerveau, où elles deviendraient inoubliables et éternelles. C'était de l'étoffe de ces souvenirs qu'il pourrait se repaître toute sa vie.

Il inspira profondément et sentit pour la première fois la fragrance inhabituelle du chocolat.

—Quel est ton parfum ? demanda-t-il.

—Oh, ce n'est pas un parfum, répondit Claudia avec un sourire coquin. C'est un lait pour le corps que j'utilise tous les matins pour garder ma peau douce. Tu n'aimes pas ?

—C'est surprenant, admit-il. Mais ça te va bien.

Il s'y habituerait rapidement. Le fait que chaque femme ait une odeur bien distincte, comme une signature, fragile mélange de senteurs artificielles et naturelles, ne cessait jamais de l'étonner.

Claudia dégrafa son soutien-gorge et libéra deux seins étonnamment fermes et haut perchés. Dominik caressa les tétons larges et sombres. Un jour, dans un avenir proche, il les pincerait avec des épingles à cheveux et le plaisir douloureux qu'il lirait dans les yeux humides de Claudia érigerait sa virilité.

— Je voyais bien que tu me matais, en cours, dit-elle.

— J'ai fait ça, moi ?

— Oh, oui, confirma-t-elle en souriant.

— Si tu le dis, capitula-t-il, espiègle.

Comment aurait-il pu en être autrement ? Elle portait toujours des jupes ultracourtes et, assise au premier rang, elle croisait et décroisait les jambes avec un abandon joyeux et distrait, répondant à ses regards par des sourires énigmatiques.

— Voyons voir ce que tu caches, décida Dominik.

Il la regarda ôter sa jupe Burberry, qui tomba à terre en corolle. Elle s'en dégagea, toujours chaussée de ses hautes bottes en cuir marron. Elle avait des cuisses fortes, mais en harmonie avec sa haute taille, et alors qu'elle se tenait très droite, les seins impérieusement dressés, seulement vêtue d'une culotte noire, de bas autofixants de la même couleur et de ses bottes, il ne put s'empêcher de lui trouver un air d'amazone. Fougueuse mais complaisante. Agressive mais prête à se soumettre. Ils se toisèrent.

— À ton tour, ordonna-t-elle.

Dominik ôta sa chemise et la laissa tomber à terre, sous l'œil attentif de Claudia.

Elle esquissa un sourire complice, mais il demeura impassible. D'un regard, il enjoignit à la jeune femme d'achever de se déshabiller.

Claudia se pencha et enleva rapidement ses bottes. Elle fit ensuite glisser ses bas le long de ses jambes et s'en débarrassa. Elle allait faire de même avec sa culotte lorsque Dominik leva la main.

— Attends.

Il se plaça derrière elle et s'agenouilla tout en passant ses doigts sous l'élastique du sous-vêtement. Il admira la fermeté et la parfaite rondeur de ses fesses, accentuées par deux fossettes. Il fit descendre sa culotte et dénuda son cul pâle, puis, d'une légère poussée, lui fit lever une jambe puis l'autre afin de lui ôter le sous-vêtement, qu'il roula en boule et expédia à l'autre bout de la pièce.

Il se remit debout, toujours derrière elle, à présent complètement nue.

— Tourne-toi.

Elle était intégralement épilée, inhabituellement potelée, sa fente bien visible.

Il tendit la main vers elle, sentit sa chaleur et glissa un doigt en elle. La jeune femme était très excitée.

Le regard de Dominik fouilla le sien, cherchant à y découvrir des désirs inassouvis.

— Baise-moi, ordonna Claudia.

— Je pensais que tu ne le demanderais jamais.

Une mélodie familière lui parvint de loin tandis qu'il se dirigeait vers le quai de la Northern line, encadré par les usagers de l'heure de pointe comme un prisonnier sous haute surveillance.

Un violon perça le sourd bruit de fond de la foule et se fraya un chemin vers lui, plus clair à chaque pas. Il reconnut soudain le deuxième concerto des *Quatre Saisons* de Vivaldi, joué uniquement par un violon, qui était si pur qu'il pouvait se passer sans problème de l'orchestre. Il accéléra l'allure, attiré par la musique.

Au carrefour de quatre tunnels, dans un espace dégagé au pied de deux Escalator qui vomissaient et avalaient leurs contingents de voyageurs, se tenait une jeune violoniste, les yeux clos. Ses cheveux couleur de flamme cascadaient sur ses épaules comme un halo embrasé.

Dominik s'arrêta brusquement, embarrassant les gens qui marchaient juste derrière lui. Il se glissa contre le mur, dans un recoin où il ne gênerait personne et regarda la musicienne de plus près. Elle n'avait pas d'ampli. La richesse du son n'était due qu'à l'acoustique particulière de la station de métro et à la vigueur de son archet.

Elle joue divinement, se dit Dominik.

Il y avait bien longtemps qu'il n'avait pas assisté à un récital. Quand il était enfant, sa mère l'avait inscrit aux concerts du dimanche matin du théâtre du Châtelet, à Paris, où, pour suivre son père, ils avaient vécu une dizaine d'années. Pendant six mois, l'orchestre et les solistes, qui se servaient de ces représentations comme d'une dernière répétition avant le concert du dimanche soir, lui avaient brillamment ouvert les portes de la musique classique. Dominik était fasciné et il avait dès lors dépensé son maigre argent de poche en disques – c'était encore la belle époque des vinyles : Tchaïkovski, Grieg, Mendelssohn, Rachmaninov, Berlioz et Prokofiev étaient ses favoris, au grand étonnement de son père. Il ne s'intéresserait pas au rock avant dix ans, quand Bob Dylan se serait mis à la guitare électrique. Dominik se laissa pousser un peu les cheveux : il avait toujours été en retard d'une mode. Encore aujourd'hui, il écoutait de la musique classique en voiture. Il y puisait de la sérénité et elle lui éclaircissait l'esprit, apaisant ses accès de rage impatiente contre les autres conducteurs.

La jeune femme avait toujours les yeux fermés. Elle se balançait doucement d'un pied sur l'autre, en communion avec la mélodie. Elle portait une jupe noire qui lui arrivait aux genoux et un chemisier blanc cassé, un peu victorien, qui brillait sous la lumière artificielle. Le tissu était lâche, et Dominik ne pouvait distinguer les contours de son corps. Il remarqua immédiatement la pâleur d'albâtre de son cou ainsi que l'angle délicat formé par le poignet qui tenait l'archet.

Le violon était une antiquité rapiécée à deux endroits par du ruban adhésif, dont la couleur était à l'unisson de la crinière flamboyante de sa propriétaire.

Dominik demeura immobile pendant cinq bonnes minutes. Le temps avait suspendu son envol. Il ne prêta aucune attention au flot de voyageurs pressés qui regagnaient leur foyer anonyme, fasciné par le brio avec lequel la jeune musicienne interprétait la complexe mélodie, totalement oublieuse de son environnement. Elle ne faisait pas plus cas de son public que de son étui, ouvert à ses pieds, et dont le fond était couvert de pièces, même si, tout le temps que Dominik resta à l'écouter, personne ne lui donna d'argent.

Elle ne souleva pas les paupières une seule fois, en transe, son esprit emporté sur les ailes de la musique.

Dominik ferma les yeux à son tour, cherchant inconsciemment à rejoindre la jeune femme dans le monde qu'elle s'était créé et où la musique semblait effacer toute forme de réalité. Mais il les ouvrait de temps à autre ; il voulait voir son corps bouger imperceptiblement et il aurait donné cher pour savoir ce qu'elle pensait, ce qu'elle ressentait.

Elle avait presque fini l'allégro de *L'Hiver*. Dominik sortit son portefeuille de la poche intérieure de sa veste en cuir, à la recherche d'un billet. Il avait retiré de l'argent le matin même. Il hésita brièvement entre un billet de 20 livres et un de 50, et la regarda de nouveau. La jeune femme rousse bougea tout entière comme son poignet se pliait étrangement sur l'archet : pendant une fraction de seconde, le tissu de son chemisier se tendit et révéla les contours d'un soutien-gorge noir.

Le corps de Dominik réagit sans prévenir, et ce n'était pas la faute de la musique. Il dissimula rapidement le billet de 50 livres sous les pièces, afin de ne pas attirer l'attention des passants malhonnêtes, le tout sans susciter aucune réaction de la part de la jeune femme, qui n'ouvrit pas les yeux.

Il s'éloigna tandis que la musique s'arrêtait, et les bruits habituels du métro reprirent leurs droits, au milieu des innombrables voyageurs pressés.

Plus tard ce soir-là, de retour chez lui, il écouta *Les Quatre Saisons*, dont il avait retrouvé le CD qu'il n'avait pas écouté depuis des années, allongé sur son canapé. Il ne se rappelait même pas l'avoir acheté : peut-être lui avait-il été offert avec un magazine.

La jeune musicienne perdue dans sa musique, les yeux fermés (de quelle couleur pouvaient-ils bien être ?), hantait ses pensées : il se souvenait de la position de sa cheville bottée et se demandait quelle pouvait bien être son odeur. Son esprit s'égara vers Claudia, sa moiteur qu'il aimait explorer avec ses doigts et son sexe, la première fois qu'elle avait souhaité qu'il la fiste, ses gémissements, ses cris retenus, et la morsure de ses ongles enfoncés dans son dos. Le souffle court, il décida que la prochaine fois qu'il verrait Claudia, il lui ferait l'amour en écoutant Vivaldi. Sauf que dans ses fantasmes, ce n'était pas Claudia qu'il prenait.

Il n'avait pas cours le lendemain, puisque son emploi du temps était conçu de telle manière qu'il ne travaillait que deux jours par semaine. Sur un coup de tête, il prit quand même le métro et s'arrêta à Tottenham Court Road. Il voulait revoir la jeune musicienne et découvrir de quelle couleur étaient ses yeux, quelle autre pièce elle avait à son répertoire et si elle changeait de tenue en fonction du temps ou du compositeur.

Mais elle n'était pas là. À sa place se tenait un mec arrogant aux cheveux longs et gras, en train de massacrer *Wonderwall.* Il tenta ensuite d'infliger aux voyageurs imperturbables une version atroce de *Roxanne.*

Dominik jura entre ses dents.

Plein d'espoir, il revint dans cette station de métro cinq jours d'affilée.

Il n'entendit qu'une succession de chanteurs qui interprétaient Dylan ou les Eagles avec des fortunes diverses ou des chanteurs d'opéra qui poussaient la chansonnette sur des bandes préenregistrées. Pas de violoniste. Il savait que les musiciens dans le métro suivaient un planning officiel mais il n'avait aucun moyen de découvrir quand elle reviendrait jouer. Elle aurait très bien pu être une musicienne non assermentée qui n'avait joué qu'une fois.

Il finit par se résoudre à appeler Claudia.

Il la prit en levrette, plus violemment que d'habitude, comme s'il voulait la punir de ne pas être une autre. Elle ne protesta pas mais il savait que ce n'était pas à son goût. Il lui maintint brutalement les bras dans le dos et la pénétra profondément, alors même qu'elle n'était pas prête à le recevoir, submergé par le feu intérieur de la jeune femme. Il la baisa avec une régularité de métronome et jouit perversement de voir le cul de Claudia bouger en rythme sous ses coups de boutoir, comme dans un film pornographique. S'il avait eu une troisième main, il lui aurait tiré cruellement les cheveux en même temps. Il ne comprenait pas ce qui le mettait parfois dans une rage folle. Claudia ne lui avait pourtant rien fait.

Peut-être était-il tout simplement en train de se lasser d'elle ? Peut-être était-il temps de fréquenter quelqu'un d'autre ? Mais qui ?

— Ça te plaît de me faire mal ? demanda-t-elle plus tard, alors qu'ils buvaient au lit, épuisés, en nage et troublés.

— Parfois, oui, avoua Dominik.

— Tu sais que ça m'est égal ? poursuivit Claudia.

— Oui, soupira Dominik. C'est peut-être pour ça que je le fais. Mais est-ce que tu aimes ça ?

— Je ne sais pas.

Le silence qui suivait toujours leurs ébats s'installa et ils s'assoupirent. Claudia fila à l'anglaise au petit matin, ne laissant derrière elle qu'un petit mot d'excuse à propos d'un entretien et un cheveu sur l'oreiller, unique preuve tangible qu'elle avait passé la nuit avec lui.

Un mois s'écoula. Dominik n'écouta pas une seule fois de la musique classique, comme si cela lui était étrangement interdit. La fin du semestre approchait et il ressentit de nouveau le besoin de voyager. *Amsterdam ou Venise ? Ou carrément un autre continent ? Pourquoi pas Seattle ? Ou La Nouvelle-Orléans ?* Sans qu'il sût pourquoi, aucune de ces villes, qu'il aimait pourtant, ne l'attirait vraiment. Cette sensation était inhabituelle et déstabilisante.

Claudia était rentrée pour quelques semaines dans sa famille à Hanovre et il n'avait ni le courage de chercher une maîtresse pour quelques semaines ni l'envie de rappeler une de ses anciennes conquêtes. Il ne se sentait pas non plus d'inclination pour les relations amicales. Il lui arrivait même de se demander si ses talents de séducteur ne l'avaient pas bel et bien quitté.

Alors qu'il se rendait dans un cinéma de South Bank, il accepta le journal gratuit tendu par une silhouette furtive devant la station de métro de Waterloo, et le glissa au fond de son sac, où il l'oublia jusqu'au lendemain après-midi.

À mi-chemin de sa lecture, dans une section intitulée « En direct des sous-sols » et habituellement consacrée aux objets perdus, aux histoires d'animaux de compagnie inhabituels et à la frénésie des voyageurs, il tomba sur une nouvelle qui n'était pas parvenue jusqu'à la presse nationale.

La veille, une violoniste avait été bien malgré elle prise dans une échauffourée à la station Tottenham Court Road. Une équipe de la sécurité des transports londoniens avait arrêté une bagarre entre hooligans avinés, en route pour le stade de Wembley, et la jeune femme, qui s'était trouvée au mauvais endroit au mauvais moment, avait été sévèrement bousculée, au point de faire tomber son violon, qui avait alors été fracassé quand l'un des belligérants s'était écroulé dessus.

Dominik parcourut rapidement l'article deux fois. La jeune femme se prénommait Summer. Summer Zahova. En dépit de son nom slave, elle était néo-zélandaise.

C'était elle.

Tottenham Court Road, un violon... C'était forcément elle.

Sans instrument, elle ne pouvait plus se produire dans le métro, et ses chances de la revoir, et à plus forte raison de l'entendre, avaient fondu comme neige au soleil.

Dominik se rassit, froissa le journal et le lança au sol, furieux.

Il connaissait cependant son nom, à présent.

Il se ressaisit. Quelques années auparavant, il avait utilisé Internet pour découvrir ce qu'était devenue une de ses ex, sans jamais reprendre contact avec elle.

Il s'installa à son bureau, alluma son ordinateur et entra le nom de la jeune femme dans Google. Il y eut peu de réponses, mais elle avait une page Facebook.

La photo de son profil était naturelle et vieille de plusieurs années, mais il la reconnut tout de suite. Il avait l'impression que le cliché avait été pris en Nouvelle-Zélande, et il se demanda depuis combien de temps elle était à Londres.

Elle le regardait, débarrassée de la transe dans laquelle la plongeait la musique, il ne voyait que sa bouche, peinte en rouge carmin. Il ne put s'empêcher de s'interroger sur les sensations que ses lèvres susciteraient sur son sexe dressé.

La page de Summer Zahova n'était pas entièrement publique et il ne put ni accéder à son mur ni consulter la liste de ses amis. Les détails personnels qu'elle avait renseignés étaient peu nombreux : sous son nom figuraient ses villes d'origine et de résidence, un intérêt affiché pour les hommes et les femmes, quelques noms de compositeurs et des titres de chansons qu'elle appréciait. Ni livres ni films. Elle n'avait pas l'air de passer beaucoup de temps sur Facebook.

Mais c'était une porte d'entrée dans sa vie.

Plus tard dans la soirée, après avoir longuement réfléchi, Dominik revint au silence assourdissant de son écran de portable et ouvrit un compte Facebook sous un faux nom. Il renseigna le moins possible son profil, au point que la page de Summer avait l'air bien remplie en comparaison. Il hésita à télécharger une photo d'un inconnu sous un masque de Carnaval de Venise, mais se décida à laisser le profil en blanc : inutile de sombrer dans le mélodrame. Il trouvait que son profil était suffisamment énigmatique et intrigant.

Il adressa alors un message à Summer Zahova sous sa nouvelle identité.

« Chère Summer,
J'ai été très peiné d'apprendre ce qui vous était arrivé. Je suis un de vos grands admirateurs et, afin que vous puissiez continuer à jouer, je suis prêt à vous offrir un nouvel instrument.
Accepterez-vous les conditions de mon défi ? »

Il choisit de ne pas signer et cliqua sur « Envoyer ».

3

Une femme et son cul

J'ai regardé les restes brisés de mon violon avec un étrange détachement.

Séparée de lui, j'avais l'impression d'être absente au monde et d'assister à l'événement de très loin. La psychologue scolaire, à qui j'avais expliqué ce que je ressentais quand je ne tenais pas mon instrument en main, avait un nom pour ça : « dissociation ». J'ai toujours préféré penser que la façon dont mon esprit vole dans la musique relève de la magie, même si je crois que le don que j'ai de disparaître dans les lignes mélodiques est juste une faculté particulière de mon cerveau, provoquée par un désir intense.

Si j'avais été du genre à pleurer, j'aurais fondu en larmes. N'allez pas croire que rien ne m'atteint. C'est juste que je n'exprime pas mes émotions comme tout le monde : elles se répandent dans tout mon corps et je les évacue en jouant, en faisant l'amour passionnément ou en alignant rapidement les longueurs dans l'une des piscines de plein air de Londres.

— Désolé, ma belle, s'est excusé l'un des hooligans d'une voix pâteuse et avinée en trébuchant près de moi.

Il y avait un match cet après-midi-là, et deux groupes de supporters rivaux, parés des couleurs de leurs clubs respectifs, s'étaient battus en allant au stade. La rixe avait débuté à quelques pas de l'endroit où je jouais. J'étais comme à mon habitude totalement absorbée par la musique et je n'avais pas entendu la remarque qui avait mis le feu aux poudres. Je n'avais même pas pris conscience de la bagarre avant d'être bousculée par un supporter baraqué : mon violon m'avait échappé, projeté contre le mur, et mon étui avait été renversé, répandant sur le sol une pluie de pièces comme des billes dans une cour d'école.

Tottenham Court Road est une station de métro très fréquentée : les employés des transports y sont donc nombreux. Deux vigiles corpulents sont intervenus rapidement et ont menacé de faire appel aux forces de l'ordre. Les combattants se sont vite calmés et se sont égaillés comme des rats dans les entrailles de la station, empruntant à toute allure tunnels et Escalator : ils craignaient peut-être d'être en retard pour le match, voire d'être arrêtés, s'ils s'attardaient plus longtemps.

Je me suis laissée glisser le long du mur contre lequel j'avais joué un peu plus tôt la chanson de The Verve, *Bitter Sweet Symphony*, berçant contre mon cœur les deux parties brisées de mon violon. Ce n'était pas un instrument de prix mais il avait un timbre extraordinaire et je le pleurais déjà. Mon père l'avait choisi pour moi dans un magasin d'instruments d'occasion de Te Aroha, et me l'avait offert pour Noël cinq ans auparavant. Je n'aime pas les violons neufs et mon père a toujours eu beaucoup d'oreille pour dénicher les bonnes occasions : il savait trouver la perle rare dans un tas de rebuts. Il avait pris l'habitude de m'acheter mes instruments, de la même manière que ma mère et ma sœur m'offraient souvent des vêtements et des livres, et il avait toujours merveilleusement choisi. Je me plaisais à imaginer leurs précédents propriétaires, leur façon d'en jouer et de les caresser de leurs mains chaudes, qui avaient laissé sur eux l'empreinte de leur histoire. Amour, peine et folie : autant d'émotions qui se mêlaient dans leur bois et vivaient à jamais dans leurs cordes.

Ce violon avait traversé toute la Nouvelle-Zélande et une partie du globe avec moi. Je savais bien qu'il était en bout de course ; j'avais dû le rapiécer avec du scotch aux deux endroits abîmés par le voyage à Londres l'année précédente, mais il avait encore un son merveilleux et je l'aimais. Le remplacer s'annonçait mission impossible. Malgré l'insistance de Darren, je ne l'avais pas fait assurer. Je ne pouvais pas m'offrir un nouvel instrument, ni même d'ailleurs un vieux, de qualité. Chiner un nouveau violon me prendrait des semaines, et je ne pouvais me résoudre à en acheter un sur eBay, pas sans l'avoir tenu entre mes doigts et en avoir entendu le timbre.

Mon violon désossé à la main, j'ai ramassé mes sous, éparpillés aux quatre coins de la station, comme une clocharde. L'un des employés m'a demandé de lui fournir des détails sur la bagarre, afin qu'il puisse remplir son rapport et il a eu l'air ostensiblement agacé par le peu que j'ai eu à lui dire.

— Vous n'êtes pas très observatrice, a-t-il remarqué avec un sourire méprisant.

— Non, me suis-je contentée de répondre en regardant ses doigts dodus feuilleter son carnet.

Il avait des doigts pâles et mous, comme des saucisses cocktail trop cuites : clairement les mains de quelqu'un qui ne pratique pas d'instrument et qui n'intervient pas souvent dans les bagarres.

Je dois bien admettre que je déteste le football, même si je ne l'avouerais jamais à un Britannique. Je trouve les footballeurs trop efféminés. Au moins, pendant un match de rugby, je peux regarder les cuisses musculeuses des joueurs et leurs shorts ridiculement petits, qui menacent sans cesse de dévoiler des fesses magnifiquement fermes. De manière générale, je n'aime pas les sports collectifs. Je préfère nager, courir et soulever du poids à la salle de gym, histoire de muscler mes bras pour pouvoir jouer des heures d'affilée.

J'ai fini par ramasser toutes mes pièces et, les morceaux de violon rangés dans mon étui, j'ai quitté la station sous le regard désapprobateur des deux vigiles.

J'avais à peine gagné 10 livres avant que les malotrus brisent mon violon. Il y avait un mois que le mystérieux passant avait déposé 50 livres dans mon étui. Je ne les avais pas dépensées, alors que j'en aurais eu bien besoin : le billet était caché dans mon tiroir à lingerie. J'avais fait des heures supplémentaires au restaurant où je travaillais à temps partiel, mais je n'avais pas décroché de contrat depuis des semaines : j'avais dû piocher dans mes économies pour payer le dernier loyer.

J'avais revu Darren une seule fois depuis l'incident Vivaldi et je lui avais expliqué, certainement très mal, que je ne trouvais pas mon compte dans notre relation et que je voulais me concentrer sur ma musique.

— Tu me largues pour un violon ?

Darren était ahuri. Il était riche, séduisant et en âge de procréer : en conséquence, aucune femme n'avait jamais rompu avec lui.

— J'ai besoin de faire une pause.

J'ai scruté le pied immaculé d'un de ses tabourets de bar en acier, incapable de le regarder en face.

— Ce sont des conneries, ça, Summer. Il y a quelqu'un d'autre ? Chris ? Le chanteur ? a-t-il demandé en me prenant la main. Tu as les mains gelées.

J'ai observé mes doigts, la partie que je préfère chez moi. Ils sont longs, pâles et déliés : « des doigts de pianiste », comme dit ma mère.

J'ai ressenti une soudaine bouffée d'affection pour Darren et j'ai passé la main dans ses boucles sombres.

— Arrête, a-t-il ordonné.

Il s'est penché pour m'embrasser. Ses lèvres étaient sèches et son baiser était hésitant. Il n'a pas cherché à me prendre dans ses bras. Sa bouche avait un goût de thé et ça m'a écœurée.

Je l'ai repoussé et je me suis levée, prête à prendre mon étui à violon et le sac qui contenait les maigres possessions que j'avais laissées chez Darren : quelques sous-vêtements et une brosse à dents.

— Quoi ? Tu ne veux pas baiser ? s'est étonné Darren avec un sourire ironique.

— Je ne me sens pas très bien, ai-je répondu.

— Pour la première fois de sa vie, mademoiselle Summer Zahova a la migraine.

Il s'était levé à son tour et, les mains sur les hanches, m'observait d'un air désapprobateur, comme une mère réprimande son enfant.

J'ai récupéré mes affaires et tourné les talons. Je portais la tenue qu'il aimait le moins : des Converse montantes rouges, un short en jean sur des collants opaques et un tee-shirt orné d'un crâne. En ouvrant la porte de son appartement, j'ai eu l'impression qu'on m'ôtait un poids des épaules. Je me suis sentie de nouveau moi-même, ce qui ne m'était pas arrivé depuis des mois.

— Summer !

Il m'a couru après et saisie par le bras alors que j'étais sur le pas de la porte, me faisant pivoter pour que je me retrouve face à lui.

— Je t'appelle, d'accord ? a-t-il dit.

— Comme tu veux.

Je suis partie sans me retourner, supposant qu'il me suivait des yeux. J'ai entendu sa porte se refermer alors que j'attaquais la deuxième volée de marches, hors de sa vue.

Il m'avait appelée fréquemment depuis, d'abord toutes les nuits, puis seulement deux ou trois fois par semaine quand il a vu que je ne rappelais jamais. Il m'avait téléphoné deux fois à 3 heures du matin, ivre, pour me laisser des messages inarticulés.

— Tu me manques, ma puce.

Il ne m'avait jamais appelée comme ça – il disait qu'il haïssait ce terme – et je finissais par me demander si je le connaissais vraiment.

Une chose était sûre : je ne voulais pas le joindre à présent, même si je savais qu'il sauterait sur l'occasion pour m'offrir un nouveau violon. Il détestait l'ancien. Il le trouvait de mauvaise qualité et peu adapté à une musicienne classique. Il détestait aussi me voir jouer dans la rue ; il trouvait que je méritais mieux, même s'il était surtout inquiet pour ma sécurité. Le récent incident lui avait donné raison.

Je suis restée plantée au carrefour devant le métro, indifférente à la circulation comme aux piétons, et j'ai passé en revue mes options. Je ne m'étais pas fait d'amis à Londres en dehors des couples avec qui Darren et moi dînions ou allions aux vernissages, et même s'ils étaient d'agréable compagnie, c'étaient ses amis à lui plutôt que les miens. De toute façon je n'aurais pas pu les joindre, puisque je n'avais pas leurs coordonnées. C'était Darren qui organisait notre vie sociale ; je me contentais de le suivre. J'ai sorti mon téléphone portable et parcouru les numéros enregistrés. J'ai pensé un instant appeler Chris. En tant que musicien, il aurait parfaitement compris, et il n'apprécierait pas que je ne le mette pas au courant. Mais je ne voulais susciter ni compassion ni pitié, au risque de m'effondrer et de ne pas pouvoir réagir.

Charlotte. Le club de striptease.

Je ne l'avais pas vue depuis plus d'un an, et n'avais pas eu d'autres nouvelles que les quelques statuts Facebook qu'elle postait de temps en temps, mais je savais que Charlotte était la seule à pouvoir me remonter le moral.

J'ai appuyé sur le bouton « Appeler ».

La sonnerie a retenti, puis un homme a décroché. Il avait une voix sensuelle et ensommeillée, comme si on venait juste de le réveiller d'une manière très agréable.

— Allô ? a-t-il dit.

J'entendais mal à cause de la circulation.

— Désolée, ai-je répondu, j'ai dû faire un faux numéro. Je voulais parler à Charlotte.

— Elle n'est pas loin, juste un peu occupée.

— Je peux lui parler ? C'est Summer.

— Ah, Summer, Charlotte serait ravie de te parler mais elle a la bouche pleine.

J'ai entendu un gloussement et un bruissement, puis la voix de Charlotte a résonné dans le combiné.

— Summer, ma chérie, ça fait une éternité !

De nouveaux murmures. Un gémissement.

—Charlotte ? Tu es toujours là ?

Encore une plainte. Des chuchotements.

—Attends, deux secondes, a-t-elle dit.

J'ai compris qu'elle avait mis la main sur le récepteur et j'ai entendu un rire masculin.

—Arrête, a-t-elle chuchoté, Summer est une amie. Désolée, ma chérie, a-t-elle repris, Jasper essayait juste de me distraire. Comment tu vas ? Ça fait trop longtemps que je n'ai pas eu de tes nouvelles.

Je les ai imaginés au lit tous les deux et j'ai ressenti un pincement de jalousie. Charlotte était la seule femme de ma connaissance dont l'appétit sexuel égalait le mien, mais contrairement à moi, elle l'assumait pleinement. C'était une femme incroyablement vivante, électrique comme l'air après une tempête tropicale, toute en chaleur moite et voluptueuse séduction.

Je me suis soudain souvenue de notre virée dans un sex-shop, quelques heures avant l'entretien dans la boîte de striptease de Chancery Lane. Je me sentais un peu embarrassée, et je regardais, mal à l'aise, Charlotte comparer des godes de toutes tailles et de toutes formes en les caressant contre la peau fine à l'intérieur de son poignet.

Elle avait même demandé des piles à l'employé amorphe, qu'elle avait glissées d'un geste sûr dans deux

Rabbit légèrement différents. L'un d'eux était plus lisse et le second était fendu en deux afin de pouvoir stimuler le clitoris de son utilisatrice en vibrant. Charlotte avait fait courir les deux sur son avant-bras puis s'était retournée vers l'employé.

— À votre avis, lequel est le mieux ?

Il l'avait regardée comme s'il avait en face de lui une extraterrestre fraîchement débarquée dans sa boutique. J'aurais voulu disparaître dans un trou de souris.

— Je-n'en-sais-rien, a-t-il répondu en détachant bien les syllabes comme s'il s'adressait à une idiote.

— Pourquoi ça ? a poursuivi Charlotte sans se démonter. Après tout, vous travaillez bien ici.

— Ça doit avoir un rapport avec le fait que je n'ai pas de vagin.

Charlotte avait dégainé sa carte bleue et acheté les deux, persuadée qu'elle gagnerait bientôt beaucoup d'argent avec son futur boulot.

On a quitté le magasin et elle s'est brusquement immobilisée devant des toilettes publiques, de celles qui ressemblent à un vaisseau spatial et qui, à mon avis, ne sont que rarement utilisées pour leur usage premier.

— Ça ne t'ennuie pas ? a-t-elle questionné en ouvrant la porte et en disparaissant à l'intérieur avant que j'aie eu le temps de répondre.

Je l'ai attendue au-dehors, rougissant à l'idée qu'elle était en train de se masturber dans les toilettes, la culotte sur les chevilles.

Elle a refait son apparition au bout de cinq minutes, souriante.

—Je préfère le lisse. Tu veux essayer ? J'ai du désinfectant et des lingettes. Et du lubrifiant, aussi.

—Non, c'est gentil, merci, ai-je décliné en me demandant ce que penseraient les passants s'ils surprenaient notre échange.

À ma grande surprise, savoir que Charlotte venait d'essayer les godes m'avait excitée. Je ne me voyais pas le lui avouer, mais je n'aurais pas eu besoin de lubrifiant.

—Comme tu veux, a-t-elle repris, désinvolte, en rangeant les *sex-toys* dans son sac à main.

Malgré la souffrance causée par la perte de mon violon, en imaginant Charlotte nue à l'autre bout du fil, ses longues jambes bronzées écartées sous le regard intense de Jasper, j'ai senti l'excitation naître en moi.

—Je vais bien, ai-je dit, avant de lui déballer toute l'histoire.

—Oh, mon Dieu ! Ma pauvre ! Viens chez moi tout de suite, je vais virer Jasper.

Elle m'a envoyé son adresse par texto et moins d'une heure plus tard je me suis retrouvée pelotonnée sur une balancelle dans le salon de son appartement à Notting Hill. Charlotte m'avait servi un double expresso dans une fragile tasse en porcelaine. La chance lui avait considérablement souri en un an.

— Je vois que la danse, ça rapporte, ai-je remarqué en parcourant du regard l'appartement spacieux, le parquet poli et le grand écran plat.

— Pas du tout, a-t-elle répondu en éteignant la machine à café. Quelle expérience atroce ! Je n'ai pas gagné un sou et je me suis fait virer de nouveau.

Elle s'est dirigée vers le canapé, une tasse à la main. Je soupçonnais ses cheveux châtains très longs et très raides de devoir beaucoup aux extensions, mais j'étais ravie de constater qu'elle ne portait toujours pas de faux ongles. Charlotte avait beau ne pas être une oie blanche, elle avait beaucoup de classe.

— Je joue au poker en ligne, a-t-elle poursuivi avec un petit geste vers un bureau surmonté par un Mac imposant. J'ai remporté une fortune.

Une porte, probablement celle de la salle de bains, s'est ouverte dans le couloir, laissant échapper un nuage de vapeur. Un sourire indolent a étiré les lèvres de Charlotte quand elle a vu que je regardais en direction du bruit.

— C'est Jasper, a-t-elle expliqué. Il prend une douche.

— Ça fait longtemps que vous vous fréquentez ?

— Suffisamment longtemps, a-t-elle dit en souriant, tandis que Jasper faisait son apparition.

C'était l'un des hommes les plus beaux que j'aie jamais rencontrés. Des cheveux sombres, épais et humides, des cuisses musclées dissimulées sous un jean taille basse, des abdominaux bien dessinés largement visibles sous sa chemise déboutonnée et une fine ligne de poils qui disparaissaient sous sa ceinture. Il s'est arrêté près de la cuisine et s'est séché les cheveux avec une serviette, comme s'il attendait quelque chose.

— Je vais reconduire ce charmant garçon, a annoncé Charlotte en me faisant un clin d'œil tout en se levant.

Elle a pris une liasse de billets dans une enveloppe posée sur une étagère et la lui a mise dans la main. Il l'a pliée sans recompter son contenu et l'a glissée dans la poche arrière de son jean.

— Merci, a dit Jasper, ce fut un plaisir.

— Tout le plaisir a été pour moi, a-t-elle répondu en lui ouvrant la porte avant de lui faire la bise.

— J'ai toujours rêvé de dire ça, a-t-elle commenté en se laissant retomber sur le canapé.

— C'est un… ?

— Un escort boy ? a-t-elle achevé à ma place. Oui.

— Mais tu pourrais… ?

— Trouver facilement un homme ? a-t-elle de nouveau terminé. Probablement. Mais j'aime payer. Ça renverse la vapeur, si tu vois ce que je veux dire, sans compter que je n'ai pas à me tracasser avec toutes les conneries qui pourrissent les relations.

Je comprenais parfaitement à quoi elle faisait allusion. À cet instant précis, et, pour être tout à fait honnête, à tous les autres aussi, je me serais damnée pour une partie de jambes en l'air sans complications ni implication.

— Tu as quelque chose de prévu ce soir ? a soudain demandé Charlotte.

— Non, ai-je répondu en secouant la tête.

— Parfait. On va sortir.

J'ai protesté. Je ne me sentais pas d'humeur à faire la fête, et je n'avais rien à me mettre et pas d'argent. Et puis je déteste les boîtes de nuit peuplées de jeunes filles qui battent des faux cils pour que des minables leur offrent un verre.

— Ça va te faire du bien. C'est moi qui régale. Je te prête une tenue. Et tu vas adorer l'endroit où je t'emmène.

Quelques heures plus tard, je me tenais sur le pont d'une péniche amarrée sur la Tamise, qui, en automne, se transformait une fois par mois en boîte de nuit fétichiste.

— Ça veut dire quoi, exactement, « fétichiste » ? ai-je demandé à Charlotte, anxieuse.

— Oh, rien du tout ! Les gens sont moins vêtus que d'habitude mais avec plus de recherche. Et ils sont plus sympas.

Elle a souri en me conseillant de me détendre, mais d'une manière qui a provoqué exactement l'inverse chez moi.

Je portais un corset bleu pâle, une culotte à froufrous et des bas dont la couture bleue disparaissait dans des talons aiguilles argentés. Charlotte avait ramassé lâchement mes volumineuses boucles rousses sur le sommet de mon crâne et les avait surmontées d'un chapeau haut de forme incliné de façon provocante. Elle m'avait ensuite maquillée : beaucoup d'eye-liner et un rouge à lèvres très vif, puis avait fixé des paillettes argentées sur mes joues. Il avait fallu lacer le corset, trop grand, au maximum, et les chaussures trop étroites entravaient un peu ma marche, mais j'espérais que l'effet général était agréable à regarder.

— Ouah ! s'était exclamée Charlotte en me détaillant de haut en bas, une fois son travail accompli. Tu es super canon !

Je m'étais dirigée vers le miroir. Les chaussures me faisaient déjà mal : je n'osais imaginer dans quel état seraient mes pieds à la fin de la soirée.

J'étais d'accord avec Charlotte et ça me plongeait dans le ravissement, même si je ne l'aurais jamais avoué, afin de respecter les règles de savoir-vivre qui voulaient que l'on reste modeste. Le reflet dans le miroir ne me ressemblait pas. J'avais l'impression de regarder une petite sœur rebelle en costume burlesque. Même si le corset était un peu grand, il me contraignait à me tenir bien droite, et le trac que j'éprouvais à l'idée de sortir dans cette tenue ne se verrait pas, mon attitude – épaules droites et port de danseuse – respirant l'assurance.

Charlotte s'était entièrement dévêtue devant moi avant de s'enduire de lubrifiant et de me demander de l'aider à enfiler une minirobe en latex jaune vif, décorée de deux éclairs rouges sur les côtés. Le décolleté était très profond, coupé de manière que ses seins, et un aperçu prometteur de ses tétons, s'offrent aux regards. Le lubrifiant était parfumé à la cannelle, et j'avais dû résister à l'envie de le goûter sur sa peau. Elle ne portait pas de sous-vêtements, alors que sa robe couvrait à peine ses fesses.

Charlotte était sacrément culottée, mais après avoir passé la journée en sa compagnie, je m'y étais déjà habituée. C'était la seule personne de ma connaissance qui faisait toujours exactement ce dont elle avait envie sans jamais se soucier de ce que pouvaient bien penser les autres.

Mes chaussures étaient trop étroites et trop hautes, celles de Charlotte étaient d'énormes plates-formes rouges : résultat, nous avons dû nous agripper l'une à l'autre en gloussant, afin de pouvoir monter à bord de la péniche.

— Ne t'inquiète pas, m'a rassurée Charlotte, tu seras bien assez vite sur ton dos.

Vraiment ?

Nous sommes arrivées vers minuit et la fête battait son plein. J'étais un peu gênée à l'idée d'ôter ma veste et de me joindre aux convives, plus dévêtue qu'à l'ordinaire, mais Charlotte m'a assuré que je me fondrais aisément dans le décor. Nous avons échangé nos billets contre un tampon sur le poignet, laissé nos manteaux au vestiaire et gravi l'escalier qui menait au bar.

Ce qui nous attendait était pour le moins surprenant. Hommes et femmes portaient des tenues hallucinantes. Latex en abondance, lingerie *vintage*, chapeaux hauts de forme, redingotes, uniformes militaires... : j'ai même vu un homme entièrement nu, dont le pénis flasque, pris dans un cockring, tressautait joyeusement au rythme de ses pas. Une femme de petite taille, arborant uniquement une jupe volumineuse, ses seins généreux dénudés, traversait la foule en traînant en laisse un homme grand et maigre, qui se tenait voûté afin que sa maîtresse puisse le tirer derrière elle sans se fatiguer. Il ressemblait un peu à M. van der Vliet.

Un homme menu – peut-être était-ce une femme androgyne – était assis sur un canapé, seul, entièrement vêtu d'une combinaison en latex, le visage dissimulé par un masque. La remarque de Charlotte n'était pas tout à fait juste : les invités n'étaient pas tous moins habillés que moi. Si certains n'hésitaient pas à exhiber leur corps avec talent, d'autres parvenaient, bien que couverts de pied en cap, à exsuder littéralement le sexe. Personne ne portait de tenue de ville ni de robe de soirée ordinaire, détail qui prouvait à lui seul que les convives n'avaient pas de goût pour le kitsch mais bien plutôt pour la théâtralité.

— Qu'est-ce que tu veux boire ?

J'ai reporté mon attention sur Charlotte. J'avais beau faire de mon mieux pour ne dévisager personne, j'avais l'impression d'avoir pénétré sur le tournage d'un film pour adultes ou d'avoir été projetée dans un univers parallèle rempli de gens qui, comme Charlotte, se souciaient de l'opinion des autres comme d'une guigne.

Cela étant, elle avait eu raison à propos de ma tenue. Je ne déparais pas, tout en étant vêtue de manière moins voyante que les autres – ce que l'on pouvait prendre pour de la timidité. Cette pensée m'a détendue. Quand je sors, je passe toujours pour une femme étrange, à cause de ma sexualité sans contrainte et de ma façon d'envisager les relations sentimentales. On ne m'avait jamais prise pour quelqu'un de timide.

— Un verre d'eau, merci, ai-je répondu à Charlotte.

Pas question d'abuser de la générosité de mon amie, sans compter que je voulais garder la tête froide pour profiter de ma soirée : je n'avais pas envie de me dire au petit matin que tout ça n'avait été qu'un rêve.

Charlotte a haussé les épaules et est rapidement revenue avec nos verres.

— Viens, a-t-elle déclaré, je vais te faire visiter.

Elle m'a prise par la main et m'a fait franchir une autre porte, qui menait vers la proue du navire. Des hommes en uniformes militaires fumaient ou prenaient l'air, tandis que des femmes, nettement moins habillées, bavardaient autour de deux braseros installés au milieu du pont. Deux d'entre elles portaient des minirobes en latex dont le dos, entièrement dénudé, dévoilait sans complexe des fesses rondes qui luisaient à la lueur des flammes.

J'ai entraîné Charlotte vers le bastingage et j'ai contemplé la Tamise, qui se déroulait comme un ruban noir niché entre les deux moitiés de la ville. L'eau, dense et visqueuse, clapotait contre la coque. La péniche était amarrée entre les ponts de Waterloo et de Blackfriars, et je voyais au loin les lumières du Tower Bridge, semblables à une promesse ténébreuse.

Charlotte a frissonné.

— Rentrons, a-t-elle suggéré. Il fait froid.

Nous avons retraversé le bar et ouvert une autre porte qui menait cette fois-ci à la piste de danse. J'ai contemplé, bouche bée, une brune sublime en tenue gothique, qui renversait de l'essence sur elle puis crachait du feu tout en se frottant contre la barre verticale au rythme d'une chanson de *heavy metal*. Elle respirait la sensualité. Avec Charlotte à mes côtés, et en présence de tant de personnes qui exhibaient leur corps et leur sexualité sans honte, voire avec une certaine fierté, j'ai eu l'impression pour la première fois de ma vie de ne pas être une aberration de la nature. En tout cas, si j'en étais une, je n'étais pas la seule.

Mon regard a été attiré par un homme de haute taille qui se tenait sur le bord de la piste. Il portait des leggings ultramoulantes, d'un bleu vif et pailleté, des bottes de cavalier, une veste militaire rouge et or, et un chapeau assorti. Une cravache dans une main, un verre dans l'autre, il bavardait, animé, avec une femme moulée dans un short en latex et dont la chevelure sombre était illuminée par une seule mèche blanche. Je ne pouvais détacher mes yeux du renflement qui tendait les leggings de l'homme. Il me semblait avoir vu cette même paire dans la vitrine d'une boutique pour femmes, mais portées par cet homme, elles devenaient complètement viriles.

Charlotte m'a tirée par la main.

— Plus tard, m'a-t-elle murmuré à l'oreille avec un regard en direction de l'homme aux leggings. La fête bat son plein, ce qui signifie que ça doit être plutôt calme en bas.

Nous avons emprunté un couloir exigu tendu de velours rouge qui nous a menées dans un autre bar, plus petit mais rempli du même type d'invités, puis nous avons descendu une volée de marches.

— Bienvenue au donjon, a-t-elle dit.

La pièce ne ressemblait pas à l'idée que le terme évoquait, même si je dois bien avouer que je ne savais pas à quoi pouvait bien avoir l'air un donjon de nos jours, si tant est que ce genre d'endroit existe toujours. Immobile, j'ai détaillé la salle, histoire d'en garder le souvenir le plus vif possible : après tout, il était fort probable que je ne remette jamais les pieds dans un tel lieu.

La décoration était similaire à celle du bar, mais j'ai remarqué certains ajouts étranges. Il y avait une croix en forme de X, matelassée, sur laquelle était attachée une fille nue, bras et jambes écartés. Une autre femme la fouettait avec ce que Charlotte a appelé un martinet. Je ne pouvais pas voir le manche, caché par la main de celle qui le tenait, mais il comptait plusieurs lanières en cuir, à l'inverse d'un fouet.

La femme cinglait et caressait alternativement les fesses de celle qui était attachée, et faisait parfois courir gentiment les lanières en cuir doux sur son corps, ce qui déclenchait chez l'autre des gémissements de plaisir. Elle gigotait malgré elle, et celle qui maniait le fouet s'interrompait souvent pour lui murmurer à l'oreille ce que j'imaginais être des mots d'amour. Elle souriait, riait parfois, le corps penché sur celui de son amante, et, alors qu'elles étaient environnées de curieux qui assistaient au spectacle, elles semblaient être dans une bulle qui n'appartenait qu'à elles.

Si j'avais vu une photo ou lu un compte-rendu salace dans un journal, j'aurais sans doute été choquée. Je savais évidemment que ce genre de pratique existait mais ça me faisait le même effet que les histoires de gens qui se retrouvent aux urgences après avoir malencontreusement utilisé le tuyau de l'aspirateur à des fins non prévues par la notice. Je pensais que c'étaient des légendes urbaines ou à tout le moins, que ça ne concernait que des personnes plutôt étranges. Mais les gens que je voyais là paraissaient tous parfaitement normaux et gentils, même s'ils arboraient eux aussi des vêtements qui sortaient de l'ordinaire. Je me suis rapprochée un peu.

Pas de doute possible : la femme fouettée avait l'air d'aimer vraiment ça. J'aurais été prête à donner un rein pour savoir ce que ça faisait. Le rythme du châtiment était parfaitement orchestré et le martinet retombait avec précision. C'était très beau.

Charlotte a remarqué mon intérêt : elle m'a entraînée vers un homme qui se tenait tout près de la croix et lui a tapoté l'épaule pour attirer son attention.

— Mark, je te présente Summer. C'est la première fois qu'elle vient ici.

Mark m'a dévisagée de haut en bas, d'une manière plus appréciatrice que prédatrice.

— Très joli corset ! a-t-il commenté en me faisant deux bises comme les Français.

Un peu enrobé et dégarni, il n'était pas très grand, mais il avait un visage amical et le regard pétillant. Il portait des bottes en cuir, un gilet et un tablier en latex. Ce dernier avait de nombreuses poches, remplies d'instruments qui, à première vue, ressemblaient au fouet que tenait la jeune femme.

— Merci, ai-je répondu. Vous venez souvent ici ?

— Pas aussi souvent que je le voudrais, a-t-il répondu en riant de me voir rougir.

— Mark est le maître du donjon, a expliqué Charlotte.

— Je me contente de vérifier que tout se passe bien et que personne ne franchisse les limites.

J'ai acquiescé en me dandinant d'un pied sur l'autre. Charlotte a beau me dépasser d'une tête, elle fait une pointure de moins que moi et mes pieds commençaient à me faire sérieusement souffrir.

J'ai regardé autour de moi, mais je n'ai rien vu qui s'apparente à une chaise, à l'exception d'un banc en métal rembourré au milieu. Je doutais fort que ce soit un siège.

— Est-ce que je peux m'asseoir là ? ai-je demandé en désignant le banc.

— Non, a répondu Charlotte. Quelqu'un pourrait vouloir l'utiliser. Oh ! a-t-elle poursuivi avec un sourire coquin, les yeux brillants, tout en donnant un léger coup de coude au maître du donjon. Mark, tu ne veux pas la fesser ? Elle pourrait reposer ses pieds.

— Avec plaisir, a acquiescé Mark en me regardant. Si vous en avez envie, évidemment.

— Oh, non. C'est gentil mais je ne sais pas si...

— Pas de problème, a poliment rétorqué Mark.

— Allez, vas-y, m'a encouragée Charlotte au même moment. De quoi est-ce que tu as peur ? Mark est un pro, fonce.

J'ai jeté un coup d'œil à la femme sur la croix, qui avait manifestement atteint l'extase, sans se soucier du spectacle qu'elle offrait à son public.

J'aurais aimé être aussi courageuse et désinhibée. Si je ne me préoccupais pas autant de l'opinion des autres, je n'aurais jamais passé plus d'une nuit avec Darren.

— Je reste à tes côtés, a renchéri Charlotte en voyant ma résolution faiblir. Que veux-tu qu'il t'arrive de terrible ?

Après tout, pourquoi pas ? Personne ici ne me jugerait et je pourrais reposer mes pieds pendant un moment. Et puis je devais bien avouer que j'étais aussi poussée par la curiosité. Si autant de gens pratiquaient, c'est que ça devait être bon.

— D'accord, ai-je accepté avec un sourire de façade. Je veux bien essayer.

Charlotte en a sautillé de plaisir.

— Choisis ton instrument, a ordonné Mark avec un geste vers son tablier.

J'ai suivi sa main du regard. Pour un homme de sa taille, il avait des mains épaisses et robustes. Elles étaient puissantes, comme s'il faisait un travail manuel : ce n'étaient pas les mains molles d'un homme qui passe son temps sur son ordinateur.

Charlotte a remarqué mon intérêt.

— Je pense qu'elle est du genre mains nues, a-t-elle dit.

J'ai acquiescé.

Charlotte m'a conduite vers le banc.

Mark m'a gentiment fait pivoter vers lui.

— Je vais commencer très doucement, a-t-il expliqué. Si ça ne va pas, lève le bras et je m'arrête tout de suite.

Charlotte va rester avec toi tout du long. C'est bien compris ?

— Oui.

— Bien. Mais tu es trop habillée. Est-ce que je peux enlever ta culotte ?

J'en ai oublié de respirer. Dans quel guêpier est-ce que je m'étais fourrée ? Toutefois, il avait raison : une fessée à travers une culotte en dentelle, ce n'est pas la même chose. Et puis ce n'était pas comme si la nudité offusquait les participants.

— Bien sûr, ai-je répondu.

Je me suis allongée à plat ventre sur le banc, et j'ai soupiré de soulagement quand mes pieds ont quitté le sol. La moitié supérieure de mon corps reposant sur le rembourrage, j'ai étendu mes bras devant moi, sur les parties, rembourrées aussi, prévues à cet effet et j'ai saisi les poignées.

J'ai senti un doigt passer sur l'élastique de ma culotte, qui a glissé le long de mes cuisses nues puis de mes jambes gainées de soie. Mark l'a ôtée complètement, un pied puis l'autre. J'avais les jambes bien écartées et j'ai rougi en pensant que, de là où il était, Mark avait une vue imprenable sur la partie la plus intime de mon anatomie. J'ai pourtant senti se répandre en moi une excitation très agréable, premier signe de ma capitulation. Mark s'est redressé et Charlotte a exercé une légère pression sur ma main.

Pendant un instant je n'ai perçu que l'air frais de la pièce sur mes fesses nues, et le regard supposé des spectateurs.

Puis une paume puissante a caressé ma fesse droite dans le sens des aiguilles d'une montre. J'ai senti ensuite le très léger appel d'air quand la main a quitté ma peau. Puis une claque. Sur une fesse, puis l'autre.

Une douleur cinglante.

Suivie d'une caresse apaisante, une fesse après l'autre.

De nouveau un très léger appel d'air.

Un choc quand sa main s'est abattue derechef, mais cette fois-ci plus fort.

Je me suis cramponnée aux poignées de métal, le dos cambré, les cuisses plantées dans le banc, et j'ai rougi violemment : j'étais très excitée et Mark pouvait certainement constater ma moiteur. Il voyait bien que mon corps se faisait plus soumis, que je bougeais pour lui donner un meilleur accès à mes fesses.

Une autre claque, beaucoup plus violente, douloureuse. J'ai sursauté sous l'effet de la souffrance cuisante et j'ai brièvement envisagé de lui demander de s'arrêter, mais il a caressé la fesse qu'il venait juste de frapper, remplaçant la brûlure par une douce chaleur qui s'est répandue dans tout mon corps.

Il a continué de me caresser d'une main et a fait courir l'autre le long de mon dos, jusqu'à mes cheveux, dans lesquels ses doigts se sont perdus, doucement d'abord puis plus violemment.

J'ai atteint une autre dimension. La pièce a disparu, les regards des autres se sont évanouis et j'ai oublié la présence de Charlotte ; plus rien n'existait que la main qui me fessait pendant que l'autre me tirait les cheveux. Je me suis agitée sur le banc en gémissant.

J'ai de nouveau touché terre. J'ai senti deux paumes légèrement posées sur mes fesses, et celle de Charlotte qui pressait doucement la mienne. J'ai alors entendu le bruit de fond de la pièce : des voix, de la musique, le tintement des glaçons, un claquement sourd.

— Ça va ? Tu es avec nous ? a demandé Charlotte. Incroyable, a-t-elle poursuivi, certainement à l'intention de Mark. Elle était dans la stratosphère.

— Oui, a-t-il répondu. Elle a ça dans le sang.

J'ai tourné la tête vers eux en souriant, puis j'ai essayé de me lever. En vain. J'avais les jambes tremblantes comme un poulain nouveau-né, résultat de cette incroyable expérience. J'étais gênée par ma réaction fulgurante mais ni Mark ni Charlotte ni les autres spectateurs ne semblaient surpris ou ennuyés. C'était un week-end normal (voire peut-être un jour normal) pour tout le monde.

— Doucement, a dit Mark.

Un bras fermement passé autour de ma taille, il m'a conduite vers une chaise. Un regard de la part de Mark et de Charlotte a suffi pour que son occupant la libère brusquement.

Je me suis laissée tomber sur le siège, la tête sur les genoux de Mark. Je percevais la fraîcheur étrange de son tablier en latex sous ma joue, et l'une de ses cravaches en cuir me faisait mal au bras.

Il s'est mis à me caresser les cheveux : j'ai senti que je dérivais de nouveau, et les voix de Charlotte et de Mark me parvenaient de loin, comme désincarnées.

— Tu devrais la ramener, a dit Mark. Elle a beaucoup bu ?

— Pas une goutte. Elle a été à l'eau minérale toute la soirée. Tu as dépucelé une vierge.

— Merveilleux, a-t-il gloussé.

— Et dire que je n'ai pas eu le temps de lui montrer les pièces réservées aux couples, a soupiré Charlotte.

Je me suis endormie sur l'épaule de Charlotte dans le taxi qui nous a reconduites chez elle, et je ne me suis réveillée que le lendemain matin. Je portais toujours le corset bleu, dont Charlotte avait défait les lacets. L'oreiller était couvert de traces de maquillage et de paillettes.

J'avais l'impression d'avoir la gueule de bois, alors que je n'avais pas bu une gorgée d'alcool.

— Bonjour, beauté, a lancé Charlotte de la cuisine. Je t'ai fait un café.

Je me suis précipitée dans la pièce, la seule mention de la caféine ayant réussi à me tirer du lit.

— Cette tenue t'allait définitivement mieux hier, a fait remarquer Charlotte.

— Merci. On ne peut pas en dire autant de la tienne.

Charlotte, debout au milieu de la cuisine, une tasse en porcelaine dans une main, la soucoupe dans l'autre, était entièrement nue.

— Je ne m'habille que si j'y suis obligée, a-t-elle expliqué.

— C'est-à-dire ?

— Uniquement quand j'utilise la friteuse ou que je reçois un homme. Je m'habille pour qu'il puisse me déshabiller. C'est un truc que les mecs adorent.

À sa façon de dire « mecs », je me suis souvenue qu'elle était originaire d'Alice Springs. Que quelqu'un d'aussi cosmopolite qu'elle soit née dans le bush australien m'étonnerait toujours.

— Tu es de bonne humeur, ai-je noté.

— J'ai déjà gagné de l'argent ce matin, a-t-elle répondu avec un regard vers son ordinateur, et j'ai bien dormi, ravie d'avoir étendu ton champ d'expériences.

Elle souriait mais je me sentais un peu déstabilisée. Rien, en dehors de la musique, n'avait jamais provoqué en moi cette sensation, ce mélange de détachement, de plaisir et de douleur. J'ai repoussé cette idée.

— Ton téléphone n'a pas arrêté de sonner. Tu pourrais télécharger une sonnerie plus sympa.

— C'est Vivaldi, espèce de philistin, ai-je rétorqué.

Elle s'est contentée de hausser les épaules.

J'ai déniché mon portable au fond de mon sac et vérifié les appels manqués. *Darren.* Dix appels la veille, douze depuis le matin. Il avait dû entendre parler de l'incident du métro. J'ai jeté un coup d'œil à la pendule suspendue au-dessus du four. Quinze heures. J'avais dormi quasiment toute la journée.

— Reste encore une nuit, a proposé Charlotte. J'ai envie de cuisiner. Je ne me suis encore jamais servie du four.

Elle est sortie faire des courses et j'ai pris un bain. J'ai passé ensuite une demi-heure à me démêler les cheveux. Lassée d'attendre le retour de Charlotte, j'ai fini par lui envoyer un texto pour lui demander si je pouvais utiliser son ordinateur.

« Bien sûr », a-t-elle répondu. « Il n'y a pas de mot de passe. »

J'ai agité la souris jusqu'à ce que l'écran s'allume. J'ai vérifié mes mails, en ignorant ceux de Darren et les incontournables spams, puis j'ai ouvert Facebook. J'avais un message. J'ai cliqué sur l'icone presque à contrecœur, m'attendant à ce que Darren en soit l'auteur, mais il provenait de quelqu'un que je ne connaissais pas et qui n'avait pas de photo de profil.

Je l'ai ouvert, un peu curieuse.

Une introduction polie.

Puis :

« Je suis prêt à vous offrir un nouvel instrument.
Accepterez-vous les conditions de mon défi ? »

J'ai cliqué sur le profil de l'expéditeur, mais il ne contenait rien, en dehors de la mention « Londres » dans les renseignements personnels. Au lieu d'un nom, il y avait une simple initiale : D.

J'ai bien évidemment songé tout de suite à Darren, mais ce n'était vraiment pas son genre.

Que pouvait bien dissimuler ce D ? *Derek ? Donald ? Diablo ?*

J'ai essayé de deviner qui, parmi toutes mes connaissances, pourrait bien vouloir m'offrir un violon, mais aucun nom ne s'est imposé à moi. La seule personne à connaître les détails exacts de l'agression était le vigile aux doigts boudinés, mais il avait l'air aussi romantique

que sa profession le suggérait, c'est-à-dire pas du tout. Si on avait déposé un violon sur mon palier, j'aurais pensé que j'avais un mystérieux harceleur, mais ce message ne me paraissait pas dangereux.

Ma curiosité était éveillée, et il était à présent impossible de la faire taire.

J'ai contemplé l'écran pendant une bonne dizaine de minutes, pas plus avancée, jusqu'à ce que Charlotte fasse irruption dans l'appartement, chargée de victuailles.

— T'as pas intérêt à être végétarienne, a-t-elle prévenu. Je n'ai acheté que de la viande.

Je l'ai rassurée sur ce point et lui ai montré le message de l'inconnu.

Charlotte a regardé l'écran et haussé un sourcil.

— Quel défi ? Quelles conditions ? a-t-elle demandé.

— Je n'en sais rien. Tu crois que je devrais répondre ?

— Ce serait un bon début. Vas-y, écris à ce type.

— Comme tu sais que c'est un type ?

— Évidemment que c'est un type. Ce message pue le mâle alpha à plein nez. C'est certainement un mec qui t'a vue jouer et qui t'a trouvée sexy.

J'ai hésité puis ai cliqué sur « Répondre ». J'ai posé les mains sur le clavier en réfléchissant, puis je me suis lancée.

« Bonsoir,
Merci pour votre message.
Quel est votre défi ? Quelles en sont les conditions ?

Cordialement,
Summer Zahova »

La réponse ne s'est pas fait attendre.

« Je me ferais un plaisir de répondre à toutes vos questions en détail.
Voyons-nous. »

Il manquait manifestement un point d'interrogation.

Contre tout bon sens et poussée par Charlotte, j'ai accepté un rendez-vous, le lendemain à midi.

J'avais dix minutes de retard.

Il avait proposé que nous nous rencontrions dans un café italien sur St Katharine Docks, café que j'ai fait semblant de connaître pour ne pas avoir à suggérer un autre endroit.

J'ai découvert en arrivant que l'établissement se tenait au milieu de l'eau. J'ai pris l'un des chemins qui y menaient, pour me rendre compte au bout d'une centaine de mètres que le sentier était barré pour travaux. J'ai donc dû revenir sur mes pas et passer de l'autre côté. J'étais la seule présence humaine sur le quai, et je me faisais l'impression, en allant et venant ainsi, d'être une fourmi dont la route est coupée par une miette de pain. Je supposais que l'inconnu me regardait faire du café. Afin de ne pas lui donner d'idées, je portais la tenue la plus sage de la garde-robe de Charlotte : je m'étais réveillée tard et je n'avais pas eu le temps de faire un saut chez moi.

Mon amie m'avait déniché une robe bleu marine, moitié laine, moitié stretch, qu'elle avait achetée quand elle avait très brièvement été réceptionniste dans un cabinet d'avocats, avant de faire fortune dans le poker en ligne. Doublée, elle m'arrivait juste sous les genoux, avec un tout petit décolleté et quatre boutons sur l'épaule comme une veste militaire. Elle me serrait aux hanches et bâillait à la taille, ce que j'avais arrangé avec une fine ceinture blanc cassé. J'avais enfilé mes bottines victoriennes, que j'avais aux pieds le jour de l'agression, et une paire de bas autofixants couleur chair. D'après l'emballage, ils étaient censés donner une « sensation jambes nues ».

— S'il se rend compte que je porte ce genre de bas, il va croire que je veux coucher avec lui, avais-je dit à Charlotte.

— Qui sait ? Tu auras peut-être vraiment envie de coucher avec lui.

Puis elle m'avait assuré qu'il était impossible de deviner que j'avais des bas, à moins que je ne me penche complètement en avant. La robe était en effet légèrement fendue derrière, et si cette fente assez basse entravait ma marche, elle empêchait quiconque de voir que je ne portais pas de sous-vêtements. Comme le tissu était très moulant, on voyait la couture de ma culotte et Charlotte avait refusé que je sorte comme ça. J'avais dû ôter ladite culotte sur le pas de la porte et l'abandonner à mon amie, comme un soldat le fait du drapeau de sa compagnie.

Elle m'avait prêté aussi son manteau crème en laine, en me demandant d'en prendre soin car il lui avait coûté très cher. Un parfum capiteux, comme je n'en mettais jamais, l'imprégnait, mélangé à l'odeur du lubrifiant à la cannelle qu'elle avait utilisé pour enfiler sa robe en latex : elle avait porté ce manteau le soir de la péniche.

Quand je suis enfin arrivée au café, j'étais ravie d'avoir pris le manteau parce qu'il s'était mis à pleuvoir. Charlotte m'avait également passé son parapluie rouge et j'avais l'impression d'attirer tous les regards, seule tache de couleur dans un océan de noir et de gris.

J'ai parcouru des yeux le bar. Rien ne sortait de l'ordinaire, mais si j'en jugeais par l'apparence de l'Italien qui se tenait derrière le comptoir, le café devait être bon. N'importe quel café servi dans n'importe quel aéroport européen est meilleur que tous ceux servis en Grande-Bretagne. Encore une chose que je ne me risquerais jamais à dire à un Britannique. *Tous des buveurs de thé.*

Un comptoir, quelques tables, quelques chaises. Un escalier à claire-voie qui menait vers l'étage. J'ai regardé par les baies vitrées, qui offraient une vue imprenable sur les quais. Si l'inconnu était déjà là, il m'avait clairement observée arriver. Ne voyant personne, j'ai emprunté l'escalier. Personne non plus à l'étage, en dehors d'une femme entre deux âges, qui lisait un journal en buvant un cappuccino. Mon téléphone a vibré. Nous avions échangé nos numéros en cas de retard ou de pépin de dernière minute.

Un texto.

« Je suis en bas. »

Zut. Je suis redescendue en essayant de prendre un air dégagé et j'ai repéré une table cachée sous l'escalier. L'homme qui y était assis avait certainement eu une vision parfaite de mes jambes. À cette idée, l'excitation m'a gagnée, comme si j'avais permis à ce parfait étranger de me contempler nue. Je me suis sentie aussitôt honteuse d'avoir pensé ça. Il fallait que je me ressaisisse rapidement.

Il m'a souri. Il n'avait pas l'air mécontent de mon retard et rien dans son attitude ne disait s'il avait vu mes jambes dans l'escalier.

— Vous êtes Summer.

Ce n'était pas une question. Ses yeux ont brillé, énigmatiques.

— Oui, ai-je répondu en lui tendant la main, professionnelle.

Je me suis souvenue de l'assurance que le port du corset m'avait donnée et j'ai redressé les épaules.

Il a saisi ma main tendue et l'a serrée brièvement. Sa poigne était ferme.

— Je m'appelle Dominik. Merci d'être venue.

Il avait de grandes mains, plus grandes que celles de Mark, et cette pensée m'a fait rougir. Je me suis assise rapidement, histoire de cacher mon trouble.

— Qu'est-ce que vous voulez boire ?

— Un café au lait, s'il y en a. Sinon, un double expresso, ai-je répondu en espérant que ma voix ne trahissait pas ma nervosité.

Il m'a contournée pour gagner le comptoir et j'ai senti son odeur sur son passage, mélange de musc naturel et de peau tiède. Il ne se parfumait pas. Je considère qu'il y a quelque chose de profondément viril chez un homme qui n'utilise pas de parfum. Cet inconnu me faisait l'effet d'être le genre à fumer le cigare et à se raser à l'ancienne.

Je l'ai regardé passer la commande.

Dominik n'était pas très grand : il ne devait pas mesurer plus d'un mètre quatre-vingts. Il était vigoureux mais pas trop musclé, avec les bras et le dos d'un nageur. Je le trouvais très séduisant, en dépit de son attitude froide. Ou peut-être à cause d'elle. J'ai toujours eu un faible pour les hommes qui ne minaudaient pas et qui ne cherchaient pas à m'impressionner.

Il a poliment demandé du sucre au serveur.

Sa voix était profonde, son timbre sophistiqué, exactement ce que j'aime, mais il avait un léger accent, et je me suis demandé s'il était anglais. J'ai un goût pour les accents, peut-être parce que je suis étrangère. J'ai essayé de me calmer : je ne voulais pas lui donner l'avantage en lui montrant que je le trouvais attirant.

Il portait un pull côtelé marron foncé avec un petit col, qui paraissait confortable et doux au toucher – probablement en cachemire ; un jean noir, et des chaussures noires bien cirées. Rien dans son attitude ni dans sa tenue ne sortait de l'ordinaire : il avait l'air agréable et ne semblait pas dangereux. Du moins, pas psychopathe. Peut-être était-il dangereux d'une autre manière.

J'ai sorti mon portable de mon sac et envoyé un texto à Charlotte pour lui dire que j'étais toujours en un seul morceau.

Il est revenu avec un plateau et j'ai voulu me lever pour l'aider mais il m'a fait rasseoir d'un signe de la main. Il a habilement posé une tasse devant moi et s'est penché plus près que nécessaire pour me proposer du sucre. Ce faisant, il a frôlé mon bras de sa main et a prolongé le contact assez longtemps pour que je réagisse, d'une façon ou d'une autre. Avant que j'aie pu faire quoi que ce soit, il s'est redressé et j'ai fait semblant de n'avoir rien vu.

J'ai refusé le sucre d'un hochement de tête et attendu la remarque qui suivait immanquablement (« Pas besoin de sucre pour une femme douce comme vous ») mais il n'a rien dit.

Le silence entre nous était plutôt confortable. Il a mis un morceau de sucre, un deuxième, un troisième, puis un quatrième dans sa tasse. Ses ongles étaient bien limés mais au carré, ce qui les rendait masculins. Sa peau était mate, mais je n'aurais su déterminer si c'était en raison de ses origines ethniques ou d'un récent voyage au soleil. Il a ôté doucement la cuillère de sa tasse et l'a déposée proprement dans la soucoupe, le regard baissé, comme s'il pouvait, par la seule force de sa volonté, l'empêcher de goutter sur la nappe. Il portait au poignet droit une montre en argent, à cadran. J'ai toujours eu beaucoup de mal à deviner l'âge des hommes, mais je lui donnais une quarantaine d'années, pas plus de quarante-cinq ans, à moins qu'il ne fasse vraiment plus jeune que son âge.

S'il avait un violon avec lui, il était bien caché.

Il s'est rencogné sur sa chaise. Le silence s'éternisait.

— Summer Zahova, a-t-il dit, en faisant rouler les syllabes sur sa langue, comme s'il les goûtait.

Ses lèvres avaient l'air douces, même si leur dessin était ferme.

— Vous vous demandez certainement qui je suis et de quoi il est question ici, a-t-il poursuivi.

J'ai acquiescé et bu une gorgée de café. Il était encore meilleur que ce que j'espérais.

— Excellent café, ai-je dit.

— C'est vrai, a-t-il acquiescé, l'air un peu étonné.

J'ai attendu qu'il poursuive.

— J'aimerais remplacer votre violon.

— En échange de quoi ? me suis-je enquise en me penchant vers lui, curieuse.

Il s'est incliné à son tour, les mains à plat sur la table, les doigts écartés, tout proches des miens : son geste m'invitait à mettre mes mains dans les siennes. Quand il m'a répondu, j'ai senti dans son souffle le café qu'il venait de boire et, comme quelques jours plus tôt avec le lubrifiant à la cannelle sur la peau de Charlotte, j'ai eu envie de me pencher et de lui lécher les lèvres.

— Je voudrais que vous jouiez pour moi. Peut-être Vivaldi ?

Il s'est reculé, lentement, un sourire énigmatique au coin des lèvres, comme s'il avait compris qu'il m'attirait et qu'il en profitait.

On pouvait être deux à jouer à ce petit jeu. Je me suis redressée et je l'ai regardé, comme perdue dans mes pensées, en faisant semblant de n'avoir pas remarqué la tension qui s'était établie entre nous. Je voulais lui donner l'impression d'examiner son offre comme une proposition purement professionnelle.

La dernière fois que j'avais joué *Les Quatre Saisons*, c'était le lendemain de ma dispute avec Darren, le jour où quelqu'un m'avait laissé 50 livres. *Dominik*, ai-je brusquement compris.

Il a bougé légèrement sur sa chaise et quelque chose a brillé dans son regard. *De la satisfaction ? Du désir ?* Je cachais peut-être plus mal mes sentiments que ce que je n'espérais.

Ma jambe a frôlé la sienne et j'ai rougi jusqu'à la racine des cheveux en me rendant compte que je me tenais comme un homme, les jambes écartées. Je n'avais pas eu de rapport sexuel depuis plus d'un mois et j'étais sérieusement en manque, mais il n'était pas nécessaire qu'il le sache.

— Je voudrais que vous jouiez une fois, pour commencer, et je vous offrirai un violon. C'est moi qui déciderai de l'endroit mais je comprendrais que vous ayez des inquiétudes concernant votre sécurité. Vous pouvez venir avec une amie.

J'acquiesçai. Je n'avais encore rien décidé et il me fallait du temps pour réfléchir. Sa proposition contenait d'évidents sous-entendus et il était d'une arrogance irritante mais, malgré moi, je le trouvais très séduisant et j'avais vraiment besoin d'un violon.

— Cela signifie-t-il que vous acceptez ?

— Oui.

Je réfléchirais plus tard et il serait toujours temps de me désister par mail.

Il a commandé deux cafés supplémentaires sans me demander mon avis et ça m'a agacée. J'étais sur le point de protester mais j'en voulais vraiment un second et je trouvais ridicule de refuser pour en prendre un à emporter en partant. Nous les avons bus en parlant de choses et d'autres, le temps qu'il faisait, le déroulement ordinaire de nos vies. Quoique la mienne ne soit plus du tout ordinaire, sans mon instrument.

— Le violon vous manque ?

J'ai senti une émotion aussi soudaine qu'étrange, comme si, privée de l'archet et de l'instrument, je n'avais plus aucun moyen d'exprimer mes sentiments et que je risque de me désintégrer.

J'ai choisi de ne pas répondre.

—On devrait faire ça le plus tôt possible, alors. La semaine prochaine. Je vous enverrai un message avec l'adresse. Je m'occupe de vous fournir un violon. Si tout se passe comme je l'espère, je vous en achèterai ensuite un pour remplacer le vôtre.

J'ai acquiescé, ennuyée de nouveau par l'arrogance presque irrespectueuse de son ton, mais je n'ai rien ajouté et j'ai enfilé mon manteau. Nous avons quitté le café ensemble et nous sommes poliment dit « au revoir ».

—Summer, m'a-t-il rappelée alors que j'avais tourné les talons.

—Oui ?

—Mettez une robe noire.

4

Un homme et son quatuor à cordes

Dominik était un grand lecteur de romans d'espionnage, et il avait retenu quelques préceptes de base. C'est pour cela qu'il s'était installé derrière l'escalier : il avait une vue dégagée du café mais quiconque entrait ne pouvait pas le voir, aveuglé par la lumière extérieure. Cette position était parfaite : après tout, il n'avait pas besoin d'issue de secours.

Il la vit entrer, un peu en retard et un peu essoufflée, et regarder autour d'elle. Le bar était désert, sentait bon, et la machine à expressos gargouillait doucement. Il remarqua qu'elle le cherchait sans voir le recoin sous l'escalier. Elle monta alors les marches et sa jupe étroite se tendit sur ses hanches à chaque pas. De là où il était, il avait une vue imprenable sur ses jambes, même s'il ne pouvait pas voir jusqu'en haut. Dominik était un voyeur depuis toujours et cet aperçu inattendu, bien que trop bref, fut délicieux, comme une promesse de plaisirs à venir.

Sans son violon et l'effet qu'il provoquait sur elle, Dominik pouvait se concentrer sur l'apparence physique de la jeune femme.

Des cheveux couleur de flamme, une taille de guêpe, une façon de bouger presque masculine. Elle n'était pas aussi grande que dans son souvenir. Ce n'était pas une beauté conventionnelle, elle n'avait rien d'un mannequin, mais on la remarquait, dans une foule ou sur un quai désert. Elle était différente des autres femmes, et cela lui plaisait beaucoup.

Il lui envoya un texto pour la remettre sur le droit chemin et elle redescendit, légèrement embarrassée de l'avoir manqué la première fois.

Elle lui faisait face à présent.

— Vous êtes Summer, dit-il avant de se présenter et de l'inviter à s'asseoir.

Ce qu'elle fit.

Une faible odeur de cannelle le surprit. Il aurait imaginé un autre parfum sur elle. La pâleur de sa peau s'accommoderait mieux d'une forte fragrance verte, discrète, sèche et tenace. *Bah, quelle importance ?*

Il la regarda bien en face et elle soutint son regard, méfiante mais curieuse, posée et un peu amusée. Elle avait manifestement beaucoup de caractère. Voilà qui rendait les choses très intéressantes.

Ils s'examinèrent en silence, comme des joueurs d'échecs. Ils s'observèrent, se jaugèrent, se soupesèrent, à la recherche du défaut dans la cuirasse de l'autre.

Dominik se leva pour aller commander et il la vit envoyer un texto, certainement pour rassurer une amie et lui dire qu'il n'était ni un tueur en série ni un fou. Il esquissa un sourire. Il avait passé le premier test. La balle était dans son camp.

Il confirma sa proposition, et lui expliqua rapidement ce qu'il attendait d'elle, tout en échafaudant dans son esprit un autre plan, beaucoup plus compliqué et plus audacieux. Des fantasmes l'assaillirent, prenant vie comme des photos émergeant soudain d'un voile nuageux. Jusqu'où pouvait-il aller ? Jusqu'où pouvait-il la mener ?

Quand ils se séparèrent, une demi-heure plus tard, une légère gêne subsistant entre eux en raison de tout ce qu'il ne voulait pas lui dire, Dominik se rendit compte qu'il était excité et que son érection tendait son jean. Il l'observa s'éloigner vers le Tower Bridge sans se retourner. Mais Dominik savait qu'elle était consciente de son regard sur son dos.

Ce défi s'annonçait magnifique. *Risqué et excitant.*

Pour un homme qui passait le plus clair de son temps au royaume des livres, Dominik était à la fois un puits de science – même si ses connaissances se révélaient souvent purement théoriques – et un homme d'action. Lorsqu'il était à la fac, il pouvait étudier pendant des heures puis enfiler son short et ses baskets, et aller s'entraîner avec autant d'ardeur. C'était un athlète complet, aussi doué en saut en hauteur qu'en longueur ainsi qu'un coureur de demi-fond et de cross exceptionnel. Il était moins doué en sports collectifs, ayant beaucoup de mal à jouer avec les autres. Il avait toujours concilié facilement ces deux aspects de son existence.

Sa vie sexuelle avait longtemps été conservatrice et traditionnelle. Il n'avait jamais manqué de partenaires, même jeune, à l'époque où il avait tendance à idéaliser les femmes et à tomber amoureux de celles qu'il ne pouvait avoir avec une déconcertante régularité. C'était un amant dans la moyenne, qui compensait en tendresse ce qui lui faisait défaut en imagination. En homme assez introverti, il ne s'était jamais vraiment intéressé à ce que les femmes pensaient de ses performances sexuelles. Pour lui, le sexe était une occupation comme une autre, indispensable, certes, mais pas supérieure à la littérature, à l'art et à la gastronomie.

Jusqu'au jour où il avait rencontré Kathryn.

Il avait évidemment lu Sade et la littérature érotique classique. Il regardait des films pornographiques (qu'il appréciait) et en savait beaucoup sur les pratiques SM, le bondage, et toute la palette de subtiles perversions qui lui sont liées, de même que sur le fétichisme, mais ces savoirs théoriques n'avaient jamais croisé ses propres pratiques. Pour lui, c'était quelque chose d'abstrait, très éloigné de sa vie. Il y portait un intérêt purement intellectuel et n'avait aucune envie d'essayer.

Kathryn était elle aussi universitaire, dans une autre matière, et ils s'étaient rencontrés à une conférence dans les Midlands. Ils avaient échangé des regards pendant qu'il faisait son intervention, puis eu une discussion un peu embarrassée au bar le soir même. Ils étaient devenus amants à Londres, même si Kathryn était mariée et Dominik à l'époque engagé dans une relation sérieuse.

Ils couchaient ensemble dans des chambres d'hôtel ou sur le sol de son petit bureau à la fac, entre le *happy hour* et le dernier train en partance de Charing Cross pour la banlieue sud.

Dans ces conditions, chaque minute comptait et cette expérience sexuelle les bouleversa tous les deux. C'était comme si tous leurs partenaires précédents les avaient menés à ces étreintes hâtives, désespérées, violentes et addictives.

Il se souviendrait toujours du corps de Kathryn sous le sien, alors qu'elle était à bout de souffle, les yeux fermés sous l'effet du plaisir. Agenouillé sur l'épais tapis beige, pantelant, son sexe bandé planté toujours plus profondément en elle, Dominik avait saisi l'instant comme on prend une photo. Il se créait une banque de souvenirs en se demandant s'il devrait, un jour plus ou moins proche, invoquer ces images pour se faire jouir en solitaire.

Il détaillait la rougeur qui s'étalait du cou de Kathryn à ses petits seins, écoutait attentivement les sons érotiques qu'ils faisaient tous deux, le frottement de leurs corps amplifié de manière presque obscène par le silence de son bureau, les gémissements saccadés de la jeune femme. Le voile de sueur qui maculait le front de cette dernière était le reflet de celle qui coulait le long de son torse, de ses bras, de ses jambes, de son corps tout entier, tandis qu'il la prenait avec ardeur.

— Mon Dieu, gémit-elle.

— Oh oui, acquiesça Dominik en accélérant le rythme.

Les soupirs de Kathryn étaient le signe de son acceptation des conséquences de leur désir. Elle ferma les yeux et exhala longuement.

— Est-ce que ça va ? demanda Dominik en ralentissant, inquiet.

— Oui. Oui…

— Tu veux que je fasse plus doucement ?

— Non, répondit Kathryn d'une voix rauque. Continue. Plus fort. S'il te plaît.

Dominik bougea pour soulager ses genoux et perdit l'équilibre. Pour éviter d'écraser la jeune femme, il se rattrapa sur ses mains, qu'il referma sur les poignets de Kathryn.

Elle sursauta, comme parcourue par une décharge électrique.

— Mmmmh…

— Quoi ?

— Rien.

Mais il lut autre chose dans son regard : *une question ? Non, une supplique.*

Pour toute réponse, il accentua sa prise sur ses poignets et ramena ses bras au-dessus de sa tête, tout en continuant à aller et venir en elle. Elle était épinglée au sol comme un papillon, les joues cramoisies. Il devait lui faire mal mais elle gémissait de plaisir, l'incitant à plus de violence.

Il lut une nouvelle supplique dans ses yeux, muette mais claire. Elle voulait davantage.

Il ôta ses mains de ses poignets, craignant de lui laisser des bleus et les fit glisser le long de ses bras jusqu'à son cou, qu'il serra. Il sentit son pouls battre sous ses doigts. Sa vie même.

Elle inspira violemment et cria :

— Plus fort.

Il était à la fois effrayé et incroyablement excité : son sexe durcit encore plus et atteignit des proportions qui lui parurent anormales, pressant contre les parois humides de son vagin de la même manière que ses doigts pressaient son cou, l'asphyxiant. Le visage de sa partenaire avait pris toutes les couleurs de l'arc-en-ciel.

Kathryn jouit avec un grognement de triomphe guttural, presque masculin. Il relâcha sa prise sur son cou et elle respira bruyamment pour recouvrer son souffle.

Tout cela sans cesser de la prendre, son sexe allant et venant en elle à un rythme mécanique, impitoyable, brutal, sans retenue. Il ferma les yeux et jouit à son tour : il eut l'impression de se consumer. C'était élémentaire. Primitif. La baise la plus intense de son existence.

Un peu plus tard, alors qu'ils étaient toujours en nage, Kathryn lui dit, l'œil sur sa montre :

— Tu sais, il y a longtemps que j'ai envie de faire ça. Tu savais ce qu'il fallait faire.

— C'était la première fois pour moi aussi. J'avais lu plein de trucs dessus mais c'était resté à l'état de concept, de simples mots sur une page.

— J'étais sûre que je pouvais te faire confiance, que tu n'irais pas trop loin.

— Je ne voulais pas te faire mal. Je ne te blesserai jamais.

Elle se rapprocha de lui et posa la tête sur son épaule humide.

— Je sais, murmura-t-elle.

Commencèrent alors des semaines d'expérimentation sexuelle durant lesquelles Kathryn dévoila un à un ses fantasmes et ses désirs secrets, et son goût pour la soumission. Elle était loin d'être masochiste, mais elle aimait sentir la douleur et repousser ses limites : elle avait toujours été ainsi mais on ne lui avait jamais donné l'occasion d'explorer cette part latente de sa personnalité, étouffée sous le vernis de la civilisation et de l'éducation. Dominik était le premier à reconnaître cette envie et il y avait instinctivement répondu en dominant la jeune femme, ce qui l'avait libérée.

Il avait lu les romans sur le sujet, connaissait les histoires mais cela n'avait rien à voir avec le cliché du maître et de l'esclave ni du dominant et de la dominée. Ils étaient tous deux à égalité dans cette relation, découvrant ensemble les lois de l'attraction, et ils n'éprouvaient aucune curiosité pour les accessoires, le latex, le cuir, le baroque et les instruments de torture.

Ils avaient ouvert les yeux et Dominik savait qu'il n'y aurait pas de retour possible.

Ce fut aussi, inéluctablement, la fin de leur liaison. Chaque fois qu'ils faisaient un pas de plus vers l'abîme, chaque fois qu'une improvisation les éloignait du sexe conventionnel, il voyait le doute se lire dans le regard de Kathryn. Elle avait peur d'aller trop loin.

Elle en vint à succomber au fardeau de la réalité, à sa vie de petite-bourgeoise, à son diplôme de littérature de Cambridge et à un mariage ennuyeux avec un homme gentil mais sans imagination ; elle mit un terme à leur histoire. Ils rompirent tout contact et prirent soin de ne jamais se croiser dans le cadre de leur travail. Elle finit par partir de Londres et abandonner l'enseignement.

Mais Dominik avait ouvert la boîte de Pandore. Le monde était devenu un lieu de délicieuses tentations et il savait qu'avec Kathryn, il avait découvert autre chose, et le sentiment que l'existence avait plus à lui offrir que ce qu'il n'avait cru ne le quitta plus jamais.

Dominik savait qu'il devait commencer par tester Summer afin d'être certain de son bon vouloir et de sa propension à accepter le jeu. Elle avait du caractère, ce qui lui plaisait, mais cela signifiait qu'elle serait imperméable à la manipulation ou au chantage. Il voulait qu'elle accepte l'aventure en toute connaissance de cause, consciente des risques et des conséquences. Il ne cherchait pas une marionnette qu'il pourrait manipuler à sa guise. Il désirait une complice, dont l'excitation égalerait la sienne.

Malgré la brièveté de leur rencontre, il était certain que les sous-entendus qu'il avait glissés dans la conversation ne lui avaient pas échappé et qu'elle avait parfaitement compris que le violon n'était qu'un appât : il attendait plus que sa musique. Ce n'était pas un pacte avec le diable – il ne se trouvait rien de machiavélique –, mais un jeu dans lequel les deux participants pouvaient profiter l'un de l'autre jusqu'au bout. Il ne savait cependant pas jusqu'où il irait. Il voulait sonder les ténèbres mais il ignorait encore jusqu'à quelle profondeur.

Il passa un coup de fil à l'une de ses connaissances, un professeur dans un des conservatoires de la City, à la réputation douteuse, et qui sut répondre à ses questions. Ce dernier lui donna l'adresse d'un magasin où il pourrait louer un violon de qualité honorable à la journée, à la semaine ou au mois, et il savait où Dominik pouvait passer une annonce afin de trouver des musiciens pour un concert.

— C'est pour une soirée très privée, ajouta Dominik. Est-ce que tu crois qu'ils verraient une objection à jouer les yeux bandés ?

Il y eut une exclamation à l'autre bout de la ligne.

— J'adorerais être invité aussi ! S'ils connaissent déjà le morceau que tu veux qu'ils jouent et que tu les paies bien, je pense que tout est possible. Mais ne le mentionne pas dans l'annonce.

— D'accord, répondit Dominik.

— Tiens-moi au courant. Tu as éveillé ma curiosité.

— Je te raconterai, Victor, promis.

Il se rendit dans le magasin le lendemain. Il était situé au milieu de Denmark Street, dans le West End, non loin de Charing Cross. De l'extérieur, et comme la plupart des boutiques de cette rue autrefois baptisée « Tin Pan Alley [1] », on aurait dit qu'il ne vendait que des guitares électriques et des amplis : la vitrine ne contenait rien d'autre. Dominik pensa un instant que Victor s'était trompé d'adresse mais il fut rassuré dès qu'il entra : une autre vitrine contenait une demi-douzaine de violons.

1. Littéralement « l'allée des Casseroles-en-Métal », référence à la rue new-yorkaise où s'étaient regroupés les éditeurs musicaux à la fin du XIXe siècle.

Il fut accueilli par une jeune femme aux très longs cheveux d'un noir de jais artificiel, qui était vêtue d'un jean ultramoulant comme une seconde peau, et dont les lèvres rouge carmin se détachaient dans un visage outrancièrement maquillé. Son nez était orné d'un piercing, et ses oreilles disparaissaient sous une multitude d'anneaux de toutes tailles et de tous métaux. Dominik se demanda où elle pouvait bien en avoir d'autres. Il avait toujours voulu coucher avec une femme portant un piercing génital ou aux tétons, mais n'avait eu droit jusqu'à présent qu'aux banals piercings de nombril, qu'il ne trouvait pas vraiment érotiques, mais plutôt ordinaires, voire prolétaires.

— On m'a dit que vous louiez des instruments, commença-t-il.

— Absolument, monsieur.

— J'ai besoin d'un violon.

— Faites votre choix, répondit-elle en montrant le présentoir du doigt.

— Ils sont tous à louer ?

— Oui. J'ai juste besoin que vous laissiez une caution en liquide ou par carte bleue, et de votre carte d'identité.

— Pas de problème, approuva Dominik, qui avait toujours, par habitude, son passeport sur lui. Je peux regarder de plus près ?

— Bien sûr.

La jeune goth prit une clé dans le trousseau accroché à la caisse et ouvrit la vitrine.

— Je n'y entends pas grand-chose en violons, reprit Dominik. C'est pour une amie à qui je rends service. Elle joue surtout de la musique classique. Vous y connaissez quelque chose ?

— Pas vraiment. Je suis une fille électrique, répondit-elle en souriant, ses lèvres rougeoyant comme un phare dans la nuit.

— Je vois. Lequel est le meilleur ?

— Le plus cher, je suppose.

— C'est logique.

— Ce n'est pas une science exacte, remarquez, ajouta la vendeuse avec un sourire aguicheur.

— C'est vrai.

Elle lui tendit l'un des instruments. Il avait l'air vieux et à force de passer de main en main, son bois avait pris une teinte orangée, cuivrée et brillante dans laquelle se reflétaient les néons du magasin.

Dominik réfléchit, le violon en main. Ce dernier était beaucoup plus léger que ce à quoi il s'attendait. Il se dit que son timbre devait varier en fonction du musicien. Il se morigéna mentalement : il aurait dû faire des recherches avant de venir là. Il avait l'air d'un parfait amateur.

Il caressa doucement le flanc du violon.

—Vous jouez d'un instrument? demanda-t-il à la jeune femme à la chevelure sombre dont le tee-shirt avait légèrement glissé, laissant deviner un tatouage sur l'épaule.

—De la guitare, répondit-elle. Quand j'étais gamine, on m'a forcée à faire du violoncelle. Je m'y remettrai peut-être un jour.

Après ses piercings supposés, Dominik imagina la jeune femme sur une scène, un violoncelle entre les jambes. La pensée le fit sourire.

—Je le prends, dit-il brusquement. Une semaine.

—Parfait.

Elle sortit un calepin sur lequel elle fit une série de calculs tandis que Dominik contemplait les fleurs rouges, vertes et noires de son tatouage. Il remarqua alors qu'elle avait une minuscule larme tatouée sous l'œil gauche. Pendant qu'il attendait, des clients entrèrent et sortirent, pris en charge par un autre vendeur, un jeune goth à la coupe de cheveux géométrique.

La jeune femme finit par lever les yeux de ses calculs.

—Alors, à quelle sauce je vais être mangé? s'enquit Dominik.

Il sortit avec le violon, rangé dans son étui.

Une fois rentré chez lui, Dominik posa avec précaution l'instrument sur l'un des canapés et vérifia la météo pour les sept jours à venir. Le premier acte de la pièce qu'il avait en tête ne pouvait se dérouler à l'intérieur. L'intimité viendrait plus tard, quand ils auraient besoin de discrétion et qu'ils se livreraient à des actes interdits en public.

Les prévisions étaient bonnes. Pas de pluie dans les quatre prochains jours.

Il envoya un texto à Summer pour lui donner le lieu, la date et l'heure de leur rendez-vous.

Elle lui répondit dans la demi-heure qui suivit. Elle n'avait pas changé d'avis.

« Dois-je apporter ma partition ? »

« Non. Vous jouerez Vivaldi. »

Le soleil brillait sur Hampstead Heath et les oiseaux s'égayaient au-dessus de la cime des arbres. Il était encore tôt et l'air était frais. Summer avait pris le métro jusqu'à Belsize Park, puis elle avait descendu la colline, contourné l'hôpital, dépassé le *Marks & Spencer* récemment construit à l'emplacement du cinéma, longé les boutiques de South End Road et l'échoppe du primeur à l'entrée de la gare, pour atteindre enfin le parking où ils étaient convenus de se retrouver. Elle connaissait l'endroit pour avoir pique-niqué non loin avec des amis, quelques mois auparavant.

Un seul véhicule était garé, une BMW gris métallisé. Elle reconnut la silhouette de Dominik derrière le volant ; il était manifestement plongé dans un livre.

Summer portait une robe noire, conformément aux instructions de Dominik et, pour combattre la fraîcheur matinale, elle avait enfilé sur ses épaules nues le manteau de Charlotte, que cette dernière ne lui avait toujours pas réclamé.

Il la vit approcher et descendit de sa voiture. Il attendit, adossé au capot, qu'elle le rejoigne en se tordant les pieds sur les graviers inégaux du parking improvisé, où l'on organisait des fêtes foraines pendant les vacances.

Le regard de Dominik se posa sur ses talons hauts. Ses habituelles chaussures de concert. Lui était tout en noir : pull en cachemire à col en V et pantalon de ville parfaitement repassé.

— Vous auriez dû mettre des bottes, observa-t-il. On a un peu de marche à faire.

— Désolée, s'excusa Summer.

— Il y a encore pas mal de rosée à cette heure-ci. Vos chaussures vont être trempées, elles risquent même de s'abîmer. Vous devriez les enlever. Je vois que vous portez des collants ou des bas.

— Ça ne me dérange pas du tout. Et je porte des bas.

— Bien, répondit-il en souriant. Autofixants ou à jarretelles ?

Summer se sentit rougir. Elle se laissa gagner par une légère insolence.

— Qu'est-ce que vous auriez préféré ?

— Excellente réponse, rétorqua Dominik sans s'expliquer plus avant.

Il ouvrit la portière arrière, et empoigna un étui à violon sombre et brillant dont la vision fit frissonner Summer.

Il verrouilla ensuite la BMW et fit un geste en direction de la vaste étendue d'herbe de l'autre côté de la clôture.

— Suivez-moi.

Summer ôta ses souliers quand ils atteignirent la pelouse. Dominik avait raison : le sol était humide et spongieux sous ses pieds quasi nus. Au bout de quelques minutes, la sensation devint presque agréable. Dominik ouvrait la marche ; il dépassa les mares, traversa le petit pont devant la piscine extérieure et gagna un sentier. La jeune femme remit ses chaussures à cause du gravier, qui lui blessait la peau. Le contact de ses pieds mouillés dans le cuir n'était pas très agréable, mais ils gagnèrent rapidement une nouvelle portion d'herbe et elle put se déchausser de nouveau. Dominik marchait rapidement, d'un pas égal et elle le suivait, les escarpins à la main, en se demandant où il pouvait bien la mener. Elle n'était jamais venue dans cette partie du parc mais une sorte d'instinct la poussait à faire confiance à Dominik. Elle savait qu'il ne cherchait pas à l'attirer dans un recoin isolé pour la violer. Quoi que cette pensée ait eu d'excitant.

Les frondaisons leur cachèrent le ciel bleu et le soleil pendant quelques centaines de mètres, puis ils se retrouvèrent en pleine lumière. Ils avaient atteint une clairière circulaire, verte et déserte à perte de vue, qui semblait émerger du bois comme une île en pleine mer, et au milieu de laquelle, sur une légère élévation, se dressait un vieux kiosque à musique victorien, en partie rouillé.

Summer en eut le souffle coupé. C'était un endroit sublime. Ce serait un lieu de concert parfait, étrangement vide et un peu magique. Elle comprenait mieux à présent pourquoi il lui avait donné un rendez-vous aussi matinal. Pas de spectateurs, ou très peu, à moins que sa musique ne les attire de loin.

Dominik s'inclina devant elle et fit un geste vers le kiosque, au pied duquel ils se trouvaient à présent.

— Nous sommes arrivés, dit-il.

Il lui tendit l'étui et elle gravit les quelques marches en pierre qui menaient à la scène.

Dominik se plaça dans un coin, adossé à l'un des piliers métalliques.

Pendant une fraction de seconde, Summer envisagea de se révolter. Pourquoi diable lui obéissait-elle avec tant de docilité ? Une partie d'elle-même avait envie de tout arrêter et de lui dire « non, pas question ». Mais une autre part d'elle, dont elle n'avait découvert l'existence que récemment, brûlait de se prêter au jeu.

Elle s'immobilisa.

Puis elle se ressaisit, gagna le centre de la scène et ouvrit l'étui. Le violon était très beau, bien plus beau que celui qu'elle avait rafistolé et dont elle ne pouvait plus jouer. Elle en caressa le bois sombre, le manche, les cordes, et se rendit compte que Dominik la regardait.

— C'est juste une location, précisa ce dernier. Je vous en achèterai un autre, de meilleure qualité, quand nous nous serons mis d'accord.

Summer avait beaucoup de mal à imaginer un instrument de meilleure qualité que celui-ci, dont le poids, l'équilibre et la ligne étaient parfaits.

— Jouez pour moi, ordonna-t-il.

Summer laissa glisser à terre le manteau de Charlotte. L'air piquant s'était transformé en une brise légère sur ses épaules nues, et elle fit abstraction de l'endroit atypique et isolé où elle se trouvait ainsi que des non-dits de sa relation – car il était évident qu'elle venait d'entamer une relation – avec cet homme étrange et dangereux.

Elle se pencha pour saisir l'archet qui était resté dans l'étui, consciente d'offrir à Dominik un bref aperçu de ses seins : elle ne portait jamais de soutien-gorge avec cette robe.

Summer le regarda à la dérobée en accordant son violon. L'homme ne bougeait pas, impassible. L'instrument avait un timbre si riche et si rond que les sons se réverbérèrent sur le plafond du kiosque.

Summer commença à jouer Vivaldi.

Elle connaissait les quatre concertos par cœur. C'étaient ses morceaux de prédilection, que ce soit pour jouer en public, devant ses amis, ou pour répéter. La musique, vieille de plusieurs siècles, l'emplissait toujours de joie, et comme elle l'interprétait, elle vit défiler sous ses paupières closes les riches et réalistes paysages de la Renaissance italienne qu'elle avait tant de fois admirés en peinture. Pour une raison qu'elle ignorait, les êtres humains étaient presque toujours absents de sa rêverie vivaldienne, et elle n'avait jamais cherché à expliquer cette omission quasi freudienne.

Le temps s'arrêta.

Les notes qu'elle tirait de l'instrument étaient magnifiques, et elle eut soudain l'impression de parvenir à un degré supérieur et inconnu de compréhension de l'œuvre.

Elle n'avait jamais aussi bien joué. Détendue, elle atteignait la vérité au cœur même de la musique, et se laissait emporter par le flot de la mélodie, submergée par son intensité. C'était presque aussi bon que la jouissance sexuelle.

Quand elle attaqua le troisième concerto, elle ouvrit brièvement les yeux pour regarder Dominik. Il n'avait pas bougé d'un pouce, immobile, perdu dans ses pensées, les yeux rivés sur elle. Elle se souvint que quelqu'un lui avait dit un jour qu'elle avait un corps semblable à un violon : une taille fine et des hanches généreuses. Était-ce ce qu'il voyait sous les plis de sa robe ?

Elle remarqua soudain, non loin, des spectateurs anonymes, manifestement attirés par la musique.

Summer inspira profondément, à la fois flattée et déçue que le concert ne soit plus privé. Elle acheva le troisième concerto et s'arrêta. Le charme était rompu.

Deux femmes en tenue de jogging l'applaudirent.

Un homme enfourcha son vélo et reprit sa promenade.

Dominik toussota.

— Le quatrième concerto est un peu plus difficile, s'excusa Summer. Je ne suis pas certaine d'en venir à bout sans la partition.

— Ce n'est pas grave, répondit-il.

Summer attendit qu'il lui dise ce qu'il avait pensé de son jeu. Il se contenta de la regarder.

Un silence pesant s'installa entre eux. La jeune femme perçut de nouveau la morsure du froid sur ses épaules et frissonna. Dominik ne réagit pas.

Il la dévisageait toujours et ressentit la nervosité qui la gagnait. Elle avait interprété *Les Quatre Saisons* de manière exceptionnelle et il était ravi. Lui demander de jouer pour lui avait été une idée de génie et le concert qu'elle venait de lui donner avait éveillé de fortes sensations en lui : il se sentait lié à elle. Il mourait d'envie de goûter la douceur de sa peau, de faire courir ses doigts et sa langue sur la courbe de son épaule, de découvrir les secrets dissimulés sous l'étoffe de sa robe. Il devinait déjà la forme de son corps. Il avait toujours regretté de ne pas avoir appris la musique et de ne jouer d'aucun instrument. Il était trop tard pour s'y mettre mais il pressentait que Summer était un instrument dont il pourrait jouer pendant des heures. Et il comptait bien le faire.

— C'était sublime, finit-il par dire.

— Merci de votre indulgence, monseigneur.

Elle n'avait pas pu s'empêcher de le taquiner, peut-être parce qu'elle se sentait vraiment heureuse.

Dominik fronça les sourcils.

Il vit qu'elle avait accueilli sa remarque avec soulagement mais elle était encore tendue ; il le constatait à la raideur de ses épaules et à la contraction de sa mâchoire.

Elle avait forcément compris que ce n'était que le début. Autre chose l'attendait.

—Vous avez gagné votre violon, dit-il.

—Je ne peux pas avoir celui-là ? demanda-t-elle en le caressant jalousement. Il est merveilleux.

—Je n'en doute pas mais je vous en trouverai un meilleur. Vous le méritez.

—Vous êtes sûr que je ne peux pas garder celui-là ? insista-t-elle.

—Oui, répondit-il fermement.

Elle ne le convaincrait pas.

Il s'approcha d'elle, ramassa le manteau et l'aida à l'enfiler. Ils regagnèrent la voiture et elle lui rendit l'instrument.

Summer avait des millions de questions à lui poser mais elle ne savait pas par où commencer.

Il fit un geste en direction du siège du passager.

—Asseyez-vous, ordonna-t-il.

La jeune femme obtempéra.

Elle avait craint que la voiture n'empeste le tabac – Dominik lui faisait l'effet d'un fumeur – mais elle avait eu tort. Une faible odeur de musc, pas désagréable, flottait dans l'habitacle.

Dominik était conscient de la proximité de Summer. Elle ne sentait plus la cannelle mais seulement le savon qu'elle avait utilisé le matin même, une fragrance douce, hygiénique, rassurante. Il percevait la chaleur de son corps qui émanait de sous son manteau.

— La prochaine fois que vous jouerez pour moi, ce sera avec votre propre instrument, celui que je vais vous acheter. Il sera fait pour vous, Summer, le prix importe peu.

— D'accord, acquiesça-t-elle.

— Maintenant, je veux que vous me racontiez votre première expérience sexuelle.

Elle sembla décontenancée par la question et Dominik se demanda, un court instant, s'il ne s'était pas trompé sur son compte. Peut-être n'était-elle pas prête.

Summer rassembla ses souvenirs. Au fond, elle avait déjà partagé un moment d'intimité avec cet homme et elle ne voyait pas pourquoi elle ferait machine arrière à présent.

De la buée se forma sur le pare-brise et Dominik mit l'air conditionné en marche.

Summer lui raconta tout.

Le violon avait été fabriqué par un certain Pierre Bailly, à Paris vers le début du XXe siècle, et il coûta plus de 10 000 livres à Dominik, qui l'avait repéré dans le catalogue d'un magasin spécialisé. Le bois, d'une teinte qui tirait plus sur le jaune que sur le brun ou le cuivre, évoquait la patience et la sérénité, et Dominik avait l'impression que sa patine renfermait des années d'expérience et de mélodies. Le vendeur de la boutique de Burlington Arcade fut surpris qu'il ne veuille pas l'essayer avant de le prendre et Dominik n'était pas certain qu'il l'avait cru quand il lui avait expliqué qu'il l'achetait pour quelqu'un. Il savait qu'on l'imaginait souvent musicien en raison de ses longs doigts, mais ressemblait-il pour autant à un violoniste ?

On lui fournit, avec le violon, un certificat d'authenticité sur lequel était inscrite la liste de tous ses propriétaires successifs, et ce jusqu'à sa création, cent douze ans auparavant. Ils n'étaient que cinq, et leurs noms avaient tous une consonance étrangère, témoignage d'un siècle troublé par les guerres et les exils. La dernière de la liste s'appelait Edwina Christiansen. Ses héritiers avaient vendu l'instrument aux enchères avec quelques autres possessions de moindre valeur et c'était ainsi qu'il s'était retrouvé dans cette boutique. Le vendeur n'en savait pas plus sur cette Mme Christiansen.

Le violon n'avait pas d'étui et Dominik en acheta donc un sur Internet. Il en choisit un flambant neuf, histoire que Summer n'attire pas l'œil sur son violon d'époque hors de prix. Dominik avait toujours été un homme aussi prudent que pragmatique.

Une fois en possession de l'étui, il emballa soigneusement l'instrument et le fit délivrer à Summer par coursier, dans l'appartement qu'elle sous-louait. Ses instructions étaient très claires : il devait être remis en mains propres contre signature. Il la prévint de la livraison et la pria d'en accuser réception.

Le texto de la jeune femme fut laconique.

« Sublime. »

Il avait joint une lettre au violon, dans laquelle il lui demandait de passer le plus de temps possible à pratiquer son nouvel instrument avant qu'il lui donne un autre rendez-vous. Il exigeait qu'elle ne joue pas encore en public avec, surtout pas dans le métro.

Il lui fallait maintenant prendre certaines dispositions.

La petite annonce qu'il avait déposée au Conservatoire indiquait qu'il cherchait trois musiciens, si possible âgés de moins de trente ans, habitués à jouer dans un quatuor à cordes. Il fallait qu'ils soient prêts à donner un concert dans des circonstances inhabituelles et sans quasiment répéter. Il s'engageait à rémunérer généreusement leur discrétion et demandait de fournir une photo avec le C.V.

Parmi les réponses qu'il reçut, l'une était tout simplement parfaite : des étudiants de deuxième année, qui s'étaient déjà produits plusieurs fois en public en première année, mais avaient été quittés par un des membres de leur quatuor, la deuxième violoniste, rentré dans sa Lituanie natale. Les deux jeunes hommes, qui jouaient respectivement du violon et de la viole, étaient quelconques, mais la violoncelliste était une jolie blonde aux cheveux bouclés.

Étant donné que les autres postulants étaient tous des musiciens solos qui n'avaient pratiquement aucune expérience d'ensemble, la décision fut facile à prendre.

Avant de les rencontrer, Dominik leur envoya le questionnaire qu'il avait préparé pour l'occasion. Ils acquiescèrent à ses demandes pour le moins peu orthodoxes, certainement grâce au salaire élevé qu'il proposait. Il organisa ensuite un rendez-vous par Skype afin de répondre à leurs questions et de leur donner ses dernières instructions.

Il exigeait qu'ils s'habillent en noir et il ne les laisserait répéter avec la deuxième violoniste qu'une fois, juste avant la représentation, pour laquelle ils auraient les yeux bandés. Il leur ferait signer un contrat dans lequel ils s'engageaient à ne jamais révéler quoi que ce soit sur ce concert privé, sous peine de poursuites de sa part, et il leur interdisait de chercher à entrer en contact avec lui ou la violoniste, après le spectacle.

La surprise manifeste des trois musiciens fut rapidement balayée par la compensation financière.

La violoncelliste lui suggéra même de louer une crypte dans une ancienne église, qui servait souvent de salle de concerts en raison de son acoustique exceptionnelle et qui était, d'après elle, « le lieu idéal » pour ce qu'il semblait « avoir en tête ». On aurait dit qu'elle avait parfaitement compris qu'il était hors de question qu'il organise ce concert chez lui.

Il se demanda comment elle pouvait bien savoir ce qu'il avait « en tête ». Il avait bien vu qu'elle le regardait avec amusement.

Il leur expliqua enfin ce qu'ils devraient jouer et il prit leurs numéros de téléphone. Maintenant que tout était réglé, il pouvait fixer une date et appeler Summer.

— Allô ? Summer ?

— Oui.

— C'est Dominik. Je veux que vous jouiez à nouveau pour moi. La semaine prochaine.

Il lui donna la date et l'adresse du rendez-vous, ainsi que le titre du morceau. Il lui expliqua qu'elle serait la quatrième d'un quatuor à cordes et qu'elle aurait deux heures pour répéter avec les trois autres avant le concert privé.

— Deux heures, c'est peu, remarqua-t-elle.

— Je sais, mais les trois autres connaissent bien l'œuvre, ça devrait donc suffire.

— D'accord, acquiesça Summer. Le Bailly sera magnifique dans une crypte.

— J'en suis certain, répondit Dominik. Ah, et, Summer…

— Oui ?

— Je veux que vous jouiez nue.

5

Une femme et ses souvenirs

Dominik m'a demandé de lui raconter ma première fois.

Je l'ai fait, ce qui, je m'en suis rendu compte plus tard, était étonnant de ma part: *Les Quatre Saisons* m'avaient, comme toujours, plongée dans un état étrange.

C'est la faute de Vivaldi.

Voici donc ce que je lui ai dit.

—Mes premières expériences ont été solitaires. Je me caressais. J'ai commencé tôt, plus tôt que mes amies, même si je n'ai jamais vraiment parlé de ça avec qui que ce soit. J'avais un peu honte. Je ne savais pas vraiment ce que je faisais et je n'ai pas eu d'orgasme avant de nombreuses années. Vous avez peut-être remarqué que quand je joue du violon, j'entre dans un état second, je suis dans un monde qui n'appartient qu'à moi. Quand j'arrête, le monde reprend ses droits. Le violon a un effet très physique sur moi : c'est comme une jouissance. Et j'ai l'impression qu'il aiguise mes sensations.

J'ai regardé Dominik à la dérobée, histoire de voir ce qu'il pensait.

Il avait abaissé son siège et était à demi allongé, détendu. Je l'ai imité. L'habitacle sentait le propre, une odeur particulière que j'associe aux possesseurs de BMW. La voiture rutilait : aucune trace d'en-cas ni d'emballages suspects. Seul le livre qu'il lisait quand je suis arrivée et dont l'auteur m'était inconnu, était posé sur le tableau de bord.

Dominik ne me regardait pas ; ses yeux étaient rivés devant lui, sur le pare-brise. Il avait l'air très à l'aise, comme s'il s'apprêtait à méditer. En dépit de la situation pour le moins embarrassante, sa réaction, ou plutôt son absence de réaction, m'a permis de me détendre. Je m'apprêtais à révéler des secrets que je n'avais jamais avoués à personne, mais sa façon de se fondre dans le décor me donnait l'impression que je me parlais à moi-même.

J'ai donc poursuivi.

— Il m'arrivait de jouer nue, devant la fenêtre ouverte. J'aimais sentir l'air frais sur ma peau. J'ouvrais les rideaux, je laissais la lumière allumée et je m'imaginais que les voisins me regardaient. S'ils l'ont fait, ils n'en ont jamais rien dit. Ça a duré quelques années et je passais tellement de temps toute seule que ma mère s'en est inquiétée. Elle avait peur que je ne sois monomaniaque et déséquilibrée. Quand j'étais au lycée, elle a donc exigé que je fasse du sport ou du théâtre, quelque chose qui lui paraissait « normal ». On s'est beaucoup disputées et j'ai fini par céder. Elle m'a quand même laissée choisir le sport que je voulais. J'ai opté pour la natation, surtout pour l'irriter. J'avais bien compris qu'elle voulait que je pratique un sport collectif, comme le hockey ou le basket, mais je l'ai convaincue en lui expliquant que si je musclais mes bras, je jouerais mieux.

Dominik a esquissé un sourire, mais il est resté silencieux. Il attendait patiemment que je continue.

— J'ai alors découvert que nager me procurait les mêmes sensations que le violon. J'adorais l'eau et la façon dont le temps s'abolissait, longueur après longueur. Je n'étais pas très rapide mais très endurante. Je nageais si longtemps, avec tant de facilité, que l'entraîneur devait toujours m'interrompre pour m'ordonner de rentrer chez moi. C'était un bel homme, un ancien champion régional qui avait abandonné la compétition quand il avait cessé de gagner des coupes. Il avait alors décidé d'enseigner mais il n'avait rien perdu de ses muscles. Il portait la tenue réglementaire des maîtres nageurs, le short très court, le tee-shirt moulant et le sifflet autour du cou, histoire de faire genre. Je ne prêtais jamais attention à lui. J'avais l'impression qu'il en faisait trop et bizarrement, ça ne lui allait pas. C'était comme s'il enfilait un costume, comme s'il faisait semblant d'être le prof. Toutes les autres filles se pâmaient devant lui. Je ne sais pas quel âge il avait, sauf qu'il était plus vieux que moi. Ma première fois, ça a été avec lui.

J'ai jeté un nouveau regard en coin à Dominik. Il était impassible, imperturbable.

— Poursuivez, a-t-il ordonné.

— Un après-midi, il ne m'a pas arrêtée. Il m'a laissée nager encore et encore. J'ai fini par cesser, après je ne sais combien de longueurs, parce que j'ai pris conscience que la nuit était tombée et qu'il n'y avait plus que moi dans le bassin. Tout le monde était parti. Quand je suis sortie de l'eau, il m'a dit qu'il attendait de voir si j'allais m'arrêter toute seule. J'ai ramassé ma serviette et j'ai gagné les vestiaires. Quand j'ai commencé à me sécher, je me suis rendu compte que j'étais excitée. Je ne sais pas bien pourquoi, mais c'était tellement pressant que je ne pouvais pas attendre de rentrer chez moi. J'étais en train de me caresser quand je l'ai vu qui m'observait par l'entrebâillement de la porte, que j'avais peut-être oublié de fermer. En tout cas, je ne l'avais pas entendu l'ouvrir. Je n'ai pas pu m'arrêter. Je suppose que j'aurais dû mais sa façon de me regarder m'en empêchait. J'ai eu mon premier orgasme. Sous ses yeux. Il est alors entré dans la pièce et a sorti sa queue. Je ne pouvais pas en détacher mon regard. « C'est la première fois que tu en vois une, hein ? » a-t-il dit. J'ai confirmé. Il m'a demandé si j'avais envie de la sentir en moi et j'ai répondu que oui.

Je me suis tournée vers Dominik pour savoir s'il voulait que je lui en raconte davantage ou si ça lui suffisait. Son attention s'est immédiatement posée sur moi.

— Parfait, a-t-il déclaré, en remettant son siège en position assise. C'est tout ce que je voulais savoir. Je vous réclamerai peut-être la suite un autre jour.

— Pas de problème, ai-je répondu en redressant mon siège à mon tour.

Raconter ma vie à cet homme aurait dû m'embarrasser, au contraire, je me sentais étrangement plus légère, comme si j'avais transféré le poids de mes secrets sur ses épaules.

— Je vous dépose quelque part ?

— Au métro, ce sera parfait. Merci.

— Je vous en prie.

J'avais beau lui avoir raconté ma vie sexuelle, je n'étais pas prête à lui donner mon adresse. De toute façon, je n'étais pas certaine qu'il ait envie de la connaître.

Finalement, ce n'était pas la peine que je cherche à dissimuler ma vie privée. Dominik m'a demandé mon adresse quelques jours plus tard et m'a priée de rester chez moi un certain jour afin de réceptionner un colis. J'ai hésité un peu avant de la lui révéler. Il n'y avait que deux hommes à Londres à savoir où j'habitais : le livreur de pizzas et lui, et ça me convenait très bien. Comme il avait un paquet à me faire livrer, j'aurais eu l'air prude ou paranoïaque si j'avais refusé de répondre à sa question.

Ainsi que je le soupçonnais à moitié, le colis en question était le violon promis. Étant donné la qualité de l'instrument qu'il avait loué pour le concert à Hampstead, je m'attendais à un violon de prix, mais je n'aurais jamais cru qu'il m'offrirait quelque chose d'aussi somptueux. C'était un authentique Bailly, dont le bois avait une teinte couleur de miel, presque caramel. Il me rappelait l'endroit où j'avais grandi et les reflets de la rivière Waihou, quand le soleil la fait miroiter.

Si j'en croyais le certificat qui l'accompagnait, sa dernière propriétaire était une certaine Edwina Christiansen. Curieuse, comme à mon habitude, j'ai cherché son nom sur Google mais n'ai rien trouvé. Tant pis. Mon imagination suffirait.

L'étui noir était flambant neuf et l'intérieur couvert de velours bordeaux. Il ressemblait un peu trop à un cercueil pour moi et n'allait pas du tout avec le Bailly mais Dominik était un homme intelligent, et j'ai supposé que l'étui était censé dissimuler la valeur du violon.

Il avait joint des instructions précises : le prévenir de l'arrivée du paquet, passer le plus de temps possible à me familiariser avec cet instrument, ne pas l'exposer en public, me tenir prête pour la suite. Jouer et attendre, donc.

Jouer avec le Bailly me procurait un plaisir intense. Il était fait pour moi, comme si mon corps n'attendait que lui. J'ai demandé aux transports londoniens de suspendre mon accréditation pendant quelque temps et, étant donné les circonstances, ils ont accepté sans problème. Je jouais toute la journée, mieux que je ne l'avais jamais fait : j'avais l'impression que ce violon avait libéré des mélodies prisonnières en moi depuis toujours.

Attendre était une autre paire de manches. Je suis d'une nature patiente et j'aime les sports d'endurance. Mais j'aurais aimé savoir exactement dans quoi je m'engageais. Je crois vraiment que l'on n'a rien sans rien, et tant que je ne savais pas exactement ce que

Dominik attendait comme retour sur investissement, j'ai résolu de considérer le violon comme un prêt et non comme un don. Il avait suggéré un accord mutuel, un contrat, il ne m'avait pas proposé de m'entretenir. S'il l'avait fait, j'aurais carrément refusé. Mais tant que je n'en apprenais pas davantage, je ne pouvais pas décider de jouer le jeu.

Je ne voulais pas m'engager dans une relation tout de suite. Je voulais rester un peu seule. Et je n'avais pas l'impression que Dominik cherchait une petite amie. C'était manifestement un marginal, un solitaire ; il n'avait pas le regard désespéré de celui qui veut à tout prix rencontrer quelqu'un. J'ai décortiqué son premier mail, celui par lequel il avait pris contact avec moi. Il avait un côté un peu geek et je le soupçonnais de posséder une large collection de films pornographiques sur son ordinateur, mais je ne pensais pas qu'il était du genre à fréquenter les sites de rencontres.

S'il ne souhaitait pas sortir avec moi, que voulait-il ?

J'ai de nouveau regardé le violon et j'en ai caressé le bois. J'estimais son prix à plus de 10 000 livres.

Comment remercier un homme qui vous avait fait un tel cadeau ? Qu'espérait-il de moi ?

Du sexe ? C'était la réponse la plus évidente. Mais, à mon avis, pas la bonne.

S'il avait juste voulu coucher avec moi, il n'avait qu'à m'inviter à dîner. Et s'il avait juste voulu jouer les mécènes, il m'aurait offert un violon sans tout ce cérémonial.

Il y avait quelque chose d'autre. Il n'avait rien d'un psychopathe, mais j'avais l'impression qu'il se livrait à un jeu qui le divertissait fort. Je me suis demandé s'il avait un but ou s'il s'ennuyait terriblement et ne savait pas comment dépenser son argent.

J'aurais évidemment pu lui renvoyer le violon, et c'était d'ailleurs la chose à faire. Mais je dois bien avouer que j'étais terriblement intriguée.

Qu'allait-il faire ensuite ?

Quelques jours plus tard, mon téléphone a sonné.

Je n'ai même pas eu le temps de parler. Ça m'aurait agacée en d'autres circonstances mais j'ai décidé d'écouter ce que Dominik avait à dire.

—Allô ? Summer ?

—Oui.

Il m'a froidement informée qu'il voulait que je joue pour lui un après-midi de la semaine suivante. Il avait choisi le concerto n° 1 pour quatuor à cordes du tchèque Smetana, une pièce que je connaissais heureusement bien, parce qu'elle faisait partie des préférées de M. van der Vliet. Je jouerais avec trois autres musiciens qui maîtrisaient bien la partition, pour l'avoir donnée plusieurs fois, et qui avaient signé un contrat les obligeant à ne jamais dévoiler quoi que ce soit sur ce concert.

Et c'était tant mieux puisque je devais jouer nue.

Les autres musiciens se banderaient les yeux avant que je me déshabille. Ma nudité n'aurait donc que Dominik pour spectateur.

Lorsqu'il m'a annoncé ses conditions, une vague de chaleur s'est répandue dans tout mon corps. Je suppose que j'aurais dû refuser. Après tout, il venait de me demander, de manière très franche, de me dévêtir devant lui. Mais si je refusais, je ne saurais jamais ce qu'il manigançait. Et puis, ce serait notre troisième rencontre. Si on considérait qu'il m'arrivait de coucher dès le premier rendez-vous, ça ne faisait guère de différence. Pour une fois, j'avais juste accepté en avance.

Vraiment?

Après tout, Dominik n'avait pas dit qu'il voulait coucher avec moi.

Il souhaitait peut-être simplement m'observer.

L'idée m'a perturbée, mais en dépit de tous mes efforts, j'ai senti monter mon excitation.

Ce n'était pas vraiment surprenant. J'avais passé tant de temps avec le Bailly que je n'avais pas eu le loisir de rencontrer quiconque et je n'avais pas eu d'amant depuis Darren. J'étais cependant agacée de constater que Dominik me faisait cet effet. Il avait un coup d'avance dans le petit jeu qu'il jouait avec moi.

Si je m'exposais nue à son regard, j'avais peur qu'il ne se rende compte de l'attirance que j'avais pour lui. Après ce que je lui avais raconté dans la voiture sur le parking de Hampstead Heath, je me doutais qu'il ne serait pas surpris. J'étais même certaine qu'il savait exactement de quelle manière j'allais réagir.

Si nous étions engagés dans un duel, je lui avais fourni toutes les armes pour me battre.

Une semaine plus tard, je me suis rendue à l'adresse indiquée par Dominik, une crypte au centre de Londres. Je ne connaissais pas cet endroit mais son existence ne m'étonnait pas. Londres est une ville pleine de surprises. Il m'avait donné l'adresse par téléphone mais m'avait demandé de ne pas chercher à y aller avant, histoire de garder la fraîcheur de la découverte. J'avais envisagé un instant de lui désobéir mais j'avais rapidement abandonné cette idée, comme si je me sentais obligée de suivre ses instructions à la lettre. C'était lui qui avait acheté le violon, il méritait bien d'organiser le concert à sa guise.

La crypte était dissimulée dans une ruelle, et son existence n'était indiquée que par une plaque en cuivre fixée sur le montant gauche de la porte. J'ai poussé le battant avec précaution et me suis trouvée face à une volée de marches qui menaient vers un puits d'obscurité.

J'avais troqué mes ballerines pour des escarpins dans la rue d'à côté et j'ai trébuché sur le sol inégal. Je serais tombée tête la première si je ne m'étais pas rattrapée *in extremis*. J'ai tâtonné contre le mur, à la recherche d'une rambarde : en vain.

J'étais oppressée. Je n'avais pas peur, même si le bon sens me soufflait que j'aurais dû dire à quelqu'un où je me rendais. Je n'avais raconté à personne, pas même à Charlotte, que Dominik m'avait offert un Bailly et que j'allais jouer pour lui dans cette crypte. Ce tournant de ma vie était trop étrange pour que je le partage. Et puis après tout, si Dominik avait projeté de m'assassiner, il l'aurait fait depuis longtemps.

Le nœud qui s'était formé dans mon estomac et les battements désordonnés de mon cœur n'étaient pas seulement des manifestations de nervosité. J'étais surexcitée. Jouer avec trois musiciens inconnus était un défi, mais j'avais répété jusqu'à ce que je puisse interpréter ce morceau les yeux fermés. Je savais que Dominik n'apprécierait pas que quoi que ce soit ne se déroule pas selon son plan. Quoi qu'il ait prévu, j'étais persuadée que tout était planifié dans les moindres détails et que tout serait parfait, y compris ma performance.

Il y avait évidemment la perspective de ma propre nudité, même si cette idée me troublait plus qu'elle ne m'angoissait. J'ai toujours eu un côté exhibitionniste, qu'il avait évidemment déduit de ce que je lui avais raconté dans la voiture.

J'étais quand même un peu nerveuse, et je suppose que c'était à cause du public. Me balader nue dans mon salon n'avait rien à voir avec le fait de jouer nue devant un quasi-étranger. Je n'étais soudain plus certaine de pouvoir le faire. Une tempête faisait rage dans mon cerveau. Si je me rétractais, je lui prouvais qu'il avait gagné. Si j'acceptais, je lui laissais la main. Et puis il y avait cette pensée dérangeante, dont je ne pouvais me défaire : cette situation m'excitait terriblement. Mais pourquoi diable ? Qu'est-ce qui ne tournait pas rond chez moi ?

J'ai résolu de m'habituer à l'éventualité de me déshabiller. Je me déciderais quand le moment serait venu.

Je m'étais préparée avec soin, et pas seulement musicalement parlant. Je m'étais douchée longuement le matin même et je m'étais rasé les jambes. J'avais ensuite considéré mon maillot. Raser ou ne pas raser ? Darren aurait aimé que je l'épile intégralement et par esprit de contradiction, je ne l'avais donc jamais fait. De toute façon, ce n'était pas comme s'il y mettait souvent la langue.

Que préférait Dominik?

C'était un homme étonnant, qui avait fait preuve jusque-là d'un goût certain pour les détails et l'opulence, et je soupçonnais ses penchants sexuels d'être pour le moins exotiques. Il aimerait peut-être mes poils, leur odeur légèrement entêtante, le secret qu'ils voilaient. Je n'ai pas pu m'empêcher de laisser mon imagination vagabonder sur des sentiers ténébreux, avant que le bon sens reprenne ses droits. J'ai repoussé mes fantasmes. Dominik savait déjà bien assez de choses sur moi. Heureusement que les autres musiciens ne pourraient pas voir ce qui allait se passer.

Au final, je m'étais contentée de raser juste un peu, décidant de garder quelques centimètres de poils, comme un voile: ainsi, je ne serais pas complètement nue.

En bas de l'escalier, je suis tombée sur une autre porte en bois, que j'ai poussée. J'ai été submergée par l'air plus épais, oppressant, conférant au lieu une atmosphère de souterrain, de caveau. La crypte était haute de plafond, mais étroite, et les voûtes la rendaient étouffante. Le donjon que j'avais visité avec Charlotte me revint à l'esprit: cette crypte ressemblait nettement plus à l'idée que je m'en faisais.

Les murs étaient éclairés par de faibles ampoules électriques, qui contrastaient de manière saisissante avec l'ancienneté du lieu et l'odeur de bougie qui flottait encore dans l'air. Il faisait un peu froid, même s'il était évident que l'électricité pouvait servir également à chauffer la crypte. Peut-être Dominik avait-il demandé que le chauffage ne soit pas allumé, par souci d'authenticité. Ou peut-être voulait-il voir mon corps réagir à la morsure du froid. J'ai chassé cette idée et agrippé plus fermement l'étui de mon violon.

J'ai aperçu les trois musiciens sur l'estrade et me suis dirigée vers eux, le bruit de mes talons résonnant sur le sol en pierre. Mon angoisse a fait soudain place à de la joie : l'acoustique était exceptionnelle et le Bailly allait faire des étincelles. Dominik aurait droit au concert de sa vie, de cela au moins j'étais certaine.

Les autres membres du quatuor m'attendaient, déjà installés, et comme il me l'avait promis, je n'ai pas vu trace de Dominik. Je me suis présentée, aussi gênée qu'eux : la situation était inhabituelle pour tout le monde.

Ils portaient tous un costume noir, une chemise blanche et un nœud papillon. Le violoniste et le violiste étaient des hommes, plutôt silencieux. La violoncelliste, Lauralynn, était manifestement le leader du groupe et elle parlait pour trois. C'était une Américaine qui avait quitté

New York pour étudier à Londres, et elle semblait pleine d'assurance sans que ce soit dérangeant. Elle était grande, avec de longues jambes et un côté un peu amazone. Elle portait le même costume que les hommes, noir avec une chemise blanche, mais sa veste queue de pie était coupée de telle manière qu'elle mettait en valeur sa taille et ses hanches. Entre son accoutrement, sa chevelure et ses traits, extrêmement fins, elle offrait un curieux mélange de masculinité et de féminité. Elle était très attirante.

— Vous connaissez bien Dominik ? me suis-je enquise.

— Et toi ? a-t-elle rétorqué avec coquetterie.

Devant son expression coquine, je me suis demandé si elle en savait plus que moi sur les plans de Dominik. Elle a éludé toutes mes questions et j'ai fini par me lasser : nous n'avions pas beaucoup de temps devant nous pour répéter.

C'était un morceau intense, sombre, et un choix parfait pour l'endroit. Et Dominik avait raison : les trois musiciens le connaissaient parfaitement.

Je l'ai entendu avant de le voir : ses semelles battaient le sol, le rythme de ses pas résonnait comme un *staccato* se superposant à l'accord en mi du dernier mouvement que je tirais du Bailly lorsqu'il s'est approché de l'estrade.

Il m'a saluée de la tête et a fait un signe en direction des musiciens pour qu'ils mettent leurs bandeaux.

Ils se sont exécutés.

Ils ne savaient manifestement pas que je devais me dévêtir. Dominik est monté souplement sur l'estrade et s'est penché tout contre moi. Ses lèvres ont presque caressé le lobe de mon oreille et j'ai rougi.

— Vous pouvez vous déshabiller, a-t-il chuchoté.

J'avais choisi ma courte robe noire et non la longue, histoire de ne pas attirer les regards dans le métro. Elle était moulante, avec une seule bretelle, et une fermeture Éclair cachée sur le côté. J'avais décidé de ne pas porter de soutien-gorge ; ainsi, quand je me déshabillerais – enfin, si je me déshabillais –, je n'aurais pas de marques. J'avais failli ne pas mettre de culotte pour la même raison, mais j'avais changé d'avis au dernier moment et je m'en étais félicitée quand ma robe avait dévoilé plus de peau que prévu lorsque j'étais montée dans la rame de métro à la station Bank.

Dominik est redescendu et s'est assis sur la seule chaise, juste en face de nous. Il m'a regardée, impassible. Je commençais à croire que sa façade polie et réservée dissimulait une nature beaucoup plus sauvage que ce qu'il voulait bien laisser paraître.

Je me demandais ce qui pourrait le faire sortir de sa réserve. J'étais prête à chercher.

J'ai inspiré profondément et ai décidé de le faire.

J'ai posé la main sur la fermeture, regardant Dominik bien en face.

La fermeture Éclair s'est coincée.

Je me suis débattue avec ma robe sous le regard brûlant de Dominik. *Et merde!* Était-ce un sourire que j'apercevais sur les lèvres de Lauralynn? Pouvait-elle me voir malgré l'épais foulard?

La pensée m'a fait rougir.

Je devais être écarlate à présent. J'avais espéré me dévêtir avec grâce comme les actrices au cinéma. J'aurais dû m'entraîner chez moi. Plutôt mourir que de demander de l'aide à Dominik. J'ai fini par m'extirper de ma robe, et rougi encore plus violemment quand je me suis rendu compte que j'allais devoir me pencher pour enlever ma culotte. Je me suis légèrement tournée pour dissimuler mes seins, tout en me disant que j'étais complètement idiote puisque j'allais devoir jouer ainsi devant lui.

J'ai attrapé mon violon et ai résisté à l'envie de m'en servir comme d'un bouclier pour cacher ma nudité un peu plus longtemps. Je me suis retournée, ai calé le Bailly sous mon menton et ai commencé à jouer. *Au diable ma nudité et au diable Dominik!* Une vague de colère m'a brièvement parcourue avant que la musique m'emporte.

La prochaine fois, s'il y en avait une, pas question de paraître vulnérable quand je me déshabillerais.

La musique a fini par s'arrêter et j'ai relâché la pression sur le manche de mon violon. Je l'ai éloigné de mon menton, le long de mon flanc, et non devant moi puis j'ai regardé Dominik. Ce dernier a applaudi, lentement, délibérément, avec un sourire énigmatique. L'archet tremblait un peu entre mes doigts, j'étais essoufflée et j'avais le front moite, comme si je venais de courir dix kilomètres. L'effort avait été épuisant, même si je ne m'en rendais compte que maintenant, absorbée que j'avais été par la musique et par des pensées inspirées par l'Europe de l'Est, Edwina Christiansen et le Bailly.

Je me suis demandé quand je pourrais quitter Londres pour quelques jours. Étant donné mes finances, je n'avais pas eu l'occasion de visiter l'Europe comme je l'aurais voulu.

Dominik a interrompu ma rêverie en toussotant.

— Merci, a-t-il dit.

Je me suis contentée d'un signe de tête.

— Vous pouvez disposer. Je vous aurais bien raccompagnée mais je dois régler les musiciens. Je pense que vous pouvez trouver la sortie sans vous blesser ?

— Évidemment.

Je me suis rhabillée avec une nonchalance feinte, décidant d'ignorer son commentaire.

Avait-il deviné que j'avais manqué de me rompre le cou en arrivant ?

— Merci, ai-je dit à l'intention des musiciens, toujours assis et masqués.

Ils attendaient les instructions de Dominik. Il était évident que ce dernier avait été très clair avec eux.

J'aurais bien aimé savoir comment il s'y était pris pour s'assurer ainsi de leur pleine et entière coopération. Il avait du pouvoir sur les gens, surtout sur les femmes.

Et pourtant, je n'avais pas l'impression que Lauralynn était du genre à obéir. Au contraire.

J'avais remarqué de quelle façon elle tenait son violoncelle entre ses cuisses ; malgré son apparente douceur, elle en jouait d'une façon presque violente, comme si elle lui extorquait la mélodie contre son gré.

Elle a souri d'un air entendu, cette fois-ci en me regardant : j'étais à présent certaine que soit elle faisait partie du jeu, soit elle me voyait sous le foulard.

J'ai pivoté vers la sortie, mon étui à la main, aussi professionnelle que possible. Nous avions tous deux rempli notre part du contrat : j'avais un violon, il avait obtenu son concert privé.

J'ai franchi la porte qui menait à l'escalier et me suis adossée contre le froid mur de pierre pour rassembler mes pensées.

Était-ce vraiment terminé ? J'aurais dû être soulagée, mais un étrange regret m'envahissait. Comme si je ne lui avais pas donné assez en échange du violon. Charlotte aurait affirmé le contraire mais je me sentais bizarrement incomplète.

J'ai inspiré et ai gravi les marches sans me retourner.

J'ai regagné mon studio de Whitechapel, ravie de trouver le couloir et la salle de bains déserts. Mes voisins étaient sortis. Tant mieux. Ça m'épargnerait de devoir faire la conversation ou de prendre garde à ce qu'ils ne soupçonnent pas ce que j'avais en tête : il était temps de faire quelque chose de cette excitation presque douloureuse qui m'avait accompagnée pendant tout le trajet de retour.

J'avais à peine fermé la porte de ma chambre que j'ai glissé la main entre mes jambes. J'ai introduit un doigt en moi, afin de le lubrifier avant de caresser mon clitoris avec de rapides mouvements circulaires. J'ai jeté un coup d'œil à mon ordinateur portable en envisageant de regarder un clip porno, histoire d'accélérer le processus.

Darren détestait mon goût pour le porno. Il m'avait surprise un jour avec un magazine déniché sous son matelas et il avait fait la tête toute la soirée. Quand je lui avais demandé ce qui le contrariait autant, il m'avait avoué qu'il savait que les femmes se masturbaient mais il n'envisageait pas qu'elles puissent le faire en regardant un magazine. Je n'avais jamais bien compris s'il était jaloux ou s'il considérait que ce n'était pas convenable, mais j'avais profité de ma liberté recouvrée pour faire ce qui me plaisait. Cependant, vu l'état d'excitation dans lequel j'étais, je savais que je ne tarderais pas à jouir, et trouver les bonnes images me prendrait plus de temps que nécessaire. J'ai préféré rejouer la scène de l'après-midi dans ma tête.

Je me suis soudain souvenue de la façon dont mes tétons s'étaient dressés, sous l'effet de l'air frais. À moins que ce ne soit sous celui du regard de Dominik. Ou de Lauralynn. J'ai ouvert la fenêtre de la main gauche, sans cesser de me caresser de la droite. J'ai défait ma robe sans problème *(évidemment)* et l'ai ôtée. Plutôt que de me débattre devant Dominik pour remettre ma culotte, je l'avais glissée dans mon sac, j'étais donc à présent complètement nue, à l'exception de mes escarpins, et j'ai accueilli avec plaisir l'air frais contre ma peau.

J'ai fermé les yeux, et au lieu de me laisser tomber sur le lit comme d'habitude, j'ai écarté les jambes et ai introduit un doigt en moi, comme si je me masturbais pour un public invisible.

Le souvenir du dernier ordre de Dominik, le ton de sa voix au moment où je m'étais penchée pour défaire les brides de mes escarpins, m'a fait jouir.

—Non. Gardez-les.

Ce n'était pas un défi. Nulle trace de doute dans sa voix. Il n'avait pas envisagé un seul instant que je puisse ne pas lui obéir, même si j'étais persuadée qu'il avait bien deviné que je n'étais pas du genre docile. L'autorité dont il avait fait preuve, pour une raison qui m'échappait, avait provoqué mon orgasme.

J'ai joui violemment, mon sexe merveilleusement secoué de spasmes, et mon corps tout entier envahi par une délicieuse vague de chaleur.

J'avais toujours été comme ça, maintenant que j'y pensais. M. van der Vliet m'excitait, même s'il n'était pas beau et je me souvenais du plaisir que je prenais à lui obéir à la lettre. Ça avait été la même chose avec le maître nageur quand il m'avait dit qu'il se demandait combien de longueurs je pouvais parcourir s'il ne m'arrêtait pas. Et il y avait eu la fessée du Maître du Donjon.

Qu'est-ce qui m'arrivait?

Je me suis couchée en essayant de ne plus penser à tout ça et j'ai plongé dans un sommeil agité.

Je me suis réveillée dans la soirée, toujours troublée. Et excitée. J'ai essayé de ne pas y prêter attention. En vain. Je me suis caressée de nouveau, mais sans venir à bout de ma frustration.

Le ton impérieux de Dominik et sa manière de tout organiser dans le moindre détail m'obsédaient. Même sa façon de me donner l'adresse de la crypte m'avait émoustillée. J'ai envisagé de l'appeler puis me suis morigénée. Qu'est-ce que j'allais lui dire ?

« S'il te plaît, Dominik, dis-moi ce que je dois faire ? »

Pas question. En dehors du fait que l'idée même était ridicule, c'était mieux ainsi. Je ne voulais pas qu'il sache à quel point je l'avais dans la peau. Je savais qu'il finirait par me téléphoner ; j'avais vu la lueur affamée dans son regard. Il ne pourrait pas résister à la tentation d'échafauder un autre jeu. Et même si ça m'agaçait de le laisser me manipuler, je savais que ça me plairait.

J'allais devoir trouver un autre moyen de satisfaire mon désir.

J'aurais pu appeler Charlotte, mais je n'étais pas prête à partager cette partie de ma vie.

Le club fétichiste. Cette pensée semblait folle, mais je pouvais peut-être y aller seule, juste pour y faire un tour. Je ne savais pas trop d'où venait cette soudaine assurance, à la fois effrayante et libératrice. Après tout, si ça ne me plaisait pas, je pouvais toujours partir.

Je m'y étais sentie en sécurité. Je n'étais pas du genre à me laisser faire mais les boîtes du West End étaient insupportables, remplies de groupes de mecs bourrés qui tentaient de mettre les mains sur toutes les filles se frayant un chemin vers le bar ou les toilettes.

Au club fétichiste, malgré la nature de la clientèle (ou peut-être grâce à elle), tout le monde m'avait semblé respectueux.

C'était définitivement le genre d'endroit où je pouvais me rendre seule.

Une rapide recherche sur Google m'indiqua que le donjon où j'étais allée avec Charlotte n'était ouvert que le premier samedi du mois, et on était un jeudi. Aucun des grands clubs n'était ouvert ce soir-là, mais j'ai fini par trouver un lien vers un établissement plus petit, pas très loin de chez moi, qui possédait un donjon, des « espaces de jeu » et qui m'a paru sympa. Il ferait l'affaire. Le *dress code* était strict : il fallait que je trouve une tenue appropriée. Pas question d'avoir l'air d'ignorer ce que je faisais là.

Il était 23 heures. La soirée ne faisait certainement que commencer. J'ai appelé un taxi et ai fourragé dans ma garde-robe où j'ai fini par dénicher quelque chose de convenable. J'ai contemplé mon reflet dans le miroir. J'avais choisi une jupe bleu marine droite à taille très haute, dont les gros boutons blancs maintenaient des bretelles croisées dans le dos et qui couvraient mes tétons. Je l'avais achetée en solde dans une boutique qui vendait des fringues d'inspiration années cinquante sur Holloway Road, au nord de Londres, et je l'avais mise avec un chemisier blanc à col haut, un béret marin et des talons rouges quand mon voisin avait organisé une fête costumée qui avait pour thème « uniformes » à son anniversaire, quelques mois plus tôt.

Ce soir, je portais un soutien-gorge rouge assorti à mes chaussures, et pas de chemisier. Cela ressemblait-il à une tenue fétichiste ? Je me suis souvenue des accoutrements hallucinants du donjon où Charlotte m'avait amenée. *Probablement pas.* Je voulais me fondre dans la masse, et ce serait certainement plus facile si j'avais moins de vêtements. J'ai jeté un dernier coup d'œil à mon reflet et j'ai enlevé mon soutien-gorge. Les bretelles soulignaient mes seins, les maintenaient en place et dissimulaient mes tétons. De toute façon, j'avais déjà passé une partie de la journée à poil, alors je n'étais plus à ça près.

J'ai enfilé une veste avant de monter dans le taxi, parcourue par un délicieux frisson de liberté à l'idée que j'étais à moitié nue dessous.

Une jeune femme brune à l'air amical, un piercing au nez, a encaissé le faible droit d'entrée à mon arrivée. Quand elle m'a priée de tendre mon poignet pour qu'elle y applique le tampon, j'ai remarqué qu'elle avait une minuscule larme tatouée sous l'œil gauche. Je me suis demandé quels autres secrets étaient dissimulés sous sa veste de smoking en latex.

Encore du latex. Si je devenais une habituée de ces lieux, je ferais peut-être aussi bien d'économiser et de me payer une tenue en latex moi aussi, même si je n'étais pas vraiment certaine que ce soit mon truc. Charlotte avait eu un mal fou à enfiler et enlever sa robe, et je devinais qu'une incapacité à me dévêtir entraverait l'assouvissement de mes désirs.

Je préfère rester sobre quand je suis placée dans une situation nouvelle mais cette fois-ci, je me suis arrêtée au bar.

Un bloody mary parfaitement épicé à la main, j'ai traversé la piste de danse où quelques clients discutaient tranquillement, et je me suis dirigée vers le donjon. L'entrée en était ouverte, une pièce plus loin. Il n'y avait pas de porte mais des rideaux semblables à ceux que l'on trouve dans les hôpitaux. *Intéressant.*

La plupart des clients étaient dans le donjon. Certains, assis, bavardaient à voix basse ; d'autres se tenaient plus près de l'action mais en retrait par rapport aux participants. J'ai remarqué quelques affiches, imprimées sur des feuilles A4 et placardées sur les murs. « N'interrompez pas une scène », disait l'une. « On demande avant », annonçait l'autre. Je me suis sentie étrangement rassurée.

Plusieurs couples et un trio se livraient à des actes de violence consentie de degrés divers, à l'aide d'instruments variés. Mon attention a été immédiatement attirée par les bruits de la pièce : le craquement sourd d'une cravache et le son plus étouffé d'un martinet, comme celui que j'avais vu entre les mains de Mark. Le son et le rythme changeaient selon les mouvements de celui qui s'en servait et la force avec laquelle il frappait.

Sans m'en rendre compte, je m'étais rapprochée du trio, deux hommes qui fouettaient une personne que j'avais initialement prise pour un troisième homme, en raison de sa corpulence et de son crâne rasé, avant de découvrir aux courbes de ses seins comprimés sur la croix et à ses gémissements aigus, qu'il s'agissait d'une femme. *Homme, femme, ni l'un ni l'autre, ou un peu des deux. Une créature magnifique en tout cas. Et puis qu'est-ce que le genre de toute façon ? Pas grand-chose entre ces murs.* J'ai oublié le panneau et je me suis avancée encore un peu. Je trouvais ça encore choquant mais aussi follement excitant.

J'ai senti que quelqu'un me touchait l'épaule gentiment et on a murmuré à mon oreille :

— Ils sont beaux, non ?

— Oui.

— Ne vous approchez pas trop, vous allez les tirer de leur monde.

Je les ai observés attentivement. Ils paraissaient effectivement perdus dans une autre dimension, un endroit qui était à la fois dans la pièce et loin d'elle. Chacun d'eux semblait faire son propre voyage.

Où qu'ils soient, je mourais d'envie de les rejoindre.

Le propriétaire de la voix a perçu mon désir.

— Voulez-vous jouer ?

J'ai hésité. Nous n'avions pas été présentés et il, ou elle, était très direct. Mais c'était peut-être exactement ce dont j'avais besoin, et personne n'en saurait jamais rien.

— Oui.

J'ai senti qu'on me prenait par la main et qu'on me guidait vers une autre croix, dressée dans un coin de la salle.

— Déshabillez-vous.

Mon corps a réagi immédiatement : l'ordre était pratiquement le même que celui que Dominik m'avait donné un peu plus tôt, et j'ai été envahie d'un désir brûlant, une excitation presque palpable doublée d'une envie de quelque chose de plus que je ne savais pas identifier.

J'ai fait glisser les bretelles, dévoilant ainsi complètement mes seins, puis j'ai ôté ma jupe, excitée par tous ces regards étrangers posés sur moi. J'ai pris position sur la croix, bras et jambes écartés, complètement nue pour la troisième fois de la journée. Ça devenait une habitude.

Mes poignets ont été liés par une lanière en cuir, assez serré sans que cela soit inconfortable et ce coup-ci, on ne m'a pas expliqué comment interrompre la séance. *Tant pis.* Si j'en jugeais par son assurance, mon mystérieux partenaire avait l'air expérimenté, et si je n'en pouvais plus, je n'aurais qu'à crier « Stop ! ». Je n'avais bu qu'un verre, j'étais parfaitement consciente de ce que je faisais et la pièce était pleine de monde qui pourrait intervenir en cas de nécessité.

Je me suis détendue et j'ai attendu qu'on me frappe.

Je n'ai pas été déçue.

Cette fois-ci, les coups ont été beaucoup plus violents. Rien à voir avec la fessée administrée par Mark. Pas de caresses apaisantes. J'en ai eu le souffle coupé, et mon corps s'est cambré sous la violence des claques, qui pleuvaient sur mes fesses et mes flancs. Il ou elle (je préférais que mon partenaire garde son anonymat et n'avais pas cherché à savoir de qui il s'agissait) utilisait manifestement un instrument. Le bruit ressemblait à celui du martinet mais la force de l'impact, brutale et solide, me fit penser qu'il s'agissait d'autre chose.

Je me suis mise à pleurer de douleur, et j'ai fini par comprendre que plus je me braquais sous les coups, plus j'avais mal.

J'ai donc décidé de me détendre et de découvrir ce monde à part dans lequel les autres participants semblaient se trouver. Je me suis figuré que mon corps ne faisait plus qu'un avec la main ou le martinet. J'ai écouté le rythme régulier du fouet et la douleur en est venue à disparaître : quand j'ai compris comment danser avec mon partenaire sans être sa victime, j'ai senti se répandre en moi une grande sensation de paix.

Puis on m'a détachée. On m'a gentiment caressée aux endroits qui avaient été frappés et qui m'ont un peu élancée.

Un rire bas, un murmure, puis la voix s'est évanouie dans la foule.

Je suis restée immobile, étendue sur la croix, pendant un temps indéfinissable. J'ai enfin réussi à me relever, je me suis rhabillée et je suis rentrée chez moi en taxi.

J'avais eu ce que j'étais venue chercher.

Enfin, je crois.

J'avais recouvré le sentiment de paix, l'impression de disparaître dans un autre monde, la seconde conscience, tout ce qui, d'aussi loin que je me souvienne, avait toujours été mon refuge, ma demeure d'une manière ou d'une autre.

De retour chez moi, je me suis effondrée sur mon lit et, malgré la douleur cuisante, j'ai mieux dormi que je ne l'avais fait depuis des semaines.

Ce n'est que le lendemain, dans le miroir de la salle de bains, que j'ai remarqué les bleus.

Toute une série d'hématomes, de couleurs variables, couvrait de manière régulière mes fesses et le bas de mon dos. Une inspection plus poussée dans la psyché de ma chambre me révéla une empreinte de main un peu floue sur l'une de mes fesses.

Merde.

J'espérais que Dominik ne m'appellerait pas avant plusieurs jours.

6

Un homme et son désir

Dominik conduisait dans un état second. Il revivait en esprit l'après-midi dans les moindres détails. Il emprunta le dédale de rues autour de Paddington en pilote automatique, et se dirigea vers la route qui menait vers Kensington.

La couleur de sa peau.

Sa pâleur irréelle. Les centaines de nuances de blanc, les microscopiques teintes de rose et de gris ainsi qu'une terne nuance de beige, toutes trois suppliant qu'on les laisse voir le jour. La cartographie complexe de ses grains de beauté et des minuscules imperfections de sa peau. La façon dont la lumière artificielle de la crypte amplifiait ses courbes, dansait sur son corps et mettait en relief les zones d'ombre. Les muscles qui se dessinaient sous la fragile protection de son épiderme, les tendons qui saillaient imperceptiblement sur ses mollets quand elle bougeait à l'unisson de la musique. La manière dont le violon caressait son cou, la vitesse de ses doigts qui pinçaient les cordes pendant que son autre bras maniait vigoureusement l'archet, qui fondait sur l'instrument avec fougue.

Il faillit rater la sortie de l'autoroute. Il mit ses souvenirs de côté le temps de manœuvrer abruptement, au grand dam du conducteur d'une Fiat, qui manifesta son mécontentement par un coup de klaxon.

Dominik avait toujours eu la capacité de dissimuler ses émotions, en public comme en privé. Il avait assisté à la performance dans un état de dévotion silencieuse, impassible, attentif aux moindres nuances de la musique. Il n'avait pas perdu une miette des mouvements des musiciens, tout de noir et blanc vêtus. *Et de Summer. Nue.*

Il avait eu l'impression d'assister à un rituel. Une symphonie de contrastes entre les vêtements de soirée sombres et l'audacieuse nudité du corps de la violoniste qui se colletait littéralement avec son instrument pour en extraire chaque note, chaque fragment de mélodie, la domptant, la dirigeant. Il avait même vu une minuscule goutte de sueur tomber de son nez, glisser sur son téton dressé et finir sa trajectoire sur le sol en pierre de la crypte, à quelques centimètres des talons hauts qu'il lui avait ordonné de garder.

Peut-être aurait-ce été encore plus excitant s'il lui avait demandé de porter des bas noirs. Peut-être pas.

Il avait éprouvé tout du long un mélange de désir brûlant et de retenue. Il s'était fait l'effet d'être un inquisiteur assistant à une orgie : n'importe quel témoin l'aurait trouvé suprêmement indifférent alors qu'il était fiévreusement impliqué, le cerveau en ébullition, ses pensées suivant une course folle et incohérente, vagabondant, examinant, interrogeant, sondant. Le tout sur ces mélodies immortelles que ce quatuor improvisé avait magistralement interprétées, faisant naître des images et des mots comme seule la musique sait le faire.

La forme de ses seins, leur petitesse, la tendre vallée qui les séparait, le croissant obscur qui promettait bien des secrets sous chacun d'eux, le minuscule creux de son nombril, qui pointait comme une flèche en direction de son sexe.

Il avait apprécié de découvrir que, contrairement à tant de jeunes femmes de sa génération, elle n'était pas intégralement épilée. Les courtes boucles auburn formaient comme une barrière voilant la partie la plus privée de son corps. Il avait alors décidé de la raser lui-même, un jour. Il en ferait une occasion spéciale. Une célébration. Un rituel.

Le passage du Styx, au-delà duquel elle serait à jamais nue pour lui. Offerte. Sienne.

La solidité de ses cuisses, la longueur de ses mollets, les minuscules cicatrices sur l'un de ses genoux – souvenir d'un jeu d'enfant –, la surprenante étroitesse de sa taille, comme si elle avait été moulée dans un corset victorien.

La route montait à présent vers Hampstead et la voiture roulait sous les frondaisons basses des arbres du parc. Dominik inspira profondément et classa mentalement toutes les images et tous les sons séduisants de l'après-midi, constituant un album de souvenirs pour les jours de pluie.

De retour dans son quartier, il se rappela distraitement le sourire de la blonde violoncelliste, dont il avait déjà oublié le nom, juste avant qu'elle ajuste le foulard sur ses yeux. Elle l'avait regardé avec espièglerie, comme si elle avait deviné ce qui allait suivre et ce qu'il avait en tête. Il s'était même demandé si elle ne lui avait pas fait un clin d'œil complice.

Et la façon dont Summer avait rougi quand il lui avait dit de se déshabiller, après que les musiciens s'étaient bandé les yeux, la manière dont elle s'était détournée pour enlever sa culotte, lui offrant le spectacle majestueux de ses fesses, séparées par une ligne d'ombre, largement exposée quand elle s'était penchée. Elle s'était alors retournée vers lui et avait placé le violon devant son sexe, alors même qu'elle était consciente qu'elle allait devoir s'exposer à son regard en jouant.

Dominik savait qu'il se repaîtrait de ces instantanés pendant longtemps. Il se gara devant chez lui et baissa les yeux sur son pantalon. Il bandait.

Il se servit un verre d'eau pétillante et se laissa tomber sur sa chaise de bureau en cuir, obsédé par le souvenir de Summer.

Il soupira et but une gorgée d'eau, délicieusement fraîche.

Les images de la jeune fille jouant nue se mêlèrent sur l'écran imaginaire de ses pensées à celles de Kathryn, qu'il chevauchait dans un lit, sur le sol, contre un mur. Amour, baise, sueur, souvenirs, douleur et plaisir.

Il se remémora un grognement de dégoût et d'attente de la part de Kathryn le jour où il l'avait brutalement prise par-derrière, son attention tout entière rivée sur la fleur de son anus, des envies de sodomie obscurcissant son esprit déjà bien sombre. Il l'avait alors fessée violemment deux fois de suite, si fort que l'empreinte de sa main était immédiatement apparue, comme un Polaroïd, sur la chair pâle de son cul. Elle avait hurlé, surprise. Il avait alors répété son geste, ce coup-ci sur l'autre fesse, et il avait senti les muscles de son vagin se contracter autour de son sexe, signe évident du plaisir qu'elle prenait à être frappée.

C'était la première fois qu'il fessait une femme. L'idée ne l'avait jamais effleuré auparavant. Il n'avait jamais non plus été fessé ainsi au cours d'un rapport sexuel. Il savait que c'était une pratique assez répandue. Il avait lu suffisamment de romans victoriens mettant en scène des maîtres qui aimaient fouetter leurs servantes et vu suffisamment de films pornographiques dans lesquels les hommes fessaient leurs partenaires tout en les chevauchant, mais il pensait que tout ça n'était que convention, quelque chose que les acteurs faisaient pour rompre la monotonie de la baise.

—Ça t'a fait mal? demanda-t-il un peu plus tard à Kathryn.

—Non, pas du tout.

—Ah bon? Ça t'a plu?

—Je ne sais pas vraiment. Tu t'es laissé emporter par le feu de l'action.

—J'ignore pourquoi j'ai fait ça, avoua Dominik. J'en ai eu envie, c'est tout.

—Ce n'est pas grave, répondit Kathryn.

Ils étaient allongés sur le sol de son bureau, étalés sur le tapis, le souffle encore court.

—Tourne-toi, ordonna Dominik. Laisse-moi regarder.

Elle se mit sur le côté, lui offrant la sublime vision de son cul, que Dominik examina. La marque de sa main avait quasiment disparu, comme disparaît très rapidement toute trace de sexe une fois la personne rhabillée. Il avait toujours été dérouté par ça : quand un être rendosse son personnage public, tout ce qu'il a fait en privé s'évanouit. C'était comme si, au fond de lui, il voulait que les femmes avec qui il avait couché portent la marque de leurs ébats sur leur visage. Quoi qu'il en soit, les contours de sa main n'étaient plus qu'un vague souvenir sur les fesses de Kathryn.

— Tu n'as presque plus rien.

— Tant mieux, dit-elle. Je ne vois pas très bien comment j'aurais pu expliquer ça à mon mari.

Un peu plus tard au cours de leur liaison, il était parvenu à la soustraire à son compagnon pendant un week-end entier, qu'ils avaient passé à Brighton, dans un hôtel du bord de mer. Ils avaient réussi à ne voir ni le jour ni la plage et il l'avait fessée avec une telle violence qu'elle s'était plainte de ne pas pouvoir s'asseoir quand ils avaient fini par sortir dîner. Dominik avait été surpris par la nature compulsive de sa brutalité. Il en avait brièvement éprouvé de la honte : la violence envers les femmes lui répugnait. Il n'avait même jamais songé à frapper l'une de ses partenaires auparavant. Étaient-ils en train de se transformer en dominant et dominée ? D'où venait cette pulsion impérieuse, cette envie d'exprimer son désir par la sauvagerie ?

Kathryn n'avait jamais protesté.

Il n'avait jamais compris pourquoi. Il s'était toujours demandé ce qu'elle ressentait quand il la battait.

Il ouvrit sa braguette et libéra enfin son sexe. Il en nota distraitement les veines saillantes, la couronne sous le gland, la cicatrice de sa circoncision, et les teintes plus sombres de la peau sur la partie supérieure de la hampe. Il repensa au joli cul pâle de Summer quand elle s'était déshabillée.

Il prit son sexe en main et commença à se branler.

Il imagina le battement de ses couilles contre les fesses fermes de la jeune femme et le bruit de ses mains s'abattant brutalement sur sa peau frémissant sous les impacts répétés. Il entendait presque les gémissements de Summer.

Il ferma les yeux. Son imagination fonctionnait à plein régime et emplissait l'écran de ses fantasmes.

Il jouit.

Dominik savait que le moment venu il fesserait Summer Zahova, violoniste de son état, parce que seules les femmes vraiment désirables, celles avec qui on avait envie de coucher plusieurs fois, avaient droit à ce traitement de faveur. Il ne fessait que celles qu'il avait dans la peau. Celles qui étaient spéciales.

Dominik reprit contact avec Summer deux jours plus tard. Il rejoua inlassablement leurs précédentes rencontres. Son instinct lui soufflait qu'elle n'avait pas accepté de s'embarquer avec lui sur ces eaux troubles pour l'amour du violon, ce Bailly dont le timbre cristallin avait empli la crypte de son intense et mélodieuse clarté. Ce qu'il y avait entre eux n'était pas une simple transaction entre un mécène et une artiste, un bienfaiteur et sa protégée, un homme passionné et une jeune femme encline à l'immoralité. Il avait cru déceler quelque chose dans les profondeurs de son regard la première fois qu'ils s'étaient vus. De la curiosité, un défi informulé, la volonté de prendre des risques pour alimenter un feu secret. C'était du moins comme ça que Dominik expliquait certaines de ses paroles ainsi que certains de ses gestes, et la facilité avec laquelle elle s'était pliée à ses demandes peu orthodoxes. Ce n'était pas une femme entretenue : elle ne faisait ça ni pour l'argent ni pour le Bailly.

Il avait envie d'elle d'une manière dévorante. Elle avait joué pour lui, dénudée, juste un peu rougissante quand elle s'était dévêtue, jusqu'à ce que la musique, divine, emporte ses réticences ; elle s'était alors dévoilée avec orgueil. De cela, il était certain : le léger sourire qui n'avait pas quitté ses lèvres durant tout le concert en était la preuve irréfutable. Elle était en paix avec elle-même, flottant dans un monde qui n'appartenait qu'à elle, imperméable à son environnement, enthousiaste.

Dominik savait maintenant avec certitude qu'il ne voulait pas se contenter de coucher avec elle.

Ce ne serait que le début de leur histoire.

Il l'appela le samedi en fin de matinée, quand elle était au restaurant de Hoxton dans lequel elle travaillait à mi-temps. Il ne souhaitait pas que la conversation s'éternise, afin qu'elle n'ait pas le temps de lui poser de questions. C'était sans doute l'heure du coup de feu.

La sonnerie retentit de nombreuses fois avant que Summer décroche.

Elle avait l'air pressée.

— Oui ?

— C'est moi.

Dominik n'avait plus besoin de donner son nom.

— Je sais, répondit-elle calmement. Je suis au travail, je ne peux pas parler longtemps.

— Je sais.

— J'attendais votre appel.

— Vraiment ?

— Oui.

— Je veux que vous jouiez de nouveau pour moi.

— D'accord.

— Lundi en début d'après-midi. Au même endroit que la dernière fois.

Dominik, persuadé qu'elle accepterait tout de suite, avait déjà loué la crypte. Ils se mirent d'accord sur l'heure.

— Cette fois-ci, vous jouerez seule, poursuivit-il.

— D'accord.

— Il me tarde de vous voir.

— Moi aussi. Dois-je préparer un morceau en particulier ?

— Non. Choisissez ce que vous voulez. Envoûtez-moi.

— Bien. Que dois-je porter ?

— Ce que vous voulez. Avec des bas noirs. Autofixants.

— C'est noté.

— Et vos escarpins noirs.

Un fantasme se matérialisait déjà dans son esprit.

— Pas de problème, répondit-elle.

Il avait récupéré les clés de la crypte la veille au soir et versé un généreux pourboire au concierge afin que personne ne les dérange dans l'après-midi.

Dominik descendit quatre à quatre l'étroit escalier et poussa la porte. Il fut submergé par l'odeur de renfermé de la crypte, suivie par de faibles effluves de cire, comme une rémanence de bougies consumées et de prières oubliées. Il fouilla les ténèbres du regard et tâtonna contre le mur jusqu'à ce qu'il trouve l'interrupteur. Il ne se rappelait plus que ce dernier était du mauvais côté de la porte. Il fit remonter le curseur en plastique jusqu'à ce que la crypte baigne dans une douce lumière tamisée, idéale pour l'occasion. Dominik était ordonné, précis, attentif aux détails et il avait maintes fois répété cette scène dans sa tête depuis sa brève conversation téléphonique avec Summer.

Après un coup d'œil à sa montre, une onéreuse Tag Heuer, il rassembla rapidement quelques chaises disséminées çà et là, et les rangea contre le mur du fond. Il fallait que ce soit parfait. Il leva les yeux vers le plafond et remarqua une rangée de petites ampoules. Il revint sur ses pas, prit une des chaises, la plaça sous le luminaire et grimpa dessus en se méfiant de son équilibre rendu instable par les pavés inégaux du sol. Il ajusta ensuite le spot lumineux afin qu'il éclaire un endroit bien précis. Il dévissa deux autres ampoules de chaque côté du rail afin que l'effet soit amplifié. *Parfait.*

Il jeta un coup d'œil à sa montre. Summer avait deux minutes de retard.

Il envisagea de le lui reprocher et de la punir mais il y renonça quand il l'entendit frapper doucement à la porte.

— Entrez, cria-t-il.

Elle avait de nouveau revêtu sa petite robe noire, les épaules et les bras dissimulés par une cape en laine grise, l'étui à violon à la main. Avec les talons, elle paraissait plus grande.

— Je suis désolée, dit-elle. J'ai eu un problème de métro.

— Ce n'est pas grave, répondit Dominik. Nous avons tout notre temps.

Il la dévisagea. Elle soutint son regard puis enleva sa cape et chercha des yeux un endroit où la poser, peu désireuse de la laisser tomber à terre.

— Donnez-la-moi, ordonna-t-il en tendant la main.

Summer obéit. La laine portait encore la chaleur de son corps. Sans gêne aucune, il la porta à son visage et la respira, avide de saisir son parfum, vert et acide, presque imperceptible dans la senteur puissante de la crypte. Il tourna ensuite les talons et déposa le vêtement sur l'une des chaises qu'il avait installées le long du mur.

Il revint ensuite vers elle.

— Qu'allez-vous jouer ?

— Une improvisation sur l'ouverture des *Hébrides* de Mendelssohn, répondit-elle, hésitante. J'adore son *Concerto pour violon* mais c'est un morceau difficile et je n'en domine pas encore toutes les subtilités techniques.

Cette ouverture a des lignes mélodiques identiques et j'improvise sur elles depuis des années, même si elle a été écrite pour un orchestre et non un violon seul. J'espère que vous ne m'en voulez pas de ne pas me cantonner à un répertoire strictement classique.

— Ce sera très bien, rétorqua Dominik.

Summer sourit. Elle avait passé un dimanche terrible à choisir un morceau.

Elle regarda par-dessus l'épaule de Dominik et remarqua la disposition de la lumière. Le spot projetait un halo lumineux sur le sol en pierre et elle comprit que c'était la scène sur laquelle il voulait la voir jouer.

Elle s'avança dans cette direction. Dominik la suivit des yeux, attentif à sa façon de bouger, à la manière dont elle marchait élégamment malgré le sol inégal et ses souliers à talons.

Au moment où il s'apprêtait à lui donner un ordre, Summer posa doucement son étui sur les pavés et défit la fermeture Éclair de sa robe.

Dominik sourit. Elle avait anticipé sa demande et deviné qu'il voulait qu'elle joue à nouveau nue, cette fois-ci sans musiciens. Ce jour-là, il serait le seul habillé.

La robe glissa le long de sa poitrine, puis, d'un rapide mouvement des hanches, la jeune femme la fit tomber à ses pieds, en accordéon.

Elle ne portait pas de sous-vêtements.

Uniquement des bas, qui s'arrêtaient à mi-hauteur de ses cuisses blanches.

Et les chaussures de couturier à hauts talons qu'il lui avait déjà vues. L'idée l'effleura vaguement qu'elle ne devait pas posséder beaucoup de paires de ce genre.

Elle le regarda droit dans les yeux.

— C'est ce que vous vouliez.

Ce n'était pas une question.

Il acquiesça.

Elle se tenait au centre du halo lumineux, bien droite, fière, consciente d'être exposée à son regard. Selon ses conditions à elle.

Le froid qui régnait dans la crypte enveloppa son corps : ses tétons durcirent et elle sentit la moiteur se répandre entre ses jambes.

Dominik en eut le souffle coupé.

— Approchez, ordonna-t-il.

Summer hésita une seconde, puis franchit la ligne lumineuse et se dirigea vers lui. En la regardant avancer lentement vers lui dans la pénombre, Dominik remarqua soudain une ligne rouge le long de son flanc, qui courait de sa taille fine à ses fesses. Il plissa les yeux, croyant d'abord à une ombre créée par le jeu de lumière. Mais c'était autre chose, une trace qu'il n'avait pas vue quand elle s'était retournée pour se dévêtir lors de la dernière séance. Aujourd'hui, elle avait bien pris garde à lui faire face.

Dominik fronça les sourcils.

— Tournez-vous, intima-t-il. Je veux voir votre dos.

Summer retint son souffle. Elle savait que les bleus n'avaient pas tout à fait disparu, comme le lui avait révélé son reflet un peu plus tôt dans la journée, quand elle s'était préparée pour ce récital. Elle avait cru qu'ils s'effaceraient plus vite. Voilà pourquoi elle ne lui avait pas montré son dos. Elle fut soudain envahie par l'inquiétude et se demanda comment il allait réagir, tout en ayant très envie d'exposer effrontément les stigmates durement gagnés de son infamie personnelle.

Elle soupira et obéit.

— Qu'est-ce que c'est que ça ? demanda-t-il.

— Des marques.

— Qui vous a fait ça ?

— Quelqu'un.

— Ce quelqu'un a-t-il seulement un nom ?

— Je ne le connais même pas. Ça changerait quelque chose pour vous ? Je ne me suis pas présentée. Je n'en avais pas envie.

— Ça vous a fait mal ?

— Un peu. Pas longtemps.

— Vous êtes une masochiste ?

— Pas vraiment. Je…, bafouilla Summer, cherchant ses mots. Je ne l'ai pas fait pour ressentir de la douleur.

— Pourquoi, alors ? s'enquit Dominik, qui voulait manifestement tout savoir.

— J'avais besoin de… de l'excitation.

— Ça s'est passé quand ?

Il connaissait déjà la réponse.

— Après le concert de la semaine dernière, répondit-elle, confirmant ses soupçons.

— Vous êtes une salope maso ?

Summer sourit. Elle avait déjà entendu cette expression dans la bouche de Charlotte, qui avait désigné ainsi l'une de ses connaissances lors de leur soirée sur la péniche.

Elle réfléchit avant de répondre. Était-elle une « salope maso » ? Elle avait aimé la douleur, mais ne l'avait considérée que comme un moyen pour atteindre la félicité, pas une fin en soi.

— Non, finit-elle par dire.

— Juste une salope, alors ?

— Possible.

Au moment où la demi-plaisanterie franchissait ses lèvres, Summer comprit, comme Dominik, qu'ils avaient franchi un Rubicon métaphorique. Elle se redressa instinctivement, les seins fièrement pointés. Elle sentait le regard de l'homme errer sur l'entrelacs de lignes et les restes de bleus, tatouages temporaires dessinés par sa nature dévergondée.

Dominik la considérait en silence, et seul son souffle régulier troublait l'atmosphère pesante de la crypte.

— Ce n'était pas juste une fessée, observa-t-il enfin.

— Je sais.

— Rapprochez-vous.

Summer recula sur la pointe des pieds et s'arrêta à quelques centimètres de lui ; elle percevait la chaleur qui émanait de son corps.

— Penchez-vous.

Elle obéit, consciente du spectacle qu'elle lui offrait.

— Écartez les jambes.

Il avait ainsi une vue plongeante sur son intimité.

Il lui caressa la fesse gauche, d'abord légèrement, comme s'il en explorait la peau satinée puis plus brutalement. Sa main était brûlante.

Comme la peau de Summer.

Il s'attarda sur les lignes parallèles qui zigzaguaient sur la peau de la jeune femme et explora les îlots épars de marques jaunâtres.

Il fit courir lentement son doigt entre ses fesses et elle retint son souffle quand il lui caressa doucement l'anus.

Il ne s'arrêta pas en si bon chemin et finit par atteindre sa fente avec une lenteur délibérée. Summer était moite et ne ressentait aucune honte à être ainsi exposée, à la fois physiquement et moralement. Elle trouvait Dominik excitant, elle aimait sa manière de la toucher, de lui parler. *Et alors ?*

Il retira sa main.

Pendant une fraction de seconde, ce fut insupportable. Il ne pouvait pas s'interrompre comme ça. Comment pouvait-il être aussi cruel ? Avait-elle envie qu'il le soit ?

— Vous aimez ça, n'est-ce pas ?

Summer resta silencieuse, même si elle brûlait de répondre par l'affirmative.

— Dites-le, lui murmura-t-il au creux de l'oreille.

— Oui, capitula-t-elle. Oui, j'aime ça.

Dominik recula et se mit à marcher autour d'elle. Il prendrait son temps avec celle-ci. Il la considéra avec attention et remarqua la chaleur qui s'exhalait d'elle. Elle était presque en nage en dépit du froid : ses paroles semblaient lui faire beaucoup d'effet.

Intéressant, songea Dominik.

— Pourquoi ? reprit-il.

— Je ne sais pas.

— Dites-moi ce dont vous avez envie, insista-t-il.

Summer avait mal aux jambes mais elle ne bougea pas, appréciant le courant d'air créé par le mouvement circulaire de Dominik, qui, pour proche qu'il soit, ne la frôlait jamais.

— Dites-moi ce dont vous avez envie, Summer, répéta-t-il.

— J'ai envie que vous me touchiez.

Sa réponse avait été un simple murmure mais elle savait que Dominik avait parfaitement entendu.

Attendait-il qu'elle le supplie ?

— Plus fort.

Apparemment, oui.

À ces mots, elle remua imperceptiblement. C'était une manifestation de son désir, pensa Dominik. Elle allait lui demander de la baiser.

Il en était certain. Mais il n'était pas pressé.

Il patienta.

— Touchez-moi. S'il vous plaît.

Enfin.

Il recula, satisfait par le désespoir et l'urgence contenus dans sa voix.

— Vous devez d'abord jouer.

Un frisson de frustration la parcourut. Elle se redressa lentement, consciente d'être le jouet de sa manipulation et incapable d'y résister.

Elle regagna le halo lumineux et lui fit face.

— Improvisation sur l'ouverture des *Hébrides* de Mendelssohn, annonça-t-elle en s'inclinant vers lui.

Elle s'agenouilla et, avec autant de grâce que sa tenue d'Ève lui permettait, saisit l'étui à violon qu'elle avait posé sur le sol en arrivant, l'ouvrit et en sortit le Bailly.

Elle sentait son regard fixé sur son sexe et elle savait qu'en bon voyeur, il espérait apercevoir un peu plus de sa moite intimité. À cette seule pensée, elle ressentit une vague de chaleur qui lui fit oublier le froid de la crypte.

La teinte jaune-orangé de l'instrument brillait presque sous la lumière du projecteur qui la baignait. Elle ajusta sa prise sur l'archet et entama le morceau, les yeux clos.

Chaque fois qu'elle interprétait cette partition, elle voyait défiler en imagination un paysage scandinave sauvage : des vagues se brisaient contre un littoral rocailleux et leur écume formait un brouillard qui se découpait contre les ciels plombés. Pour Summer, chaque morceau possédait son propre paysage, et l'y transportait quand elle l'interprétait. Elle savait que la grotte écossaise qui avait inspiré Mendelssohn pour la composition de cette ouverture était fréquemment associée à la Chaussée des Géants en Irlande, mais elle n'avait visité ni l'une ni l'autre. Parfois l'imagination suffisait.

Son souffle s'apaisa et elle se détendit. Le temps s'arrêta.

Malgré sa cécité volontaire et la protection hypnotique de la musique, elle sentait la présence de Dominik, son silence assourdissant et sa respiration imperceptible. Elle savait qu'il ne se contentait pas de l'écouter ; elle percevait son regard errer sur elle, avide comme un explorateur qui veut cartographier la terre étrangère qu'il vient de découvrir. Elle avait l'impression d'être épinglée comme un papillon dans la vitrine du collectionneur : Dominik appréciait la vulnérabilité de son corps et le cadeau de sa nudité.

Avec un art accompli de la mise en scène, Summer parvint à la fin de son interprétation d'un mouvement superflu du poignet. Il y eut un bref écho, comme la dernière note résonnait sur les parois épaisses de la crypte, puis le silence s'installa, si profond qu'elle crut un instant que Dominik était parti. Elle ouvrit les yeux et découvrit qu'il n'avait pas bougé d'un pouce : il souriait de plaisir.

Il l'applaudit alors, avec une lenteur délibérée.

— Bravo, la félicita-t-il.

Summer répondit d'un hochement de tête, comme si elle était sur une vraie scène.

Elle se pencha pour ranger le précieux instrument, consciente que dans cette position, ses seins se balançaient, comme animés d'une vie propre.

Elle reporta son attention sur Dominik, attendant une remarque, mais il demeura silencieux.

Elle passa la langue sur ses lèvres sèches. Elle avait l'impression que la chaleur qui émanait d'elle formait comme un halo autour d'elle, comme un extraterrestre dans un film de science-fiction, ou un scientifique irradié après une catastrophe nucléaire.

— Exquise, finit-il par murmurer.

— La musique ou moi ? demanda-t-elle aigrement.

— Les deux le sont.

— Merci. Je peux me rhabiller ?

— Non, riposta-t-il sans ciller.

Il s'avança vers elle avec la grâce dangereuse d'une panthère qui fond sur sa proie. Summer leva les yeux vers lui et le regarda bien en face. *Pas question de capituler.* Elle sentit de nouveau une vague de chaleur la submerger.

Dominik la prit par l'épaule, la fit pivoter et l'inclina devant lui, face au mur, une main sur sa hanche.

Summer fut secouée par une décharge de plaisir.

Elle avait envie de le regarder mais elle savait qu'il n'aimerait pas ça. Elle garda les yeux rivés sur le sol.

Un bruit de tissu et, avant qu'elle ait pu comprendre ce qui se passait, elle sentit le sexe de Dominik à l'orée du sien, si proche qu'il la frôlait.

Si Summer bougeait de quelques millimètres et reculait, elle le sentirait en elle. Mais il ne lui avait pas demandé de le faire.

— Est-ce que c'est ce que vous voulez ? interrogea-t-il. Dites-le.

— Oui, murmura-t-elle, incertaine de sa capacité à retenir un gémissement si elle élevait la voix.

— Oui, quoi ?

Summer ne pouvait plus attendre. Elle recula légèrement mais elle avait à peine eu le temps de percevoir la chaleur de son membre qu'il l'attrapa violemment par les cheveux et la repoussa contre le mur.

— Non, dit-il d'une voix rauque. Il faut me demander. Qu'est-ce que vous voulez ?

— Baisez-moi. S'il vous plaît. Je veux que vous me baisiez.

Il la saisit à nouveau par les cheveux, cette fois-ci pour la rapprocher de lui et la pénétra d'un mouvement fluide. Elle était tellement mouillée qu'il l'envahit tout entière.

Elle capitula et goûta le plaisir de se laisser prendre en se demandant si son érection était totale ou s'il y avait une chance que son pénis grossisse encore en elle, comme la plupart des hommes. Elle le trouvait déjà très bien membré comme ça.

Il commença à aller et venir en la tenant toujours par la taille.

Ils s'emboîtaient parfaitement, songea-t-elle négligemment, en s'abandonnant complètement aux sensations qu'il faisait naître en elle.

— Redites-le, ordonna Dominik.

Il la sentit se contracter autour de son sexe en réponse à son ordre, et il la poignarda brutalement d'un coup de reins.

— Oh, parvint-elle à articuler.

— On baise, dit-il.

— Oui, gémit-elle, j'avais remarqué.

— C'est ça que vous vouliez ?

Elle acquiesça comme une violente poussée la projetait en avant : son front frôla le mur.

— Répondez, ordonna-t-il.

— Oui.

— Oui, quoi ?

— Oui, c'est ce que je voulais.

— Et qu'est-ce que vous vouliez ?

Son érection grossissait à l'intérieur d'elle, l'écartelait, l'emplissait, la dilatait.

— Je voulais que vous me baisiez.

— Pourquoi ?

— Parce que je suis une salope.

— Bien.

Il accéléra le rythme. Rien de subtil dans leur rapport ; ils éprouvaient tous deux un désir presque animal, et c'était parfait.

Pour leur première fois.

L'excitation et le désir qui existaient entre eux depuis le début pouvaient enfin s'exprimer.

Il agrippa de nouveau ses cheveux et lui tira violemment la tête en arrière. Il la chevauchait comme il l'aurait fait d'une jument. Summer en oublia de respirer, traversée par des sentiments inconnus et confus, qui culminèrent en une vague de panique. Leur affrontement était à la fois effrayant et bienvenu. Elle se rendit soudain compte qu'il n'avait pas mis de préservatif. Il la montait à cru. Elle avait toujours insisté pour que même Darren en mette un. Mais c'était trop tard à présent et elle l'avait senti avant qu'il la prenne. Elle y penserait plus tard ; il y avait toujours la pilule du lendemain.

Le souffle de Dominik devint irrégulier.

Il jouit et se répandit en elle comme un torrent tout en lui donnant une claque brutale sur la fesse gauche. Elle ressentit une brûlure cuisante, qui disparut rapidement, mais sa peau garderait le souvenir de sa main pendant au moins quelques heures.

Il resta en elle une bonne minute avant de se retirer. Summer se sentit vide, presque incomplète. Elle commença à se redresser mais, d'une pression de la main, Dominik lui enjoignit de ne pas bouger. Elle demeura dans la même position, offerte, exhibée.

Summer sourit intérieurement : Dominik avait joui en silence. La jeune femme classait les hommes en deux catégories, les silencieux et les bavards, et elle avait une préférence pour les premiers. Dans les affres de la passion, il y avait un temps pour parler et un temps pour se taire.

— Je vois mon sperme glisser à l'intérieur de vos cuisses, dit Dominik. Il est pris dans vos poils, il brille sur votre peau… C'est une vision enivrante.

— Ce n'est pas un peu obscène ? hasarda Summer.

— Bien au contraire, c'est magnifique. Je ne l'oublierai jamais. Si j'avais un appareil photo sous la main, j'immortaliserais l'instant.

— Pour me faire chanter plus tard ? Avec mes bleus ?

— Les traces de coup accentuent l'effet, remarqua Dominik.

— Est-ce que vous auriez eu envie de moi si je n'avais pas toutes ces marques ? interrogea Summer.

— Absolument, affirma-t-il. Redressez-vous. Prenez vos affaires, n'oubliez pas votre violon. Je vous ramène chez moi.

— Et si j'avais quelque chose de prévu ? s'enquit-elle en ramassant sa robe.

— Vous n'avez rien de prévu, rétorqua-t-il.

Summer lui jeta un regard à la dérobée et le vit rajuster sa ceinture en cuir noir. Ils avaient couché ensemble mais elle n'avait toujours pas vu son sexe.

La maison de Dominik sentait les livres. Une fois la porte d'entrée franchie, Summer emprunta à sa suite un long couloir rempli d'étagères sur lesquelles s'entassaient des rangées et des rangées d'ouvrages de toutes les couleurs. Chaque fois qu'elle passait devant une porte ouverte, Summer découvrait d'autres bibliothèques. La jeune femme n'avait jamais vu autant de livres réunis en dehors d'une librairie. Elle se demanda s'il les avait tous lus.

— Non, dit-il.

— Non, quoi ?

— Non, je ne les ai pas tous lus. C'est bien ce que vous vous demandiez ?

Lisait-il dans ses pensées ou était-ce la question que tous ceux qui entraient chez lui pour la première fois lui posaient ?

Avant qu'elle ait eu le temps de s'interroger plus longuement, Dominik la souleva et la prit dans ses bras. Il se dirigea ainsi vers une porte, qu'il ouvrit d'un coup de pied, et la déposa sur son grand bureau en bois, dont la surface était presque vide, à l'exception d'un pot à crayons, d'un paquet de feuilles soigneusement empilées et d'une lampe de bureau conique au pied flexible.

Elle le regarda, nerveuse, embarrassée par l'odeur de sexe et de renfermé qui s'attardait sur le tissu froissé de sa robe.

— Remontez votre robe et écartez les jambes, intima-t-il.

Summer s'exécuta, gênée par la sensation de ses fesses nues sur son bureau : il ne l'avait pas autorisée à se laver et elle sentait encore leurs fluides respectifs entre ses jambes.

Il l'attrapa par les fesses et la rapprocha de lui, afin qu'elle soit assise sur l'extrême bord du meuble. Puis il se tourna vers le lit qui se trouvait contre l'un des murs. *Cet homme a un lit dans son bureau, il est décidément étrange*, pensa Summer. Il saisit un oreiller, qu'il cala sous sa tête. Il déplaça ensuite la lampe de bureau, dont il pointa le faisceau lumineux sur le sexe de la jeune femme.

Summer inspira profondément. Elle n'avait jamais été si offerte, si à nu. Elle était loin d'être prude, n'était pas du genre à vouloir faire l'amour dans le noir, mais elle atteignait cette fois-ci un degré supérieur d'exhibitionnisme.

Dominik s'assit sur sa chaise de bureau, face à elle, le regard braqué sur son sexe humide.

— Caressez-vous, ordonna-t-il. Je veux regarder.

Elle hésita. Ce qu'il lui demandait était infiniment plus personnel, plus intense, que de coucher avec lui. Elle le connaissait à peine. D'un autre côté, être ainsi exposée de manière presque obscène l'excitait terriblement.

Dominik s'installa confortablement, sans la quitter des yeux, concentré et intéressé, pendant qu'elle faisait courir habilement ses doigts sur elle et en elle. Elle caressait son clitoris avec autant de précision qu'elle maniait l'archet.

Il l'observa avec intérêt et lui donna des ordres qu'elle exécuta à la lettre, lui enjoignant de ralentir ou d'accélérer, tout en décrivant ce qu'il comptait lui faire ensuite. Ce fut l'une de ces promesses qui la fit jouir en gémissant, tout son corps frémissant. De l'endroit où il était placé, il vit parfaitement les muscles de son vagin se contracter et put constater que, comme il s'y attendait, elle ne simulait pas.

Il la souleva alors, et enroula les jambes de la jeune femme autour de sa taille : le sexe de Summer, chaud et humide, se pressa contre son jean.

— Embrassez-moi, intima-t-il.

Ses lèvres étaient étonnamment douces pour un homme, pensa Summer.

Pendant que sa langue se frayait légèrement un chemin dans la bouche de la jeune femme, et jouait avec la sienne, il fit courir une main sur son dos et défit la fermeture Éclair de sa robe. Summer goûtait dans sa bouche un mélange de Tic Tac à la menthe et de virilité. Il ne se parfumait pas : aucune odeur d'after-shave ne picotait son nez. Dominik était pour elle un territoire inconnu, un pays étrange.

— Levez les bras.

Il ôta sa robe, la décoiffant un peu plus, et la contraignit à prendre appui sur le sol, tout en lui caressant voluptueusement le dos, les épaules et les fesses.

Ce faisant, il lui saisit le menton et l'embrassa une seconde fois. À moins que le premier baiser n'ait jamais pris fin. Elle n'en avait aucune idée.

Il l'allongea sur le lit.

Summer le regarda se déshabiller. Chemise, pantalon, qu'il écarta d'un coup de pied, caleçon. Elle vit son sexe pour la première fois, rigide et épais.

Il la ramena vers le bord du lit et s'agenouilla. Il écarta largement ses jambes et fit courir son doigt de sa cheville au haut de sa cuisse, délicieusement proche de son sexe. Elle frissonna. Dominik embrassa la peau fine de ses cuisses, posant les lèvres partout sauf là où elle voulait qu'il le fasse. Elle gémit et arqua ses fesses vers lui. Il se redressa et la laissa attendre un terrible instant avant d'enfouir son visage contre son intimité. Elle soupira de plaisir et frémit en sentant sa langue en elle.

Elle eut un bref moment de recul quand elle se souvint qu'il avait éjaculé en elle et qu'elle ne s'était pas lavée. Mais après tout, ce sperme était le sien, et si ça lui était égal, pourquoi s'en préoccuperait-elle ?

Le plaisir que lui procurait sa langue s'intensifia et elle en oublia le monde extérieur ainsi que l'endroit où elle se trouvait ; elle flottait, elle volait, incontrôlable, planant entre le jour et la nuit, la vie et la mort, dans la zone où seules demeuraient les sensations, et où les délices et la douleur se mêlaient pour donner naissance à un oubli exquis.

Il finit par se relever et par placer son sexe à l'orée du sien.

— Oui, supplia-t-elle.

Il la pénétra sans un mot. Elle fut de nouveau tout entière remplie par son pénis, dont le diamètre était si large qu'il la dilatait sous ses coups de boutoir presque douloureux.

Pendant que Dominik allait et venait à un rythme soutenu, il caressa sans honte toutes les parties de son corps, tous les creux et les pleins, exposés ou cachés, orchestrant la progression de leur désir mutuel. Il lécha son oreille, la jointure de son cou, mordilla délicatement son lobe, caressa ses cheveux, l'autre main sur son cul, puis les deux (mais combien cet homme avait-il de mains ?)

écartant brièvement ses fesses. Chaque caresse, chaque pénétration la rapprochait d'une destination inconnue mais follement attirante.

Dominik était un amant doué, capable à la fois de la prendre brutalement et de lui faire l'amour avec lenteur, comme il le faisait à présent. Combien de facettes lui restait-il à découvrir ?

Il finit par jouir, avec un grognement sourd, toujours sans prononcer un mot.

Summer soupira. Il s'immobilisa progressivement, le souffle court.

Il n'était pas si silencieux que ça au lit finalement…

7

Une femme et une bonne

Les derniers rayons du soleil baignaient Dominik d'une lumière qui ne lui convenait pas. Entouré d'un halo lumineux presque surnaturel, il donnait l'impression de ne pas appartenir tout à fait au monde qui l'entourait, alors même qu'il y était parfaitement à sa place. Peut-être que ses traits sombres s'accommodaient mieux de températures plus fraîches. Dominik était séduisant, cela ne faisait aucun doute, mais la pâle luminosité de la crypte lui allait mieux.

Il était nonchalamment adossé au chambranle de la porte d'entrée, et son corps projetait une ombre démesurée sur la véranda, où je me tenais, prête à partir. Je lui avais dit que je travaillais dans la soirée. Ce n'était pas vrai, mais je voulais m'épargner l'embarras de la question de la nuit, qu'il me prie de rester ou pas.

Une brise légère a soufflé sur la pelouse, chargée de l'odeur des livres de Dominik. Ils semblaient faire tellement partie de sa vie que j'en aurais presque supposé que sa peau puisse avoir la texture du parchemin, ce qui était complètement idiot : sa peau était comme celle de tous les autres hommes, même s'il avait les lèvres plus douces.

Les livres avaient beau lui aller comme un gant, ils m'avaient prise de court. Je les avais toujours associé aux gens bordéliques, aux lecteurs avides et aux hommes plus coincés. Je pensais que Dominik avait un poste important dans la City, qu'il était *trader*, ou banquier, pas du tout prof de fac, comme il me l'avait appris quand je lui avais demandé pourquoi sa maison ressemblait à une bibliothèque municipale.

À en juger par ses chaussures et l'argent qu'il dépensait sans compter, entre le violon et les différents arrangements, je m'attendais à ce qu'il me ramène dans un appartement monochrome de Bloomsbury ou de Canary Wharf, avec des meubles en acier, et un décor noir et argent, de la couleur de sa voiture. Je n'étais pas préparée à ça, une maison, un foyer, avec un bureau, une vraie cuisine, et des livres absolument partout, de toutes tailles et de toutes couleurs, véritable kaléidoscope littéraire étalé sur les murs. J'ai d'abord pensé en voyant tous ces ouvrages qu'il devait avoir un chat, qui m'observait planqué quelque part, mais j'ai compris peu de temps après mon arrivée que Dominik n'était pas du genre à apprécier les animaux domestiques. Il ne supporterait pas une bête incontrôlable, qui viendrait se frotter contre ses jambes, même si c'était un félin indépendant.

Dominik n'était pas excessivement secret et ne donnait pas l'impression de dissimuler quelque chose, mais il ne m'avait fourni quasiment aucun détail sur sa vie privée, sur son quotidien. Il avait l'air de tenir à son intimité et pour une fille comme moi, qui ne voulait recevoir personne chez elle, ce n'était pas plus choquant que ça. J'étais surprise qu'il m'ait emmenée chez lui. Cependant, tous ces livres le rendaient plus humain : s'il n'avait pas d'histoire personnelle, il appréciait manifestement celle des autres, et ce n'était pas si éloigné de ma façon d'imaginer des histoires sur mes violons et les morceaux que je jouais, chacun ayant droit à son propre scénario.

À cette pensée, je ne l'en appréciais que plus. Cet homme et moi n'étions finalement pas si dissemblables, même si ce n'était pas évident pour un observateur extérieur.

Je me suis souvenue de la façon dont il m'avait expertement caressée, après avoir insisté pour me regarder me toucher. J'ai frissonné de nouveau. J'avais couché avec un nombre important de partenaires, ayant eu plus que ma part de coups d'un soir et de rencontres Internet arrangées dans des instants d'excitation ou de solitude, cependant aucun homme ne m'avait jamais contemplée comme ça, de manière aussi intense, pendant que je caressais mon clitoris sous la lampe de son bureau, comme un médecin, mais avec un intérêt qui n'avait rien de clinique. Dominik était dépourvu de pudeur, et il semblait prendre un malin plaisir à me débarrasser de la mienne, strate après strate. Il m'avait donné l'impression d'assister à un spectacle qu'il comptait bien rejouer ensuite. Il m'avait intimé d'accélérer ou de ralentir, d'augmenter ou de relâcher la pression. Il ne cherchait pas à m'exciter cette fois-ci, mais à jauger ma réaction ; il voulait voir ce qui me plaisait et ce qui me plaisait moins. Il m'avait examinée comme un scientifique le ferait d'un cobaye. Je m'étais presque attendue à ce qu'il prenne des notes.

— Un jour, avait-il dit, je vous demanderai de vous caresser devant moi et de vous mettre un doigt dans le cul.

C'était ce qui m'avait fait jouir. Je n'atteins pas facilement l'orgasme, surtout avec un nouvel amant, mais le voir me regarder et comprendre vers quels territoires pervers son esprit voyageait… Dominik révélait en moi des choses que j'ignorais.

Il m'avait dit qu'il ne jouait d'aucun instrument. Dommage, il aurait été bon musicien.

J'avais définitivement envie de le revoir.

Je me suis balancée d'un pied sur l'autre, et j'ai relâché mon emprise sur l'étui du violon. Il ne semblait pas prêt à me voir partir. J'ai attendu patiemment qu'il parle.

—La prochaine fois, c'est vous qui planifierez tout, finit-il par dire.

Je n'ai pas répondu tout de suite. *Changement de stratégie.* Et moi qui croyais avoir compris comment il fonctionnait.

—Et si ce que je prévois n'est pas à votre goût ?

Il a haussé les épaules.

—Prendrez-vous du plaisir si je n'en prends pas ?

J'ai réfléchi à ses paroles. Il avait raison. Si nous nous voyions une quatrième fois, je voulais que ce soit sympa pour nous deux. Et au fond, n'était-ce pas normal ? Mais je n'étais pas certaine de comprendre ce qu'il attendait de moi, ni ce que j'attendais de lui, et ça rendait la situation difficile.

J'ai secoué la tête, soudain à court de mots.

—C'est bien ce que je pensais, a-t-il répondu. J'attends votre appel.

J'ai acquiescé, l'ai salué et ai tourné les talons.

— Summer, s'est-il écrié quand j'ai atteint la grille.

— Oui ?

— Je vous laisse le choix de la date et du lieu – ici, si vous voulez – mais c'est moi qui déciderai de l'heure et qui finaliserai les détails.

— D'accord, ai-je répondu en esquissant un sourire avant de lui tourner de nouveau le dos.

Il ne pouvait se retenir de prendre les choses en main.

Et je découvrais, à ma grande surprise, que j'aimais ça.

Sur le chemin du retour, mes pensées ont tourbillonné sans relâche. La nuit était presque tombée, ce qui m'empêchait de traverser Hampstead Heath comme j'en avais très envie : la marche était exactement ce qu'il me fallait pour réfléchir.

Le sexe avec Dominik avait été génial. J'avais mal partout, surtout aux mollets, certainement à cause de la position qu'il m'avait fait prendre dans la crypte. J'étais restée debout, jambes tendues, pendant une éternité, alors qu'il tournait autour de moi. Je supposais qu'il avait fini par me baiser pour me récompenser de mon entêtement à ne pas vouloir me plaindre.

Et il m'avait fait un cunnilingus juste après que je m'étais caressée devant lui, avec son sperme encore en moi, avant que je puisse me doucher. Il ne m'avait même pas proposé de passer à la salle de bains. Et il m'avait prise dans ses bras pour entrer dans son bureau, avant de me déposer sur le meuble. J'avais failli me mettre à rire quand je m'étais rendu compte qu'il me faisait franchir le seuil dans ses bras, comme une mariée.

C'était, ironiquement, la baise la plus romantique de ma vie, même s'il n'avait pas mis de préservatif, une règle que je ne transgressais jamais. Il allait falloir que je fasse un test. Une vague d'embarras m'a envahie quand je me suis imaginée en train de dire à l'infirmière ou au médecin que j'avais eu un rapport sexuel non protégé. Ce n'était vraiment pas malin de ma part, mais j'avais été emportée par la chaleur de l'instant et par sa façon de me prendre, sauvagement, en me tirant les cheveux, comme un homme possédé qui monte une jument.

Pas étonnant que j'aie mal partout.

Dominik avait beau être un peu prétentieux, c'était un excellent amant, pas égoïste pour deux sous. Contrairement aux hommes dans son genre, son arrogance s'arrêtait au seuil de la chambre.

J'ai pris une douche aussitôt rentrée chez moi, sans cesser de réfléchir, tout en effaçant toute trace de l'aventure de l'après-midi.

Enfin, presque toutes, ai-je pensé en voyant dans le miroir de la salle de bains les bleus qui couvraient mes fesses.

Dominik en avait-il ajouté certains ?

Au moins – remercions le ciel pour ses petites faveurs – je n'avais aucune marque sur les poignets ni sur les avant-bras : elles étaient toutes à des endroits faciles à dissimuler, et suffisamment légères pour que l'on puisse les expliquer par une certaine maladresse de ma part – genre, je me suis cognée dans une porte ou j'ai glissé et je me suis étalée.

Je me suis demandé comment les habitués des clubs s'y prenaient pour combiner leur passe-temps nocturne (et peut-être aussi diurne) avec leur quotidien. Si c'était une occupation occasionnelle pour certains d'entre eux, d'autres, si j'en croyais ce que m'avait raconté Charlotte, en avaient fait un mode de vie. D'après elle, il y avait à Londres des hommes et des femmes, qui regardaient la télé avec leur partenaire, un plat au curry dans une main et un fouet dans l'autre.

Allais-je devenir comme eux ?

En tout cas, pas avec Dominik. Il n'avait sorti ni fouet ni menottes, même si j'avais pensé qu'il pourrait le faire en voyant avec quel intérêt il avait examiné mes bleus. J'avais été vaguement déçue qu'il ne m'attache pas et qu'il ne me suspende pas au plafond, ou à un autre instrument qu'il aurait pu avoir chez lui. D'un autre côté, je n'avais visité que son bureau et sa cuisine, pas sa chambre. C'était bizarre d'avoir un lit dans son bureau. Il m'avait expliqué qu'il s'allongeait pour réfléchir. *À quoi ? Aux différentes manières de me manipuler et de m'attirer dans ses filets, certainement.*

Plus j'y songeais, plus j'avais l'impression d'être coincée sans possibilité d'échappatoire. En dehors de ma révolution sexuelle et de mon adaptation à ce monde déviant dans lequel je m'étais retrouvée projetée, je ne savais pas quoi faire de Dominik.

L'idée de lui téléphoner pour fixer notre prochain rendez-vous me déconcertait. C'était pourtant une tâche très simple, mais plus j'y pensais, plus je me disais que malgré son comportement pour le moins atypique, j'avais apprécié sa façon de décider de tout jusqu'à présent. J'avais aimé la simplicité et l'effet de surprise de ses instructions, et je regrettais l'excitation liée à la découverte de ce qu'il aurait pu planifier. Si elles m'entendaient, les suffragettes devaient se retourner dans leur tombe. Et je ne parlais même pas de mon goût récent pour le fouet et la fessée.

Ça n'allait pas être possible.

J'ai envisagé d'appeler Chris, le musicien. Il passait ses journées à enregistrer le premier album de son groupe et je ne l'avais pas vu depuis une éternité, même si on s'était envoyé quelques mails. Darren était très jaloux et pour avoir la paix, j'avais progressivement mis de la distance avec Chris. Je le regrettais à présent. Chris avait toujours été mon confident, mon refuge, celui vers qui je me tournais quand j'avais besoin de m'épancher auprès de quelqu'un qui comprenait les difficultés et les excentricités inhérentes à la vie d'artiste.

Je ne voyais cependant pas comment j'aurais pu lui expliquer tout ce qui m'arrivait. Il avait un côté protecteur avec moi, et je savais qu'il trouverait louche cette histoire de mécène qui me faisait des cadeaux dispendieux et me demandait de se déshabiller pour lui dans des caves. En toute honnêteté, si on me racontait ce genre d'histoire, je partagerais son avis.

J'ai préféré téléphoner à Charlotte. C'était un problème à sa mesure.

— Salut, ma puce, a-t-elle dit, comment vas-tu ?

Elle était seule cette fois-ci. *Tant mieux.* C'était suffisamment difficile de tout lui déballer ; je n'avais pas envie que quelqu'un d'autre m'entende.

— Tu te souviens du type qui m'a écrit ? Celui qui avait des conditions ?

— Oh que oui, a-t-elle répondu, soudain très attentive.

Je lui ai tout raconté ; le Bailly, la crypte, la nudité, tout. Je lui ai décrit Dominik et ses instructions étranges.

— Ça ne me surprend pas, a commenté Charlotte.

— Comment ça ? Cette histoire est ahurissante du début à la fin.

— Pas du tout. C'est juste un dominateur, c'est tout.

— Un dominateur ?

— Oui. Ils se ressemblent tous, ils sont arrogants et ils veulent tout diriger. Mais j'ai comme l'impression que ça ne te déplaît pas.

— Mmmmh.

— Rappelle-moi son nom ?

— Dominik.

— Génial, a rétorqué Charlotte en riant. Impossible d'inventer un truc pareil.

— Qu'est-ce que je dois lui dire, alors ? À propos du prochain rendez-vous ?

— Ça dépend entièrement de ce que tu en espères.

J'y ai réfléchi. Je n'avais aucune idée de ce que j'attendais de lui. Quelque chose, manifestement, sinon il ne m'obséderait pas à ce point, mais quoi ?

— Je ne sais pas vraiment, ai-je dit, c'est pour ça que je t'appelle.

— Si tu ne sais pas ce que tu veux, tu ne l'obtiendras jamais, a-t-elle rétorqué, pragmatique.

Logique.

— Ça ne peut pas faire de mal de le faire lanterner, a-t-elle poursuivi. Une semaine ou deux. Propose-lui de jouer de nouveau pour lui, nue évidemment, puisque ça l'excite, et chez lui, comme ça tu n'as pas à l'inviter chez toi. Il croira comme ça que la balle est dans son camp. Alors que non.

Je voyais presque son sourire satisfait.

—D'accord.

—Et entre-temps, je te propose de venir servir dans une petite fête que j'organise la semaine prochaine.

—Comment ça, servir ?

—En tant que serveuse. Une bonne, quoi. Mes invités sont des fétichistes de toute sorte. Je peux t'en présenter certains et tu verras si tu aimes vraiment être dominée. Je leur expliquerai que tu fais juste un essai : si ça ne te plaît pas, tu n'auras qu'à laisser tomber le tablier et te joindre à nous. Il y aura aussi de vrais esclaves, qui feront tout le sale boulot. Tu n'auras qu'à porter quelques plateaux en ayant l'air sexy.

—Qu'est-ce que je dois mettre pour avoir l'air sexy ?

—Je n'en sais rien, moi. Fais un effort d'imagination. Ou appelle ton riche petit ami et demande-lui de t'acheter une tenue.

—Ce n'est pas mon petit ami ! Et il n'est pas question que je lui demande quoi que ce soit.

—Inutile de monter sur tes grands chevaux. Je te taquine et toi tu pars au quart de tour.

—C'est bon, ai-je lâché, agacée, je le ferai.

— Parfait, a répondu Charlotte. Tu devrais le lui dire, histoire de voir comment il réagit. À samedi, alors. N'oublie pas de me rapporter mon manteau.

J'ai suivi l'avis de Charlotte et ai attendu trois jours avant de téléphoner à Dominik.

— Summer, a-t-il dit, sans me laisser le temps de me présenter.

— Pour notre rendez-vous, ai-je déclaré, j'ai pensé à mercredi prochain.

Je l'ai entendu tourner des pages, certainement de son agenda.

— Pas de problème. Je suis disponible. Qu'est-ce que vous souhaitez faire ? Afin que je puisse prendre les dispositions nécessaires.

— Je jouerai pour vous, chez vous.

— Excellente idée.

Il semblait vraiment content et je me suis détendue. Nous avons discuté du choix du morceau. Étant donné qu'il avait aimé mon improvisation dans la crypte, j'avais pensé essayer quelque chose d'original, comme une pièce de Ross Harris, le compositeur néo-zélandais, voire une partition qui ne soit pas classique, comme Daniel D., mais je me suis dégonflée et j'ai accepté sa proposition, la fin du *Concerto pour violon* de Max Bruch.

— À mercredi, donc, ai-je conclu avec une gaieté forcée.

Je déteste le téléphone.

— Summer, a-t-il dit alors que je m'apprêtais à raccrocher, ce qui devenait une habitude.

— Oui ?

— Vous êtes disponible samedi soir ?

— Non, désolée, j'ai quelque chose de prévu.

— D'accord. Pas de problème.

Il paraissait déçu et je me suis demandé s'il espérait me voir plus tôt que ce que nous étions convenus. C'est alors que je me suis souvenue du conseil de Charlotte à propos de sa soirée.

— Je vais à une fête un peu inhabituelle, ai-je repris.

— Inhabituelle comment ?

Il n'avait pas l'air ennuyé mais amusé.

— C'est mon amie Charlotte, celle qui m'a amenée au club fétichiste, qui l'organise, ai-je poursuivi.

— Voilà une amie intéressante.

— Elle l'est. Elle, euh… elle m'a demandé de faire la bonne.

— La bonne ? Pas la serveuse ? Sans rémunération, je suppose ?

— Je ne pense pas. La question ne s'est pas posée.

— Juste pour l'excitation, comme la dernière fois ?

— Oui.

— Voilà qui est original.

Je ne sais pas si ça voulait dire qu'il approuvait.

Le vendredi suivant, j'ai reçu un colis de Dominik. À nouveau en recommandé, mais cette fois-ci, il n'avait pas jugé bon de vérifier que j'étais chez moi.

Il avait dû penser que c'était le cas ou prendre le risque que je sois absente, mais ce détail m'a un peu perturbée. L'idée qu'il connaisse tous mes secrets ne me plaisait pas vraiment.

À l'intérieur de la boîte en carton standard se trouvait un paquet plus petit, enveloppé dans du papier de soie blanc et entouré d'un ruban noir. Je l'ai ouvert avec précaution et j'ai soigneusement plié le papier. À l'intérieur se cachait un sac fermé par un cordon, qui contenait un corset noir. Il était magnifique, loin des modèles de mauvais goût que l'on trouvait dans les lingeries bon marché. Entièrement armaturé, avec des hanches larges et une découpe en velours en forme de diamant au milieu pour mettre en valeur la taille de celle qui le portait. Le satin était décoré de bandes de velours de quelques centimètres de large au motif géométrique. Il était résolument Art déco, et aurait parfaitement convenu à une star des années trente : c'était un vêtement glamour sans vulgarité. Mais j'ai eu l'impression en l'observant qu'il était trop court. Je l'ai mis devant moi et me suis regardée dans le miroir : c'est alors que j'ai compris qu'il était taillé pour s'ajuster sous la poitrine. À moins que l'on ne mette un soutien-gorge ou des cache-tétons, le corset laissait les seins à l'air.

La pensée m'a excitée et j'ai commencé à défaire les lacets pour l'essayer. C'est alors que je me suis dit qu'il était peu probable que Dominik veuille que je joue pour lui à moitié habillée alors qu'il m'avait déjà vue nue. Il n'avait pas l'air d'accorder beaucoup d'importance à mes tenues, même si j'étais certaine qu'il en remarquait les variations d'une rencontre à l'autre. Le corset me plaisait plus à moi qu'à lui. Je suis revenue au colis, à la recherche d'un indice, et j'ai découvert deux paquets plus petits, cachés sous le papier de soie qui les protégeait, et un mot, sur lequel était écrit : « Portez ça pour moi. D. »

L'un des paquets contenait une culotte en dentelle, des bas et des jarretelles. Les bas étaient en Nylon, avec une couture. Je n'en avais jamais vu en vrai. Ils étaient glissants, un peu rugueux, et pas du tout extensibles, ils ressemblaient plus à de longs parachutes étroits qu'à ceux auxquels j'étais habituée.

Dans l'autre, j'ai trouvé un petit tablier blanc bordé d'un feston noir et blanc, et un chapeau minuscule, de la taille d'une soucoupe.

Un costume de bonne. Pour la fête de Charlotte, samedi.

Le colis ne contenait pas de chaussures. Dominik avait peut-être oublié ce détail, ce qui me paraissait peu vraisemblable, ou il avait pensé, à juste titre, que j'avais une paire qui irait avec la tenue. Je possédais effectivement de très hauts talons noirs avec une plate-forme et un bord blanc, achetés à une ancienne danseuse érotique de Hackney, qui avait abandonné sa carrière pour se consacrer à la fabrication de chapeaux, et qui s'était par conséquent débarrassée de tous ses accessoires. Ils seraient parfaits, même si leur hauteur les rendait inconfortables. Mais j'étais prête à bien des sacrifices, non pas pour le glamour, mais pour être dans le ton.

Il y avait cependant encore un objet au fond du colis. *Une clochette.* Elle ressemblait à une cloche d'église, mais de la taille de mon petit doigt. Elle a rendu un son étonnamment clair quand je l'ai secouée, qui ressemblait plus à celui d'un tambour à une sonnette de vélo ou au grelot d'un collier de chien.

Remercier Dominik semblait être indiqué, mais je n'avais pas envie de l'encourager à me faire des cadeaux. Avec le Bailly, j'étais déjà suffisamment sa débitrice. Cela dit, j'avais l'impression qu'il avait acheté cette tenue non pour moi, mais pour lui, afin de pouvoir m'imaginer en train de servir les invités seins nus comme une serveuse de chez *Hooters*, même si le costume était nettement plus raffiné. J'ai supposé que la clochette permettrait aux invités de m'appeler pour me donner des ordres.

Pour finir, je ne l'ai pas remercié, plus parce que je ne savais pas comment m'y prendre que pour le laisser mariner. Mais ça ne lui ferait pas de mal de se demander si j'avais reçu le paquet ou s'il avait été retourné à la boutique.

J'ai envoyé un texto à Charlotte pour vérifier que je n'offenserais aucune susceptibilité en portant cette tenue.

« Je peux venir seins nus ? »

« Bien sûr. Il me tarde de voir ça. »

J'ai tout remis dans le carton, que j'ai refermé et rangé dans un coin de ma chambre, où il a semblé me dévisager d'un air de reproche, comme s'il contenait une créature solitaire qui attendait que je la libère.

Le lendemain matin, pour éviter de penser à la soirée de Charlotte et au costume, je suis allée faire des longueurs énergiques à la piscine municipale, stimulée par Emilie Autumn, en boucle dans mes écouteurs étanches. J'ai ensuite fait du lèche-vitrines sur Brick Lane puis j'ai pris un café et un petit déjeuner dans mon bistrot préféré de cette partie de la ville, dans la bien nommée Bacon Street. Ce bar fait aussi office de friperie et vend des vêtements qui ont parfois plus d'un siècle ; il y règne par conséquent cette odeur douce, presque poussiéreuse, propre aux vieux objets, un peu comme les livres de Dominik.

Il était encore tôt, plus tôt que l'heure à laquelle je me levais habituellement, mais le trottoir était déjà encombré de portants pleins de vêtements, d'antiquités et de bric-à-brac posés à même le trottoir ou sur des couvertures. Des chaises longues couvertes de tissu léopard côtoyaient des meubles de bureau, des stands de nourriture proposaient des produits variés qui allaient des travers de porc grillés aux smoothies servis dans des noix de coco. L'atmosphère était chargée de l'énergie des vendeurs du marché et des touristes qui découvraient le spectacle pour la première fois. J'avais remarqué, en me frayant un passage entre les vendeurs zélés et les acheteurs à l'affût d'une occasion, que mes récentes aventures sexuelles m'avaient ouvert l'esprit. Auparavant, quand j'apercevais les échoppes proposant des képis, des vestes militaires et des masques à gaz, je pensais qu'elles intéressaient des collectionneurs passionnés par la guerre, qui ne devaient fréquenter ce genre de marché qu'épisodiquement, étant donné que leurs étalages étaient toujours très fournis.

À présent, je voyais dans ces objets des vêtements fétichistes pour ceux que Charlotte appelait les « dominateurs ». Quant aux masques à gaz, je les avais remarqués sur des soumis dont la tête était entièrement couverte, ou sur ceux dont les intérêts sexuels étaient plus difficilement identifiables mais qui aimaient la mode fétichiste. En reconnaissant ces accessoires, dont le commun des mortels ne soupçonnait pas l'usage, j'ai eu le sentiment très agréable d'avoir été intronisée dans une société secrète, remplie de gens qui vivaient en marge du monde, inconnue de tous. J'ai compris, avec une certaine excitation, que je ne pourrais jamais effacer ces événements de ma mémoire. Sans le vouloir, j'avais pris un chemin sans retour.

J'ai passé le plus clair de la journée dans ce café, à observer le flot continu des clients en me demandant si certains d'entre eux étaient aussi des membres de cette société secrète. Reconnaîtraient-ils en moi une âme sœur ? Serions-nous inexorablement attirés les uns vers les autres comme les oiseaux migrateurs le sont par le Sud ? Ou avais-je l'air aussi banale que les autres dans mes vêtements de tous les jours ?

Résignée à la pensée que j'avais emprunté une voie sans retour, j'ai enfilé le costume envoyé par Dominik sans couvrir mes seins.

Il m'a fallu une heure, en suivant la notice, avant de parvenir à nouer correctement les lacets. J'ai fini par en venir à bout, même s'ils n'étaient pas attachés assez serré, et j'ai pris le métro pour aller chez Charlotte. J'avais revêtu par-dessus le corset mon long trench rouge, et l'idée qu'il dissimulait une personne entièrement différente, qui ne suivait pas les règles inculquées par la société comme le fait de porter un soutien-gorge en public, me plaisait infiniment.

Je me suis sentie moins courageuse quand il s'est agi d'enlever mon manteau chez Charlotte. J'avais fait exprès de venir en avance, histoire de me mettre en condition et de me détendre avant l'arrivée des invités. J'ai inspiré un bon coup et ai laissé tomber mon trench comme si je n'avais absolument pas le trac. De toute façon, Charlotte en aurait rajouté si elle avait deviné ma timidité.

— Joli corset ! s'est-elle exclamée.

— Merci.

J'ai omis de préciser qu'il s'agissait d'un cadeau de Dominik.

— Il n'est pas assez serré. Viens par là.

Elle m'a fait pivoter face au mur, a mis sa main dans le creux de mes reins et m'a poussée en avant.

— Mets tes mains sur le mur.

Impossible de ne pas songer à la séance avec Dominik dans la crypte, à sa façon de me placer quasiment dans la même position. J'aurais aimé qu'il soit là, et qu'il me prenne de nouveau de la même manière. Mes tétons se sont durcis, et à la pensée que je risquais d'être excitée par les événements de la soirée et de ne pas pouvoir le dissimuler vu mon costume, je les ai sentis réagir encore davantage. Dominik avait-il pensé à ça ? Il était observateur et j'étais certaine qu'il avait remarqué comment se manifestait mon désir. Mais avait-il prévu que je serais excitée par le service et par le costume ? Voulait-il que je le sois sans lui ? Avait-il envisagé toutes les conséquences ? Ou avait-il juste voulu exercer sa dénomination sur moi et voir si j'étais prête à suivre ses instructions, même les plus audacieuses ? Nous n'avions pas évoqué la question de l'exclusivité. C'était bien trop tôt. Je n'étais même pas sûre que nous sortions ensemble.

— Ça te plaît, hein ?

J'étais tellement perdue dans mes pensées, que je n'avais pas remarqué que Charlotte avait serré les lacets.

— Inspire.

J'ai émis un petit cri étouffé quand elle a mis son pied sur mon dos et a tiré de toutes ses forces.

Le corset était à présent noué tout du long. La sensation était complètement différente de la dernière fois : celui que Charlotte m'avait prêté était trop grand, et il m'avait paru juste un peu raide. Dominik avait parfaitement choisi la taille, même si les liens permettaient de jouer un peu avec. Une fois la gaine lacée correctement, j'avais le souffle court et le dos parfaitement droit. C'était étrangement agréable, un peu comme quand une personne nous prend étroitement dans ses bras. J'étais bien contente d'avoir mis mes chaussures avant : impossible de me pencher à présent. Si je devais ramasser quelque chose par terre, il me faudrait trouver le moyen de m'accroupir avec le dos raide. Cette idée était particulièrement troublante et j'étais persuadée que Charlotte, qui s'était agenouillée devant moi pour ajuster mes bas, voyait très bien dans quel état d'excitation je me trouvais.

J'ai passé la quasi-totalité de la soirée dans la cuisine, à préparer des plateaux de nourriture, ravie de pouvoir pour une fois laisser libre court à ma créativité ; au restaurant, le chef ne m'accordait aucune latitude et exigeait que je suive ses instructions à la lettre. Quand la clochette retentissait, je me précipitais, et chaque allée et venue me permettait de voir le déroulement de la soirée. Les invités hauts en couleur de Charlotte se rapprochaient les uns des autres, de plus en plus dévêtus, au fur et à mesure qu'ils vidaient leurs verres. Il y avait à peu près le même nombre d'hommes que de femmes, habillés comme les invités sur la péniche, dans un mélange de latex et de lingerie. L'un des hommes était déguisé en bonne, avec un court uniforme rose bonbon et un tablier blanc en dentelle, mais son attitude suggérait qu'il n'était pas venu pour faire le service. En dépit de l'affirmation de Charlotte, j'étais la seule à le faire.

Toute la nuit, chaque fois que j'avais du mal à respirer ou que je devais me pencher ou m'accroupir avec difficulté, contrainte par le corset, je pensais à Dominik : il maîtrisait mes mouvements, et il avait le pouvoir d'influer sur ma respiration, puisque mon buste était comprimé par les baleines et le satin. Chaque fois que j'entendais la cloche, je me figurais que c'était Dominik qui m'appelait, et des myriades d'images envahissaient mon esprit, des fantasmes de tout ce qu'il pourrait me faire, comme si un flot de désir violent avait pris possession de moi.

Charlotte me regardait bizarrement.

— J'ai une surprise pour toi plus tard, a-t-elle murmuré à mon oreille quand j'ai rempli de nouveau son verre.

Elle m'avait appelée plus de fois que n'importe quel invité.

— Vraiment ? ai-je demandé, peu intéressée.

Les fantasmes qui se déroulaient dans ma tête étaient franchement plus excitants que tout ce qu'elle pouvait avoir imaginé.

Le dîner était terminé, et elle était assise sur les genoux d'un homme qui me disait quelque chose. Il m'a fallu quelques minutes pour le reconnaître. C'était lui qui portait des leggings et une veste militaire sur la péniche, et que j'avais remarqué juste avant que Charlotte et moi n'entrions dans le donjon. J'étais certaine qu'elle avait noté qu'il me plaisait et je me suis demandé si elle l'avait invité exprès, et si elle s'était juchée sur lui pour me provoquer. Cette pensée était peut-être idiote – après tout, je n'avais jamais adressé la parole à cet individu –, mais par le passé Charlotte avait dragué des hommes qui me plaisaient. Je pense qu'elle aimait me voir réagir, aussi ai-je fait de mon mieux pour paraître indifférente.

J'étais dans la cuisine en train de préparer le dessert quand j'ai entendu le timbre clair d'un alto en provenance du salon et les voix se sont tues : les invités écoutaient la musique. C'était une chanson de Black Violin, mais sans le violon qui accompagnait normalement la viole. *Chris.* C'était un morceau que nous jouions ensemble, et que nous avions interprété le soir où je l'avais présenté à Charlotte. Elle était sortie avec lui par la suite, ce qui m'avait énervée et avait embarrassé Chris, même si notre amitié était exempte de tout sous-entendu sexuel, ce que j'avais toujours trouvé étrange, étant donné que la plupart des mecs que je croise m'excitent, y compris le laitier. Mais c'était sympa d'avoir un homme pour ami et de pouvoir me détendre avec lui sans songer aux conséquences.

Qu'allait-il penser de moi à présent ?

La chanson s'est achevée et, malgré les applaudissements approbateurs, j'ai entendu le son perçant de la clochette. Charlotte réclamait le dessert. J'ai attrapé autant de bols que je pouvais en porter et me suis dirigée vers le salon, en partie parce que la clochette de Dominik m'attirait inexorablement, en partie parce que je savais que Charlotte me lançait un défi et il était hors de question que je m'y soustraie. Pas question de me terrer dans la cuisine ni de me couvrir : Chris devrait faire avec.

Il a ouvert de grands yeux quand il m'a vue. Je lui ai jeté un rapide coup d'œil puis j'ai baissé la tête en espérant qu'il comprendrait le message et qu'il ne dirait rien. Ce qu'il a fait.

Charlotte a pris la parole.

— Que penses-tu de notre serveuse, Chris ? a-t-elle demandé.

— Elle est très jolie, a-t-il répondu sans sourciller.

Il a recommencé à jouer, coupant court à toute conversation. J'ai soupiré de soulagement et ai disparu dans la cuisine. Heureusement que les amis fidèles existent. J'ai résolu de ne plus jamais abandonner Chris, quoi que pensent mes futurs amants de notre relation platonique.

Il a achevé son concert et m'a coincée dans la cuisine en partant, manifestement choqué par le comportement des invités de Charlotte, qui agissaient comme des Romains parvenus à la fin du banquet. L'atmosphère était chargée de tension sexuelle et je soupçonnais qu'une orgie était au menu, juste après le dessert.

— Sum, a-t-il interrogé sans me quitter des yeux et sans lancer un seul regard à ma poitrine dénudée, est-ce que tu connais ces gens ?

— Pas vraiment. Je ne connais que Charlotte.

C'était presque la vérité. Elle ne m'avait présentée à personne, ce qui était normal étant donné ma fonction pour la soirée. Maintenant que j'y pensais, je trouvais étrange la façon dont je m'étais laissé absorber par mon rôle à partir du moment où j'avais enfilé le tablier et entendu la clochette pour la première fois.

— Ils sont un peu bizarres, non ? Tu sais, a-t-il ajouté avec un coup d'œil vers une fille torse nu qui caressait ouvertement la cuisse de l'homme en rose, si j'avais su que tu avais besoin de fric à ce point, je t'aurais dépannée. Tu aurais dû m'appeler.

J'ai éprouvé de la tristesse : il croyait que je faisais ça pour de l'argent. Je ne pouvais pas me résoudre à lui dire que j'avais passé la soirée habillée ainsi à travailler pour rien. Comment lui expliquer l'inexplicable ?

J'ai acquiescé en silence, trop embarrassée pour le regarder en face. Il a gentiment pressé mon épaule.

— Je dois y aller, j'ai un concert tardif. Je t'aurais bien serrée dans mes bras mais bon, ça serait bizarre.

Mes yeux se sont remplis de larmes. Chris m'avait toujours comprise. Si je devais le perdre à cause de ça, je ne savais pas comment je réagirais.

Il s'est penché et, en évitant soigneusement de frôler mes seins, il a déposé un léger baiser sur ma joue.

— Appelle-moi, d'accord ? Ou passe une fois que tu auras fini ici.

— D'accord. À plus tard.

Il a quitté l'appartement et la clochette a retenti.

Charlotte a mis un moment à m'expliquer ce qu'elle voulait, occupée qu'elle était à lécher la chatte d'une invitée, agenouillée sur le sol, nue. Elle a attendu d'être sûre que j'avais bien profité du spectacle avant de me demander une cuillère et un bol de crème glacée.

— Ne bouge pas de là, m'a-t-elle intimé. Je veux que tu regardes.

J'étais incapable de bouger, et pas seulement parce qu'elle m'en avait donné l'ordre. Charlotte déposait délicatement une cuillère de crème glacée dans le vagin de sa partenaire, avant de l'aspirer. La jeune femme tressaillait à chaque passage du chaud au froid mais son plaisir était évident. L'homme de la péniche, sur les genoux duquel Charlotte était assise un peu plus tôt dans la soirée, regardait aussi, et son érection était bien visible dans son jean. J'avais envie de défaire sa braguette et de libérer son sexe, mais je n'ai pas bougé, par fidélité à Dominik, dont le corset m'emprisonnait, et parce qu'un tel acte aurait été complètement déplacé dans ma position subalterne.

Charlotte a tourné la tête, adressé un léger signe d'assentiment vers l'homme de la péniche et a écarté largement ses longues jambes. Il a enlevé son pantalon et son membre s'est dressé, libre : il ne portait pas de sous-vêtements. Il avait un sexe magnifique, parfaitement droit, d'une couleur uniforme, à la longueur et au diamètre prometteurs. C'était une véritable œuvre d'art, qui aurait été à sa place gravée dans le marbre dans un musée. Il s'est immobilisé et a fourragé dans la poche de son jean, à la recherche d'un préservatif.

Il s'est ensuite agenouillé suffisamment pour pouvoir prendre Charlotte par-derrière. Quand il l'a pénétrée, le visage de mon amie s'est illuminé d'un plaisir parfait, une extase presque religieuse. Elle m'avait oubliée, uniquement concentrée sur les va-et-vient de son sexe massif.

C'est alors que je lui ai pardonné. Charlotte était, comme moi, prisonnière de ses désirs, et elle était superbe dans les affres de la passion.

J'ai ramassé la cuillère et le bol vide, et j'ai regagné la cuisine. La clochette n'a plus retenti mais j'ai attendu patiemment, prisonnière de mon corset et de mes talons hauts, les pieds douloureux. L'inconfort me donnait un étrange sentiment de paix, similaire à celui que je ressentais après avoir nagé plusieurs dizaines de longueurs.

Les invités ont fini par partir et Charlotte m'a appelé un taxi.

— Ça a été ? a-t-elle demandé, un bras affectueusement passé autour de mes épaules.

— Oui, ai-je dit. En fait, ça m'a plu.

— Bien.

Elle est restée sur le pas de la porte, cramponnée à son drap, seule protection contre le regard curieux du chauffeur, et m'a regardée disparaître dans la nuit.

Dominik a téléphoné le lendemain, pour confirmer notre rendez-vous.

— Il y a quelque chose de changé dans votre voix, a-t-il constaté.

— Oui, ai-je confirmé.

— Racontez-moi.

J'ai eu l'impression d'entendre une trace d'inquiétude dans son ton, mais je n'en étais pas certaine. Qu'il soit anxieux pour moi ou que ce soit un autre de ses jeux, je me sentais obligée de répondre à sa question comme je l'avais été d'obéir à sa cloche. Je lui ai tout raconté : le corset, Charlotte, et ce que j'avais ressenti en la voyant se faire prendre par-derrière.

Il m'a envoyé un texto la veille de notre rendez-vous.

« Venez à 22 heures. Vous aurez un public. Pas uniquement moi. »

8

Un homme et son invité

C'était une pièce que Summer n'avait pas encore visitée chez Dominik. Situé au dernier étage, cet ancien grenier avait été transformé par de coûteux travaux. Çà et là, le plafond s'incurvait pour suivre la courbe du toit. Seuls deux murs étaient occupés par des bibliothèques, débordant pour la plupart de revues littéraires et cinématographiques jaunissantes. L'étagère la plus haute de la bibliothèque de gauche était remplie de vieux volumes reliés de cuir aux titres en français. Summer n'eut pas le temps de leur jeter un coup d'œil. Il n'y avait pas de fenêtres : la lumière provenait de deux vasistas au plafond.

La pièce ne contenait rien d'autre, comme si Dominik l'avait délibérément vidée afin de ne pas la distraire.

Il avait demandé à Summer de se présenter à 22 heures. Ce serait donc une performance nocturne, la plus tardive de leurs rencontres à ce jour ; ils s'étaient toujours vus, comme cela était stipulé dans le contrat tacite qui les liait, en plein jour.

Dominik l'avait accueillie, impassible comme à son habitude, par une bise sur la joue. Summer savait qu'elle n'obtiendrait aucune réponse de lui et ne lui avait donc posé aucune question. Il l'avait accompagnée jusqu'en haut et lui avait ouvert la porte.

— Ici, dit-il.

Summer posa l'étui à violon sur le sol.

— Tout de suite ? s'enquit-elle.

— Oui, acquiesça-t-il.

Elle mourait d'envie de lui demander qui serait là en plus de lui, mais se retint. À l'idée de jouer devant un public, qui épierait ses moindres faits et gestes, elle sentit son désir monter.

Elle se déshabilla. Elle portait un vieux jean et un tee-shirt blanc moulant. Dominik lui avait dit qu'elle n'avait pas besoin de se mettre sur son trente et un : « Pas de bas ni de talons hauts », avait-il précisé. Cette fois-ci, elle serait complètement nue. Il prenait apparemment plaisir à orchestrer les subtiles variations de sa nudité, au fur et à mesure de ses concerts, comme un chef d'orchestre insolite mais attentif.

Elle mit rapidement de côté ses vêtements et lui fit face, nue. Elle espéra un bref instant qu'il la prenne tout de suite, à quatre pattes sur le sol, mais elle comprit qu'il n'en avait pas l'intention, en tout cas pas avant qu'elle ait joué pour lui. Ils s'étaient mis d'accord pour qu'elle interprète le solo du dernier mouvement du *Concerto pour violon* de Max Bruch.

Il ne la quittait pas des yeux. Il faisait bon dans la pièce et les derniers rayons du soleil couchant traversaient les vasistas.

— C'est un nouveau rouge à lèvres ? demanda-t-il, les yeux rivés sur sa bouche.

Il était très observateur. Summer changeait de teinte de rouge à lèvres en fonction du moment de la journée, et elle choisissait toujours une teinte plus foncée quand la nuit tombait. Elle suivait cette habitude depuis des années. Elle avait ainsi l'impression de faciliter le passage de son moi diurne à son moi nocturne.

— Il n'est pas nouveau, répondit-elle. Je porte une couleur plus sombre le soir.

— Très intéressant, commenta-t-il, pensif. Vous l'avez avec vous ?

—J'ai les deux sur moi, répondit Summer avec un geste vers son petit sac à main, posé sur le sol à côté de ses vêtements.

Dominik ouvrit son sac et en sortit les deux tubes, qu'il examina de plus près afin d'en comparer les teintes.

—Jour et nuit, résuma-t-il.

—Oui, acquiesça Summer.

Il laissa de côté l'un des tubes et ouvrit l'autre, dont il fit coulisser le bâton de couleur sombre. Il avait choisi le rouge du soir.

—Venez ici, ordonna-t-il.

Summer obtempéra, incertaine de ce qu'il comptait faire.

—Redressez-vous, intima-t-il.

Summer obéit, et ses seins pointèrent.

Dominik s'approcha d'elle, et dirigea le bâtonnet qu'il tenait en main vers l'un de ses tétons durcis, qu'il colora avant de passer à l'autre. Summer déglutit.

Peinte. Décorée. Embellie. Elle baissa les yeux. Ça lui donnait l'air effrontée. Elle sourit, admirative : Dominik avait décidément une imagination perverse.

Mais il n'avait pas terminé.

Il recula d'un pas et la regarda droit dans les yeux.

—Écartez les jambes.

Il s'agenouilla devant elle, le tube toujours en main. Quand il vit qu'elle le suivait des yeux, il lui ordonna de regarder droit devant elle.

Elle sentit son doigt séparer ses lèvres et s'insérer dans son intimité moite. D'une main, il maintint ses lèvres l'une après l'autre, tandis que de l'autre, il en dessinait les contours.

Summer frissonna et ses jambes faiblirent. Elle imaginait ce à quoi elle pouvait bien ressembler.

Dominik se remit debout.

Il l'avait maquillée pour le concert.

— Peinte comme la Grande Prostituée, commenta Dominik. Parée. Parfaite.

Encore sous le choc de ce qu'il venait de faire, Summer était incapable de répliquer.

Il banda alors les yeux de la jeune femme avec un foulard noir qu'il avait sorti de sa poche. Summer fut soudain plongée dans l'obscurité.

— Je ne verrai pas le public ? protesta-t-elle faiblement.

— Non.

— Vous ne voulez même pas me dire combien vous serez ?

— Vous n'aurez qu'à deviner, rétorqua Dominik.

Une variation supplémentaire dans le rituel.

Summer inspira profondément, les implications de la situation faisant lentement leur chemin dans son esprit.

— Je vous laisse répéter, poursuivit-il. Je serai de retour avec mon ou mes invités, ajouta-t-il avec une pointe d'ironie, dans un quart d'heure. Je frapperai trois coups à la porte, j'entrerai et vous jouerez pour nous. Comprenez-vous bien les règles ?

Summer acquiesça.

Dominik quitta la pièce.

Elle saisit son violon et l'accorda.

Dominik avait demandé à Victor de se déchausser en bas de l'escalier, afin que Summer ne puisse pas identifier avec certitude le nombre de visiteurs en entendant les bruits de pas sur le plancher.

Quand Victor découvrit Summer dans toute sa nudité, violon en main, peinte en rouge, il se tourna vers Dominik, rayonnant. Si ce dernier ne lui avait pas strictement interdit de parler, il l'aurait félicité.

Depuis qu'il avait aidé Dominik à trouver les membres du quatuor à cordes, il n'avait eu de cesse de lui soutirer des informations sur la séance qu'il avait organisée. Dominik soupçonnait Victor de bien connaître Lauralynn, la violoncelliste. Victor avait toujours été un individu peu fréquentable dans la vie professionnelle de Dominik. Il était originaire d'Europe de l'Est, mais ses ascendances complexes variaient étrangement d'un interlocuteur à l'autre. Professeur invité en philosophie, passionné de musique et expert médiocre, il allait de fac en fac sans jamais s'attarder et donnait des cours où la maestria roublarde le disputait à un enthousiasme factice. C'était le champion des théories hermétiques, qu'il parvenait à faire éditer de loin en loin. De taille moyenne, grisonnant, il portait un bouc méphistophélique qu'il entretenait avec une précision maniaque.

Dominik ne prêtait guère l'oreille aux racontars, mais il savait que ceux qui couraient sur Victor étaient aussi nombreux qu'exagérés. Dès qu'il s'agissait d'intrigues ou de coucheries, il était définitivement l'homme de la situation. La rumeur voulait qu'il entretienne un véritable harem d'étudiantes et Dominik avait entendu un directeur de département sous-entendre que toute élève de troisième cycle qui voulait que Victor supervise ses recherches devait être prête à donner de sa personne. Il était de notoriété publique qu'il n'acceptait jamais d'étudiantes laides.

Victor essayait depuis un certain temps d'obtenir par la flatterie des renseignements sur ce qu'il avait baptisé le « projet » de Dominik, et ce dernier avait fini par capituler et par admettre l'existence de Summer. Mais, même s'il avait expliqué dans les grandes lignes à Victor à quel jeu il se livrait avec elle, il avait gardé pour lui les détails les plus intimes.

— Il faut que je la voie, avait commenté Victor. Il faut à tout prix que je la voie.

— Elle est tout à fait fascinante, c'est vrai, avait répliqué Dominik. Peut-être…

— Pas de peut-être avec moi, mon cher. Tu dois me le permettre, une fois, une seule. Elle n'y verra pas d'inconvénient, n'est-ce pas ?

— Elle a tout accepté pour l'instant, avait admis Dominik, ou du moins, elle a toléré toutes mes demandes.

— Je me contenterai de regarder, évidemment. Même s'il me sera impossible de feindre le désintérêt. Mais après tout, n'y a-t-il pas un voyeur qui sommeille en chacun de nous ?

— Sans doute.

— Tu le lui demanderas, alors ? S'il te plaît.

— Parfois, elle n'acquiesce pas en paroles, avait expliqué Dominik, mais par le regard ou par sa façon de bouger.

— Je comprends, avait rétorqué Victor. Alors ? Tu le lui demanderas ? Je suis littéralement fasciné par l'objet de ton expérience.

— Une expérience ?

— Ça n'en est pas une ?

— Dit comme ça, je suppose que oui.

— Bien. Nous sommes sur la même longueur d'onde, alors.

— Tu te contenteras de la regarder jouer, pas question de la toucher, d'accord ?

— Absolument, mon cher, absolument.

Tout le temps que dura le concert de Summer, Victor caressa distraitement sa barbe à intervalles plus ou moins réguliers. Les tétons rouge sombre de la jeune femme ressemblaient à deux cibles illuminées par la faible lueur de la lune qui tombait des vasistas. Celle-ci la nimbait d'un halo troublant qui semblait se propager en suivant les notes de la mélodie, se déployant, et empruntant des chemins complexes et détournés avant d'atteindre sa destination.

Ses doigts pinçaient les cordes sur lesquelles l'archet paraissait voler. La musique courait sous sa peau et la transportait ; les deux hommes la contemplaient, unis dans le silence en dépit de la mélodie qui avait envahi la pièce. Elle savait qu'on la regardait, et ils se repaissaient de sa beauté et de sa vulnérabilité. Quant à savoir qui dominait qui, c'était une autre histoire.

Debout à côté de Victor, Dominik entendait la respiration de son complice, aussi subjugué que lui. La nudité de Summer avait ce pouvoir : elle se tenait si droite qu'elle donnait l'impression de s'offrir, consentante, attendant d'être prise. Une idée folle lui traversa l'esprit. Était-il possible que… ? Il se retint à temps.

Summer parvint à la fin de son interprétation avec un mouvement superflu plein d'autosatisfaction. Le charme rompu, Victor s'apprêta à applaudir mais Dominik le retint d'un geste et posa un doigt sur ses lèvres pour lui faire comprendre que le silence était toujours d'actualité. Summer ne devait pas savoir combien de personnes l'avaient écoutée.

Les deux hommes échangèrent un regard et Dominik eut l'impression de lire un encouragement muet dans les yeux de Victor. Était-ce un effet de son imagination ? Summer attendait, le violon à la main, orgueilleusement nue. Dominik laissa son regard errer sur le corps de la jeune femme. Dans la faible luminosité de la pièce, il devinait sa fente à peine cachée par les courtes boucles.

Il franchit les quelques pas qui les séparaient et lui ôta doucement le violon des mains avant de le déposer derrière lui, où rien ne pourrait l'abîmer.

—J'ai envie de vous, dit-il. Vous éveillez mon désir, Summer.

En raison du foulard qui dissimulait toujours ses yeux, il ne pouvait pas voir sa réaction. Il tendit la main vers son sein : le téton était dur et dressé. C'était une réponse suffisante.

Il se pencha vers son oreille.

—Je veux vous prendre ici et maintenant, murmura-t-il.

Elle acquiesça imperceptiblement, du moins le supposa-t-il.

— Quelqu'un nous regardera.

Elle inspira profondément et frissonna.

Il posa la main gauche sur son épaule et la pressa légèrement.

— Mettez-vous à quatre pattes.

Il la posséda.

Victor observa dans un silence absolu, fasciné par le spectacle du sexe érigé de Dominik allant et venant en Summer avec une force implacable. Rien ne lui échappa : ni le souffle court de Summer, ni le délicat balancement de ses seins au rythme des coups de boutoir de Dominik, ni le bruit des testicules de ce dernier contre les cuisses de la jeune femme.

Victor s'essuya le front et se caressa brièvement à travers le tissu de son pantalon en velours côtelé.

Sans perdre le rythme, Dominik vit du coin de l'œil que son collègue, très excité, le regardait en souriant de toutes ses dents ; mais son attention fut rapidement ramenée vers Summer, dont l'anus se dilatait légèrement sous l'impact de sa queue, comme une vague dont le point d'origine serait son vagin, et dont l'onde se répercuterait en cercles concentriques, réveillant d'abord son cul puis son corps tout entier, embrasant toute la surface de sa peau au fur et à mesure que le plaisir se propageait en elle.

Le petit trou bâillait un peu et Dominik se promit de l'enculer un jour. Perdu dans ses pensées, il ne vit pas Victor bouger afin de se placer face à lui, devant la tête penchée de Summer. Un court instant, il crut que son collègue était sur le point de mettre sa queue dans la bouche de la jeune femme, position classique des films pornographiques. Il s'apprêtait à protester, mais Victor se contenta de se pencher vers la jeune femme et de lui essuyer le front avec une effrayante gentillesse, tout en souriant béatement à Dominik.

Malgré la douceur de la main sur son visage, Summer se rendit compte que ce n'était pas Dominik qui la touchait; elle s'immobilisa et contracta violemment les muscles de son vagin autour du sexe de son partenaire. Les pensées de Dominik s'emballèrent furieusement: il se souvenait d'avoir lu – peut-être chez Sade – que lorsqu'une femme mourait en faisant l'amour, les muscles de son vagin se tétanisaient et emprisonnaient le pénis de l'homme dans un étau dont il ne pouvait se défaire. À moins que cette information ne provienne d'autres contes pornographiques, mettant en scène des femmes et des « K-nins », euphémisme prisé des petites annonces zoophiles? Choqué par ce souvenir, il jouit violemment, presque dégoûté par la tournure qu'avaient prise ses propres pensées.

Quand il redressa la tête, Victor avait quitté la pièce. Summer était écrasée sous son poids, essoufflée.

— Ça va ? demanda-t-il avec sollicitude, en se retirant.

— Oui, répondit-elle, le souffle court.

Elle s'affala de tout son long sur le sol, manifestement aussi épuisée que lui.

— Avoir un public vous a plu ? s'enquit Dominik.

Elle dénoua le foulard et se tourna vers lui. Elle était toute rouge.

— Terriblement, avoua-t-elle en baissant les yeux.

Dominik savait à présent comme fonctionnait son esprit et comment son corps réagissait quand il était exhibé, mais Summer ignorait toujours quel chemin il voulait lui faire prendre.

C'étaient les vacances de printemps à la fac, et Dominik avait depuis longtemps accepté de participer à un colloque sur le continent. Il en était l'un des principaux conférenciers et il avait prévu de passer quelques jours dans la ville après son intervention.

Aussi, lorsque Summer lui demanda quand ils se verraient, lui apprit-il qu'il quittait Londres pour quelques jours. Elle en fut déçue. Ils se trouvaient dans la cuisine, au rez-de-chaussée, où Dominik avait confectionné des toasts. Summer, qui ne portait qu'un tee-shirt et qui n'était pas passée par la salle de bains, était assise, fesses nues, sur l'un des hauts tabourets de bar en métal, face au comptoir en granit sur lequel son amant avait déposé assiettes et verres de jus de raisin.

Elle était d'autant plus consciente de son état de semi-nudité qu'elle sentait parfaitement le motif de l'assise du tabouret sur sa peau. Il ne faisait aucun doute dans son esprit que Dominik apprécierait de voir ces nouvelles marques sur ses fesses et qu'il se délecterait du spectacle en la suivant dans l'escalier du grenier, quand elle voudrait récupérer son jean.

Dominik était de nouveau lui-même : distant et incapable d'évoquer quoi que ce soit de personnel, encore moins en mesure de lui expliquer ce qu'il attendait de leur relation à long terme. Summer, cependant, était une femme pragmatique, et elle aimait se laisser porter par les événements. En conséquence, elle se disait qu'il lui ferait part de ses plans quand le moment serait venu. En attendant, il se contentait de parler de tout et de rien. Elle mourait d'envie de lui poser des questions intimes, sur lui, sur son passé, afin de comprendre un peu mieux cet homme étrange, mais elle pensait que la réserve qu'il s'imposait faisait peut-être partie du jeu. Elle le trouvait à la fois follement attirant et légèrement effrayant : elle percevait en lui une part de ténèbres à laquelle elle voulait accéder. Elle avait l'impression que chaque pas qu'il lui faisait faire était une marche de l'escalier qui la menait sournoisement vers une destination inconcevable.

— Vous êtes déjà allée à Rome ? demanda-t-il négligemment.

— Non, répondit Summer. Il y a beaucoup de villes en Europe que je n'ai pas encore visitées. Quand je suis arrivée de Nouvelle-Zélande, je me suis juré de profiter de mon séjour à fond et de voyager le plus possible, mais je suis toujours à court d'argent. Je suis allée à Paris avec un groupe de rock dans lequel je joue parfois, mais c'est tout.

— Paris vous a plu ?

— J'ai adoré. La nourriture était exquise, l'ambiance électrique et les musées étaient fabuleux, mais comme je jouais avec des gens que je connaissais mal, parce que j'ai remplacé quelqu'un au pied levé, j'ai passé beaucoup de temps à répéter. Du coup, je n'ai pas visité tout ce que j'aurais voulu. Je me suis promis d'y retourner et de faire tout ce que j'ai manqué la dernière fois. Un jour.

— Je me suis laissé dire que de nombreux clubs un peu spéciaux florissaient là-bas.

— Des boîtes fétichistes ? interrogea Summer.

— Pas tout à fait. On les appelle des « clubs échangistes [1] ». On peut quasiment tout y faire.

— Vous y êtes déjà allé ?

— Non. Je n'ai jamais trouvé la bonne partenaire pour m'accompagner.

Était-ce une invitation déguisée ? se demanda Summer.

— L'un des plus célèbres se nomme *Les Chandelles*, reprit Dominik. Très sophistiqué, pas du tout glauque, conclut-il avec un sourire.

Puis il changea de sujet.

Quel homme insupportable. Des dizaines de questions lui brûlaient les lèvres. Envisageait-il de l'y emmener et de lui demander de jouer ? Voire de l'exhiber ? De la sauter en public ? De la partager ? L'imagination de la jeune femme s'emballait.

— Vous avez des projets ? Des aventures fétichistes ? s'enquit Dominik.

— Non, rien dans l'immédiat en tout cas, répondit Summer tout en sachant qu'il y avait des chances pour que quelque chose se présente.

C'était inévitable. Tout son corps avait été éveillé et elle savait que sa curiosité et son désir l'entraînaient chaque jour sur une pente de plus en plus savonneuse.

1. En français dans le texte.

Dominik en était manifestement conscient.

Il devint plus sérieux.

— Vous avez bien compris que vous ne me devez rien, j'espère, dit-il. Vous êtes libre de vivre comme bon vous semble en mon absence, mais j'aimerais que vous me promettiez quelque chose.

— Quoi donc ?

— Si vous faites quoi que ce soit qui sorte de votre quotidien, en dehors du boulot, sommeil, groupe de rock, je veux le savoir. Écrivez-moi et racontez-moi tout en détail. Par mail, par texto, ou même par courrier traditionnel si vous avez le temps de m'envoyer une vraie lettre. Vous voulez bien faire ça pour moi ?

Summer accepta.

— Puis-je vous raccompagner chez vous ?

Elle refusa. Elle habitait non loin d'une station de métro sur la ligne qui desservait le domicile de Dominik, et elle avait besoin d'être un peu seule pour réfléchir, de temps sur lequel Dominik n'aurait aucune prise.

L'université La Sapienza de Rome avait proposé à Dominik de lui réserver une chambre près du campus, mais il avait décliné, préférant une suite dans un quatre-étoiles sur la Via Manzoni, à dix minutes en taxi de la gare où le déposerait le train qui faisait la navette avec l'aéroport.

Il participerait au colloque en donnant une conférence de littérature comparée intitulée « Aspects du désespoir dans la littérature des années trente à cinquante », principalement axée sur l'auteur italien Cesare Pavese, qui appartenait à cette longue lignée d'écrivains ayant choisi le suicide pour tout un tas de mauvaises raisons. Il était devenu, à son corps défendant, le spécialiste incontesté de ce sujet peu gai. Il comptait bien fréquenter ses collègues venus du monde entier, mais profiter aussi de ces quelques jours pour réfléchir aux dernières semaines avec Summer. Il avait réellement besoin de clarifier ses pensées, d'analyser ses sentiments et de décider sur quel chemin il voulait s'engager à présent. Il sentait qu'il avait de nombreux conflits intérieurs à régler. *Trop même.* La situation pouvait lui échapper.

Le lendemain de son arrivée, après son intervention, il était allé dîner avec des collègues dans un restaurant près du Campo dei Fiori. Il y avait dégusté les *fragole di bosco*, les fraises sauvages à l'acidité idéale, parfaitement rehaussée par le sucre dont elles avaient été saupoudrées.

— C'est bon, hein ?

De l'autre côté de l'étroite table rectangulaire, une brune à laquelle il n'avait pas été présenté le regardait en souriant. Dominik leva les yeux du délicieux concerto de couleurs qui explosait dans son assiette.

— Succulent, acquiesça-t-il.

— Elles poussent sur les versants de la montagne, reprit-elle, et non dans la forêt, contrairement à une idée reçue.

— Ah.

— J'ai beaucoup aimé votre conférence. C'est un sujet très intéressant.

— Merci.

— J'ai aussi apprécié le livre que vous avez écrit sur Fitzgerald il y a trois ans. C'est un sujet très romantique, je trouve.

— Merci. Encore. C'est très rare de tomber sur quelqu'un qui a vraiment lu ce que j'ai écrit.

— Vous connaissez bien Rome, *professore* Dominik ? demanda-t-elle alors que le serveur faisait le tour de leur tablée avec un plateau chargé d'expressos fumants.

— Pas vraiment, non, répondit-il. Je suis déjà venu plusieurs fois mais j'ai bien peur d'être un piètre touriste. Je ne m'intéresse pas vraiment aux églises et aux vieilles pierres. En revanche, j'adore l'atmosphère et les gens. On peut ressentir l'histoire d'une ville sans se lancer dans un marathon culturel.

— On la sent encore mieux, renchérit-elle. C'est bien de suivre son propre chemin. Au fait, je m'appelle Alessandra. J'habite Pescara mais j'enseigne la littérature antique à l'université de Florence.

— Intéressant.

— Vous êtes ici pour combien de temps, *professore* Dominik ? s'enquit-elle.

— Cinq jours.

Le colloque se terminait le lendemain et il n'avait pas de projets précis. Il avait envie de se détendre, de profiter de la gastronomie et du temps, et de réfléchir.

— Je peux vous servir de guide si vous le souhaitez. Vous dévoiler le vrai visage de la ville, loin des sentiers touristiques. Pas d'églises, c'est promis. Qu'en pensez-vous ?

Pourquoi pas ? songea Dominik. Sa chevelure n'était que boucles indomptées et son teint mat une promesse de chaleur. Il avait clairement fait comprendre à Summer qu'il ne lui demandait pas l'exclusivité. Il ne le lui avait peut-être pas dit d'une manière aussi tranchée, mais il ne lui avait extorqué aucune promesse et elle n'avait formulé aucune exigence. Ce qui s'était développé entre eux était pour l'instant plus une aventure qu'une relation.

— Que du bien, répondit-il. Excellente idée.

— Vous connaissez le Trastevere ? demanda-t-elle.

— Quelque chose me dit que je ne vais pas tarder à le connaître, répliqua-t-il en souriant.

La séduction est un jeu d'adultes, qui se développe quand on ne sait plus qui séduit et qui est séduit. C'est ainsi que les choses se passèrent avec Alessandra de Pescara.

Le fait qu'ils choisirent sa chambre dans une accueillante pension de famille ne fut qu'une question de hasard géographique : ils prirent un dernier verre (un Sweet Martini pour elle, et l'habituel soda sans glace pour Dominik, qui ne buvait jamais d'alcool, plus par goût, n'ayant jamais aimé ça, que par principe) dans un bar plus près de la résidence d'Alessandra que de l'hôtel impersonnel de Dominik.

Quand ils entrèrent dans la chambre, main dans la main, son téléphone vibra. Il avait embrassé Alessandra dans l'ascenseur, et avait été autorisé à lui caresser négligemment les fesses à travers le fin tissu de sa jupe en coton.

Il implora l'indulgence de l'Italienne, prétextant une affaire urgente à régler sans rapport avec l'université et consulta son texto. Il venait de Summer.

« Je me sens vide. Je suis obsédée par vos désirs pervers. Troublée, excitée, perdue. S. »

Tandis qu'Alessandra s'excusait et gagnait la salle de bains pour se rafraîchir, Dominik sortit sur le balcon, qui offrait une vue imprenable sur les collines romaines et lui répondit.

« Faites ce que vous avez à faire, mais racontez-moi tout quand je rentrerai. Acceptez votre nature.

Considérez cela comme un conseil plutôt que comme un ordre.

D. »

Il regagna la pièce, voilée par les rideaux. Alessandra avait servi deux verres en l'attendant, du vin blanc pour elle, de l'eau minérale pour lui.

Elle avait défait les deux premiers boutons de son chemisier blanc, dévoilant la naissance de seins particulièrement ronds et s'était assise sur une chaise étroite. À sa droite, une porte ouvrait sur une chambre plongée dans une obscurité attirante. Dominik se plaça derrière la jeune femme et saisit ses cheveux indisciplinés. Quand il affermit sa prise et tira sur les mèches, elle gémit en réponse. Dominik la lâcha, se pencha et embrassa sa nuque tout en encerclant son cou de ses mains.

— *Si*, dit Alessandra, le souffle court.

Il n'avait pas bougé et percevait la chaleur qui émanait de son corps.

— *Si* ? Ce qui signifie ? demanda-t-il.

— Ce qui signifie on baise, non ?

— Absolument, confirma Dominik, glissant ses mains sous le chemisier et caressant ses seins.

Le rythme cardiaque d'Alessandra s'était accéléré, comme un tambour tatoué sous sa peau.

Il effleura la texture explosive de ses tétons avec ses pouces. Vu la couleur de sa peau, il devinait qu'ils seraient sombres, et il se souvint soudain de la symphonie de crème et de rose de ceux de Kathryn, qui ne durcissaient jamais, de ceux, marron pâle, de Summer, et de ceux de toutes les femmes qui avaient croisé son chemin, celles qui s'en étaient allées, celles qu'il avait aimées, désirées, abandonnées, trahies, voire blessées.

Il déchira violemment le chemisier d'Alessandra, comme pour la punir d'être dans cette chambre à la place d'une autre. Il lui en voulait de ne pas avoir la peau claire, d'avoir un accent étrange et étranger, qui lui rappelait l'accent néo-zélandais de Summer, et d'exhiber des formes voluptueuses et non une taille de guêpe. C'était la mauvaise personne au bon moment, mais ça ne faisait pas d'elle une ennemie. Elle tendit la main vers sa braguette et dévoila sa queue à moitié dressée, qu'elle prit dans sa bouche tiède et humide. *Merde,* se dit-il, *Summer ne m'a toujours pas sucé.* Cela signifiait-il quelque chose ou était-ce juste qu'il ne lui en avait jamais donné l'ordre ? La langue d'Alessandra jouait avec son gland, qu'elle léchait habilement, l'effleurant parfois légèrement de ses dents. D'un mouvement vif, il s'enfonça tout entier dans sa bouche, la forçant le plus profondément possible. Pendant un court instant, il pensa qu'elle allait s'étouffer, et le regard à la fois apeuré et désapprobateur qu'elle lui lança l'immobilisa momentanément mais il ne s'arrêta pas pour autant. Il savait pertinemment que la colère dictait ses gestes et le rendait brutal. Il voulait que Summer soit avec lui ce soir, et pas une autre.

Dominik se détendit et se dévêtit. Sa partenaire fit de même, et finit par le lâcher pour s'étendre à plat dos sur le lit. Il vit dans ses yeux qu'elle avait compris que ce ne serait pas un rapport romantique, mais un acte violent, mécanique, sans fioriture. Ça leur convenait à tous les deux. Ils n'envisageaient pas de se revoir. Cette soirée était peut-être une erreur. Ils étaient deux étrangers dans la nuit, se raccrochant à la même balise. Peut-être qu'elle aussi se languissait d'autres bras, d'un autre sexe, songea Dominik, et c'était pour ça que ce qui allait arriver ne voulait rien dire.

Ils se sépareraient au petit matin, avec quelques paroles et peu de tendresse, et reprendraient leurs chemins respectifs. Dominik n'envisageait pas de revenir à Rome de sitôt. Une fois tous deux entièrement dévêtus, il se jeta sur elle, peau contre peau, sueur contre sueur, lui écarta les jambes et la pénétra sans un mot.

Il entendit son téléphone vibrer mais il ne lirait le texto de Summer que le lendemain matin.

« Qu'il en soit ainsi. S. »

Summer se faisait du souci pour ses finances. Maintenant qu'elle avait cessé de jouer dans le métro, le maigre salaire et les quelques pourboires qu'elle gagnait au restaurant ne suffisaient plus. Le groupe était en suspens,

Chris étant toujours pris par son projet d'album au studio aménagé dans la maison de campagne d'un pote ; elle avait enregistré sa partie plusieurs semaines auparavant et elle ne serait payée que lorsque l'album se vendrait. Elle en était réduite à piocher dans ses petites économies. Elle avait dépensé trop d'argent en taxi pour Hampstead, en clubs fétichistes et le reste, que des endroits où elle était trop embarrassée pour se rendre en métro. Et il n'était pas question de demander de l'aide à Dominik. Ni à quiconque, d'ailleurs.

Elle avait entendu parler de petites annonces proposant des enregistrements d'une journée ou des jobs d'enseignant au Conservatoire de Kensington. Mais elle s'aperçut, en voyant le hall désert à son arrivée, que c'était la fin du semestre. *Zut!* Ce qui était affiché sur le tableau risquait d'être périmé.

Elle se dirigea vers le panneau en liège pour examiner les notes et les cartes qui y étaient punaisées et, après avoir vérifié les dates, griffonna quelques numéros sur le calepin qu'elle avait sorti de son sac.

Entre les demandes de cours particuliers pour des gamins qui habitaient en banlieue et quelques trop rares propositions fort bien rémunérées de la télévision qui cherchait des ensembles à cordes *(prière d'apporter votre robe noire et votre maquillage)* pour accompagner le passage de quelques groupes de rock à la recherche de crédibilité musicale, elle vit soudain une carte qui lui rappela quelque chose, et comprit de quelle manière Dominik avait déniché les musiciens qui l'avaient accompagnée dans la crypte. Elle sourit. Décidément, tous les chemins menaient à Rome. Elle fut cependant saisie par un léger doute quand elle remarqua que le numéro de téléphone n'était pas celui de Dominik. Peut-être avait-il deux numéros, qu'il utilisait en fonction des occasions. Elle nota cette information pour plus tard.

— Tu cherches un boulot ? demanda une voix mélodieuse.

Summer pivota pour faire face à son interlocutrice.

— Oui, mais il n'y a pas grand-chose.

La jeune femme était teinte en blonde et inhabituellement grande ; elle avait un petit côté amazone. Dans son blouson d'aviateur en cuir, son jean noir ultramoulant et ses bottes aux talons démesurés, elle était spectaculaire. Summer avait l'impression de l'avoir déjà vue. Cette dernière la regardait avec un sourire ironique, un détachement amusé et un évident sentiment de supériorité.

— Celle-ci est intéressante, hein ? reprit-elle en désignant la carte que Summer venait de lire.

— Absolument. Mystérieuse et top-secret, commenta Summer.

— Ce n'est plus d'actualité, remarqua la blonde, mais quelqu'un a oublié de la retirer du tableau.

— Peut-être.

— Tu ne me reconnais pas du tout, pas vrai ? s'enquit la blonde.

Tout lui revint d'un coup et Summer rougit. C'était la violoncelliste de la crypte.

— Oh. Laura, c'est ça ?

— Lauralynn. Je suis navrée de ne pas t'avoir fait une plus forte impression que ça, mais je suppose que tu avais d'autres chats à fouetter. Je parle de ton interprétation, bien sûr.

Il y avait une espièglerie évidente dans sa voix, et Summer se souvint d'avoir brièvement pensé que Lauralynn l'avait vue nue malgré le foulard.

— On a formé un bon quatuor, je trouve. Même si on n'a pas pu te voir, insista-t-elle, provocatrice.

— C'est vrai, renchérit Summer.

Les quatre artistes avaient vraiment établi une solide relation musicale, malgré la nature bizarre de leur représentation.

— Qu'est-ce que tu cherches ? demanda Lauralynn.

— Un boulot. Des boulots. N'importe quoi, mais si possible en rapport avec la musique. Je suis à court d'argent, avoua Summer.

— Je vois. Les meilleures propositions ne sont pas forcément affichées sur ce tableau. Tu n'étudies pas ici, n'est-ce pas ? C'est par le bouche-à-oreille qu'on a les meilleures occasions.

— Oh.

— On va prendre un café ? Il y a une cafétéria sympa au premier et comme c'est les vacances, elle ne sera pas bondée. On sera tranquilles pour discuter.

Summer accepta. Lauralynn se dirigea tout droit vers un escalier en colimaçon et Summer la suivit. Les contours de ses fesses étaient magnifiquement mis en valeur par le tissu de son jean. Summer n'avait jamais été attirée par les femmes, mais il y avait quelque chose de très séduisant chez cette grande blonde, une assurance et une autorité qu'elle avait rarement rencontrées, même chez les hommes.

Elles se découvrirent rapidement des points communs : elles avaient vécu en Australie au même moment, même si c'était dans des villes différentes, et elles partageaient les mêmes références musicales. Summer se détendit et devint plus chaleureuse, même si elle sentait que Lauralynn dissimulait une personnalité manipulatrice. Après deux cafés, elles décidèrent de lever le pied sur la caféine et passèrent au vin blanc. Lauralynn avait insisté pour commander une bouteille de prosecco.

— Tu es très flexible ? interrogea-t-elle soudain, alors qu'elles parlaient de l'acoustique des salles de concert de Sydney.

— Comment ça, flexible ? s'enquit Summer, qui se demandait s'il y avait un sous-entendu dans la question.

— En ce qui concerne l'endroit où tu habites, précisa Lauralynn.

— Raisonnablement flexible. Pourquoi ?

— Il y a un poste à pourvoir dans un petit orchestre classique. Tu as le niveau. Je pense que tu passerais l'audition haut la main. Même avec un bandeau sur les yeux, ajouta-t-elle en riant.

— Ça a l'air alléchant.

— Le truc, c'est que c'est à New York. Et le groupe veut quelqu'un pour un an minimum.

— Oh…

— Je connais la chasseuse de têtes qui s'occupe de ça, à Bishopsgate. Elle vient de Nouvelle-Zélande, elle aussi, ça vous fait un point commun. J'aurais adoré aller vivre à New York, mais on ne cherche pas de violoncelliste.

— Je ne sais pas si je suis intéressée.

— Tu hésites à cause de lui ?

— Qui ça, lui ?

— Ton mec, ton mécène. À moins que tu ne préfères qu'on dise ton maître ?

— Pas du tout, protesta Summer. Ça ne marche pas comme ça entre nous.

— Pas la peine de faire semblant. J'ai compris ce qui s'est passé dans la crypte. Il voulait que tu joues à poil, hein ? Ça l'a excité de te voir comme ça alors qu'on était tous habillés, pas vrai ?

Summer déglutit bruyamment.

— Toi aussi, ça t'a excitée, avoue ? poursuivit Lauralynn.

Summer se réfugia dans le silence et but une gorgée du vin qui ne pétillait presque plus.

— Comment tu as su ?

— Je n'ai pas su, rectifia-t-elle. J'ai deviné. C'est un ami à moi, un expert en perversion, qui a mis l'annonce – il est pote avec ton mec – et j'avais déjà une idée de ce qui se passerait avant de venir. Ne va pas croire que je désapprouve, au contraire. Je pratique, moi aussi, dit-elle avec un sourire complice.

— Raconte-moi, demanda Summer.

9

Une femme et sa nouvelle amie

—Je vais faire mieux que ça, a répondu Lauralynn. Je vais te montrer.

Nous étions toujours à la cafétéria, en train de discuter des goûts coquins de la violoncelliste.

Elle a tendu l'un de ses longs bras fins par-dessus la table, a pris ma main et a fait courir doucement ses ongles à l'intérieur de mon poignet.

J'ai avalé ma salive.

Était-ce seulement une façon d'appuyer son propos ou une invite ? Et dans ce cas, à quoi m'invitait-elle ?

—As-tu déjà vu une *dom* en action ?

Elle faisait allusion à ce que l'on nommait, en dehors des cercles SM, une dominatrice.

— Une fois ou deux, ai-je répondu, mais juste dans des clubs, jamais dans un cadre privé.

Nous en étions à notre deuxième bouteille de prosecco et j'étais quasiment certaine d'en avoir bu la plus grande partie. Ou alors Lauralynn présentait une grande tolérance à l'alcool : j'étais déjà bien partie et elle avait l'air complètement sobre.

— Tu devrais parfaire ton éducation et tester l'autre bord. Il n'y a pas que les hommes dans la vie.

Elle a haussé le sourcil en disant « tester », et j'ai rougi. Je n'avais pas l'habitude de flirter avec des femmes et je me sentais dépassée par les événements. La situation me rappelait ma première rencontre avec Dominik, dans le café sur le quai : face à face, chacun épiant l'autre, la bataille entre domination et soumission, attirance et orgueil, faisant rage.

— Euh… Qu'est-ce que ça veut dire ?

— Tu verras. Je ne voudrais pas te gâcher la surprise.

Elle avait retiré sa main de mon poignet, et caressait le bord de son verre avec des mouvements lents et délibérés. Elle remarqua la direction de mon regard et sourit d'un air malicieux.

— Tu penses à lui ou à moi ?

J'ai songé à Dominik. Nous avions décidé que nous étions libres d'explorer nos désirs, et je le tenais au courant de mes aventures, comme il me l'avait demandé, mais que ressentirait-il si j'acceptais volontairement d'être dominée par quelqu'un d'autre que lui ? Ça n'avait rien d'une baise occasionnelle ou du jeu dans un club. D'autant que la dominatrice serait Lauralynn, que Dominik avait employée il y a peu, et qui, je le supposais, était toujours sous contrat avec lui : il avait dû lui faire signer une clause de confidentialité.

Je ne pourrais pas raconter ça à Dominik. Si je le mettais au courant de ma rencontre avec Lauralynn, je créerais des ennuis à cette dernière. J'étais persuadée qu'il s'était arrangé pour qu'on ne se revoie jamais. Si j'acceptais la proposition de la jeune femme, je lui désobéirais.

À cette idée, j'ai senti l'excitation d'un vent de révolte me traverser. Je n'appartenais pas à Dominik. Son pouvoir sur moi s'arrêtait quand je le voulais. De plus, il ne m'avait jamais interdit de coucher avec Lauralynn.

Je me suis souvenue de ses fesses moulées dans le jean et de son sourire coquin. J'étais prête à parier que c'était une vraie cochonne.

En dehors de quelques baisers et caresses, je n'avais jamais été très loin avec une femme. J'avais toujours eu envie d'essayer, sans avoir eu le courage d'aller plus loin quand la situation s'y prêtait, pour prometteuse qu'elle fût.

J'étais entraînée par le prosecco et l'évidente assurance sexuelle de Lauralynn. Elle en avait assez pour nous deux.

— Ce n'est pas mon mec, ai-je fini par dire en la regardant droit dans les yeux.

— Parfait.

Dix minutes plus tard, nous étions dans un taxi noir qui roulait à vive allure vers South Kensington.

Elle n'avait pas l'air fauchée, ai-je pensé en découvrant son appartement. Il était ancien, comme quasiment tout à Londres, mais bien plus spacieux que la plupart de ceux que j'avais visités, et c'était un duplex. La décoration était à la hauteur de ce que j'avais imaginé : raffinée, sophistiquée, blanche, sans chichis. Le résultat aurait pu être froid mais je sentais de l'humour sous le masque de Lauralynn et j'avais l'impression qu'elle faisait beaucoup d'efforts pour dissimuler qui elle était vraiment.

Elle m'a observée examiner les alentours.

— Réduction du bruit, a-t-elle expliqué. C'est pour ça que j'ai emménagé ici.

— Comment ça ?

— L'appartement est très bien isolé.

— Oh.

— On n'entend pas les cris, a-t-elle ajouté avec un sourire coquin. Mes anciens voisins se plaignaient sans arrêt, alors j'ai déménagé.

J'ai réprimé un sourire. J'étais toujours amusée de voir le prosaïque rencontrer l'obscène. L'univers dont je faisais à présent partie semblait ténébreux et glamour vu de l'extérieur, mais ses membres, comme le reste du monde, devaient jongler entre leur vie quotidienne et leur passe-temps pour le moins inhabituel, payer leur loyer, expliquer la présence d'instruments étranges à des colocataires et des propriétaires curieux, et apprendre à pratiquer leur art dans des endroits parfois très ordinaires.

Lauralynn a disparu dans la cuisine ; j'ai entendu le tintement des glaçons dans un verre et le bruit d'une bouteille qu'on ouvrait.

— Assieds-toi, a-t-elle ordonné en me tendant un lourd gobelet en verre, désignant un coûteux canapé d'angle en cuir blanc, qui occupait quasiment deux murs. Je vais enfiler une tenue plus… appropriée.

J'ai acquiescé et bu une gorgée. C'était de l'eau minérale. Elle avait peut-être remarqué que le prosecco m'était un peu monté à la tête. L'alcool et la perversion sexuelle ne font pas bon ménage, et c'était l'une des raisons pour lesquelles je faisais autant confiance à Dominik : il ne buvait jamais.

Elle s'est tournée vers moi au moment de mettre le pied sur la première marche de l'escalier.

— Oh, Summer ?

— Oui ?

— J'ai invité un ami.

Elle m'a laissée ruminer pendant vingt minutes, que j'ai passé à guetter le bruit de la sonnette et à me demander ce que je ferais s'il arrivait avant que Lauralynn redescende. J'en ai profité aussi pour me rafraîchir dans les toilettes du rez-de-chaussée.

Allait-elle me faire un cunnilingus ? Dans le doute, je me suis lavée rapidement. Attendait-elle que ce soit moi qui la lèche ? J'étais une suceuse expérimentée, une tâche que j'appréciais tout particulièrement parce qu'elle me donnait du pouvoir sur les hommes : même si c'était moi qui étais à genoux, ils étaient prisonniers de ma bouche et je leur procurais tant de plaisir qu'ils semblaient en oublier tout le reste. Mais je n'avais jamais posé ma langue sur une femme et je n'étais pas certaine de savoir quoi faire. J'ai grimacé en pensant à quel point il était difficile pour mes amants de me faire jouir, ce qui n'arrivait que si j'étais dans le bon état d'esprit, et encore. Serais-je capable de mener Lauralynn à l'orgasme ? De toute façon, je n'étais même pas sûre que ça fasse partie de son scénario.

Pour le peu que j'en savais, la relation entre soumis – ou esclaves – et maîtresses n'était pas sexuelle, mais il s'agissait plutôt d'une histoire de pouvoir, une danse complexe qui mettait en jeu obéissance et adoration d'un côté, autorité bienveillante et théâtrale de l'autre. Comme toujours dans les rapports de ce type, on avait l'impression que la dominatrice était aux commandes, mais elle se pliait en quatre pour s'adapter à la psychologie et aux besoins particuliers de chacun de ses clients.

Ce n'était pas un métier facile, mais si j'en croyais les pièces à la décoration impersonnelle et faciles à nettoyer, c'était celui de Lauralynn.

J'ai entendu le bruit de ses talons et je me suis hâtée de finir ma toilette. Quand je suis sortie des toilettes, elle ouvrait la porte d'entrée.

Elle portait à présent une combinaison intégrale en latex, sans masque, et elle était sublime. Elle avait enfilé une autre paire de bottes aux talons tellement démesurés que je m'étonnais de la voir marcher sans trébucher. Elle avait lissé ses cheveux et leur avait appliqué un gel brillant : ils formaient un rideau qui épousait tous ses mouvements. Elle semblait sortir tout droit d'un film de super-héros.

Une déesse. Je comprenais pourquoi un homme aurait eu envie de la vénérer. *Même les fleurs s'inclineraient sur son passage*, ai-je pensé.

— Marcus, a-t-elle salué le nouvel arrivant.

Elle s'était légèrement déplacée, afin que je puisse le voir.

Il était de taille et de corpulence moyennes, pas mal mais pas extraordinaire. Sa tenue était banale : un jean et un polo blanc bien repassé. Il ressemblait à des centaines d'autres hommes. C'était le genre de type qu'on ne reconnaîtrait jamais lors d'une identification au commissariat.

— Maîtresse, a-t-il répondu avec un profond respect en s'inclinant pour lui baiser la main.

— Entre.

Elle lui a tourné le dos, impérieuse, et il l'a suivie comme un chien suit son maître. Elle me l'a présenté et il m'a baisé la main aussi. C'était totalement inhabituel pour moi et j'ai été gênée par cette démonstration de soumission. J'avais envie de lui expliquer que je n'étais pas une *dom* mais l'expression de Lauralynn m'en a dissuadée. C'était son jeu et il n'était pas question que je gâche quoi que ce soit.

Marcus et moi lui avons emboîté le pas jusqu'en haut de l'escalier.

— À genoux, a-t-elle ordonné à Marcus, qui a immédiatement obtempéré. Interdiction de regarder sous sa jupe.

Il y avait donc une hiérarchie : Lauralynn en *dom*, moi en complice et Marcus en soumis, esclave ou serviteur – je n'étais pas assez expérimentée pour faire la différence, si toutefois il en existait une.

— Assieds-toi, Summer.

Elle a fait un geste vers le lit *king size*, entièrement noir, qui rompait théâtralement avec la blancheur du rez-de-chaussée. Les hommes n'avaient sans doute pas le droit de jouir dans ce lit, ou ce ne devait pas être une mince affaire de nettoyer les draps.

Je me suis assise.

— Lave-lui les pieds, a-t-elle intimé à Marcus, toujours agenouillé, bien droit, qui attendait les ordres avec l'impatience d'un chien qui entrevoit une récompense.

Je me suis penchée pour enlever mes chaussures.

— Non, a-t-elle dit. C'est lui qui va le faire.

Marcus a marché à quatre pattes jusqu'à la salle de bains attenante où Lauralynn avait préparé un bol et un chiffon. J'ai eu l'impression qu'il avait déjà fait ça avant.

Il est revenu, toujours à genoux, le bol dans une main, le chiffon élégamment posé sur l'autre bras, comme un serveur.

Il a saisi l'un de mes pieds et m'a déchaussée en évitant soigneusement de me regarder, les yeux rivés sur un point du sol. Il avait la main légère et habile, surtout si on pensait qu'il accomplissait sa tâche quasiment en aveugle; il aurait pu être esthéticien – peut-être son vrai métier.

C'était assez agréable mais je n'étais pas du tout à mon aise. J'ai essayé de paraître satisfaite, histoire de ne pas montrer à Marcus qu'il déployait ses efforts en vain, même si, qui sait, il n'attendait peut-être que ça. Lauralynn ne me quittait pas des yeux en arpentant la pièce, souple comme une panthère dans sa combinaison si brillante que je pouvais y voir mon propre reflet, quand elle s'approchait suffisamment de moi. Elle s'était munie d'une cravache, qu'elle agitait parfois devant nous, comme une menace ou une promesse.

Marcus a enfin achevé sa tâche et j'ai soupiré de soulagement.

— Merci, lui ai-je dit gentiment.

— Ne le remercie pas, est intervenue Lauralynn. Debout, a-t-elle ordonné en mettant la cravache sous le menton de Marcus.

Il a obéi.

— Déshabille-toi, a-t-elle ajouté.

Il a ôté son jean et son tee-shirt avec servilité. Il était agréable à regarder, il avait ce qu'il fallait où il fallait, un corps mince et musclé, mais je ne le trouvais absolument pas séduisant.

Alors que Lauralynn me coupait le souffle et m'excitait, mes sentiments pour Marcus hésitaient entre l'ambiguïté et la répulsion. Il avait l'air trop vulnérable, debout, nu, dans l'attente des ordres de la jeune femme, comme un félin pris dans les filets des chasseurs.

Était-ce ce que les autres voyaient en moi quand je me soumettais? *Peut-être.* Mais peut-être que tout dépendait de la personnalité de celui qui regardait. Apparemment, je n'étais pas du tout attirée par les hommes soumis. Et, si l'on considérait mon passé, ce n'était pas vraiment une surprise. Tout le monde avait ses propres pulsions.

—Sur le lit, aboya Lauralynn, qui lui tournait autour comme un prédateur encercle sa proie.

Marcus se précipita.

Elle se pencha sur lui et lui noua un foulard sur les yeux, dont elle vérifia s'il tenait bien avec une caresse, comme on rassure un animal que l'on s'apprête à punir.

—Attends notre retour.

Elle le laissa là et me fit signe de la suivre dans la salle de bains. Elle ferma la porte derrière nous et se pencha devant le placard sous le lavabo, d'où elle sortit d'un emballage plastique, deux gros godes noirs attachés à un harnais. J'avais déjà vu ce genre d'objets dans les sex-shops et les films pornographiques, mais jamais en vrai. Et si j'avais assisté à des scènes lesbiennes dans certaines fêtes, la pénétration avait toujours été purement hétérosexuelle. C'était d'ailleurs bien dommage: j'aurais bien aimé voir deux femmes – ou deux hommes – baiser comme ça.

Lauralynn m'a tendu un des godes et j'ai enfin compris.

—Attache-le, a-t-elle ordonné.

— Tu plaisantes ? Je ne peux pas l'enculer !

— Tu serais surprise de découvrir ce que tu peux faire, crois-moi. Et il adore ça en plus : tu lui rendras service.

Elle m'a de nouveau regardée et son expression s'est adoucie.

— D'accord, a-t-elle cédé. Je te laisse le choix. Devant ou derrière ?

— Devant, ai-je répondu en pensant que j'aurais préféré rien du tout.

J'ai tout de même saisi le harnais, qui était plus lourd que ce à quoi je m'attendais.

Ce n'était pas gagné.

— Je dois me déshabiller ?

— Non. Il n'a pas le droit de voir une femme nue. Reste habillée, au cas où le foulard glisserait.

Pourquoi une telle règle ? me suis-je demandé. J'ai supposé que ça rendait Lauralynn encore plus intouchable, s'il ne pouvait jamais apercevoir ce qui la rendait vulnérable, à savoir sa peau.

À présent harnachées, nous avons regagné la chambre, où Marcus patientait sagement, à quatre pattes sur le lit, offert. J'ai dégluti. Je n'étais pas certaine de pouvoir faire ce que Lauralynn attendait de moi, mais maintenant que je m'étais engagée, pas question de reculer et de la laisser tomber.

Sanglée dans le gode, elle était magnifique. Elle le portait comme si c'était naturel, ce qui, d'une certaine manière, l'était pour elle. J'ai soudain envié Marcus. Je brûlais de me mettre à quatre pattes devant elle et de sentir cette grosse queue noire me dilater. Elle ne risquait pas de débander, ai-je pensé avec une jalousie teintée de colère. Marcus avait pris ma place et ça me rendait furieuse.

Je ne savais pas à quoi je ressemblais ainsi accoutrée mais j'étais gênée, embarrassée par le harnais trop grand, qui faisait rebondir le gode quand je marchais.

Lauralynn s'était déjà placée derrière Marcus. Elle avait fait pivoter son cul de manière qu'il soit face à elle et je l'ai regardée enfiler un gant en latex sur une main, avant d'étaler du lubrifiant sur son index et son majeur. Quand il a entendu le gant claquer sur son poignet, Marcus a gémi de plaisir anticipé, les fesses cambrées.

Elle a inséré un doigt puis deux dans son anus avec un plaisir évident.

— Qu'est-ce qu'on dit, misérable esclave ? a-t-elle crié.

— Merci, maîtresse, merci !

Il s'est mis à aller et venir sur ses doigts, ses couilles frappant durement la paume de la main de Lauralynn.

Cette dernière m'a fait signe de me placer face à lui.

— Ouvre la bouche et suce la bite de la dame, esclave.

Je me suis légèrement avancée afin qu'il puisse atteindre le gode, qu'il a avidement pris en bouche. J'ai commencé à faire des va-et-vient.

— Tu es prêt pour ma queue ? a demandé Lauralynn en ôtant ses doigts de son anus.

Elle a soigneusement retiré le gant, qu'elle a mis de côté dans un mouchoir. C'est alors que j'ai remarqué qu'elle avait placé une serviette sous le sexe maintenant complètement dressé de Marcus. C'était donc comme ça qu'elle gardait ses draps propres.

Marcus a gémi quand Lauralynn l'a pénétré. C'était un cri guttural, un mélange de douleur et de plaisir. La jeune femme s'est mise à le chevaucher.

Nos regards se sont croisés et elle n'a pas baissé les yeux.

— Baise-le, a-t-elle ordonné.

J'étais à la fois excitée et furieuse. Je voulais que Lauralynn me baise, moi, et pas cet homme pathétique et gémissant. J'aurais dû être celle qui écartait les jambes pour elle, pas lui.

Je l'ai saisi par le bandeau et j'ai poussé le gode le plus loin possible dans sa gorge, l'étouffant.

« Voilà l'effet que ça fait ! avais-je envie de crier. Tu aimes ça, pauvre type ? »

Je l'ai entendu suffoquer et j'ai relâché mon emprise sur lui, mais il a continué à sucer le gode le plus profondément possible.

Lauralynn s'est penchée pour me saisir par les épaules et, ce faisant, a donné un dernier coup de reins puissant.

Marcus a ôté sa bouche de mon gode et a joui avec un cri, éjaculant sur la serviette, ratant de peu ma jupe. Lauralynn s'est retirée doucement et il s'est effondré sur le lit. Elle s'est alors inclinée vers lui retirer le bandeau et lui caresser gentiment la tête.

— Brave garçon, a-t-elle dit. Ça t'a plu ?

— Oh, oui, ma maîtresse.

— « Mes maîtresses », l'a-t-elle fermement repris.

J'ai froncé les sourcils et l'ai suivie dans la salle de bains, laissant Marcus récupérer.

— Alors, Summer Zahova, a-t-elle dit avec un sourire ironique tout en détachant son harnais, on n'est pas si soumise que ça, en fin de compte, non ?

Deux heures plus tard, j'étais de retour chez moi, pelotonnée dans mon lit et je contemplais par la fenêtre la vision pour le moins banale qui s'offrait à moi, comme si le mortier et les briques du mur de l'immeuble d'en face allaient me délivrer un quelconque message.

La chasseuse de têtes néo-zélandaise dont m'avait parlé Lauralynn avait laissé un message sur mon répondeur afin de me proposer de passer une audition pour le poste à New York. Je n'avais pas postulé officiellement, mais je soupçonnais Lauralynn de l'avoir appelée dès que j'avais quitté son appartement.

Je rêvais de me rendre à New York depuis toujours et j'attendais une proposition aussi alléchante depuis des années, mais je commençais juste à me sentir chez moi à Londres et à m'intégrer, même si les événements s'étaient récemment compliqués avec Dominik et maintenant Lauralynn.

Je ne savais plus qui j'étais ni qui je voulais être. Le seul point fixe de ma vie était mon violon, mon merveilleux Bailly, et je n'avais pas l'impression qu'il m'appartenait totalement. Je ne pouvais pas en jouer sans penser à Dominik.

Mon étui à violon était posé dans un coin, évoquant non plus une source de joie mais plutôt une accusation muette.

Je me sentais terriblement coupable de ce qu'il s'était passé avec Lauralynn. La seule chose que Dominik avait exigée de moi était que je sois honnête et je ne l'avais pas été, du moins, je prévoyais de ne pas l'être. Comment lui raconter mon expérience avec l'esclave de Lauralynn et le gode ? C'était aux antipodes de ce qu'il savait de moi. Il penserait qu'il ne me connaissait pas du tout.

Je devais prendre mon service dans deux heures et je ne pouvais pas me permettre d'être distraite. Je n'avais pas été tout à fait moi-même ces dernières semaines ; je n'étais pas aussi gaie et aussi souriante que d'habitude, prise que j'étais dans les bouleversements de ma vie. J'avais reçu un avertissement informel quelques jours auparavant, juste après ma dernière interprétation chez Dominik, qui m'avait tellement bouleversée que j'avais cassé plusieurs verres et m'étais trompée en rendant la monnaie à quelqu'un puisque la caisse, que j'avais tenue, était fausse de 20 livres.

Pour me détendre, j'ai enfilé mon survêtement et mes baskets, et je suis sortie courir. J'ai pris la direction du Tower Bridge, remonté le chemin qui longe la Tamise, traversé le pont du Millenium et suis revenue de l'autre côté, le tout en écoutant un groupe américain, les Black Keys, histoire de m'aider à prendre une décision. C'était l'un des groupes préférés de Chris, que j'avais rencontré à l'un de leurs concerts, lors de ma première semaine à Londres.

J'ai appelé Chris en rentrant et je suis tombée sur sa messagerie. Je ne l'avais pas vu depuis la fête chez Charlotte et plus je m'enfonçais dans le monde fétichiste, plus je craignais de ne pas pouvoir assumer mes deux vies et de ne pas être en mesure d'entretenir notre amitié sans lui cacher tout un pan de mon existence qu'il serait incapable de comprendre.

La course m'avait un peu détendue mais j'étais toujours fatiguée en arrivant au restaurant. J'ai essayé de me déconnecter, de ne penser à rien en dehors du ronronnement de la machine à café, du bruit du filtre à expresso qui s'emboîtait et du murmure du lait moussant dans le pichet.

Il n'a pas fallu longtemps à ma singulière faculté d'autohypnose pour se mettre en branle. J'étais absorbée dans la longue litanie des cafés au lait et des cappuccinos quand plusieurs hommes sont entrés et se sont assis sans attendre d'être placés. Si j'en croyais leur arrogance et la coupe de leurs costumes, c'étaient des banquiers ou des commerciaux, ai-je pensé quand j'ai fini par les remarquer.

—Summer, tu peux nous filer un coup de main, s'il te plaît ?

Je suis sortie de ma rêverie pour constater que l'autre serveuse était toujours en pause et que mon patron était occupé à encaisser une table. Il a fait un geste vers les nouveaux arrivants, et j'ai momentanément abandonné le comptoir pour leur apporter les menus.

Deux d'entre eux étaient déjà ivres : ils riaient trop fort et avaient le front moite. Peut-être avaient-ils ouvert une bouteille de champagne au bureau, histoire de fêter un nouveau contrat.

Comme je tournais les talons, celui qui faisait le plus de bruit m'a saisie par le poignet.

— Tu sais quoi, chérie ? C'est l'anniversaire de notre pote, a-t-il déclaré en désignant un homme visiblement embarrassé et encore sobre. On pourrait peut-être avoir droit à une petite gâterie, si tu vois ce que je veux dire ?

J'ai dégagé mon bras de son emprise et lui ai souri gentiment.

— Bien sûr. Votre serveuse arrive avec le menu des desserts.

J'ai commencé à m'éloigner. La queue des amateurs de café ne cessait de s'allonger, et la plupart des gens ne plaisantaient pas avec leur dose de caféine, surtout quand ils voulaient l'emporter.

— Oh, non, chérie, a-t-il repris. Dis-nous tout de suite ce qu'il y a en dessert.

Le type dont c'était l'anniversaire a remarqué ma gêne et a tenté d'intervenir.

— Ce n'est pas elle qui s'occupe de notre table, a-t-il chuchoté, furieux, à son ami. Laisse-la tranquille.

Sa voix a réveillé en moi un vague souvenir.

C'est alors que je l'ai remis. C'était l'anonyme qui m'avait fouettée au club échangiste où je m'étais rendue seule, le jour où j'avais joué nue devant Dominik pour la première fois. J'aurais reconnu cette voix n'importe où : elle était gravée à jamais dans ma mémoire avec le reste de l'expérience, à l'époque si nouvelle pour moi.

Il m'a reconnue au même moment ; nous nous sommes regardés de manière un peu trop appuyée et son copain a compris que nous n'étions pas des étrangers.

— Attends. Vous vous connaissez ?

Il avait haussé le ton et les autres clients parlaient plus bas pour nous écouter, même s'ils n'osaient pas nous dévisager.

L'homme que je venais de reconnaître a rougi violemment et son pote a grimacé : je me suis demandé s'il n'avait pas reçu un coup de pied sous la table.

— Ferme-la, Rob.

Le Rob en question a fait exactement l'inverse, peut-être irrité par mon air de défi.

— Oh, mais bien sûr ! s'est-il écrié en frappant la table du plat de la main, si fort que sa fourchette a rebondi. C'est la fille du club de tarés où on est allés ! Joli cul, ma poule !

Joignant le geste à la parole, il a tendu la main pour me peloter. J'ai esquivé, heurtant son bras sans le faire exprès : son gros bouton de manchette s'est alors accroché à la nappe de la table voisine. Il a tiré, renversant sur la jeune femme attablée non loin de lui la bouteille de vin posée sur la nappe.

C'était du vin rouge et, s'il fallait en juger par le tailleur chic de la cliente, il devait être hors de prix. Elle s'est levée brusquement, furieuse, et j'ai profité du désordre pour la conduire aux toilettes afin qu'elle puisse nettoyer ses vêtements.

— Ce n'est pas votre faute, a-t-elle dit sombrement en savonnant son chemisier. Ce type est un sombre connard : je le sais, je bosse avec lui.

Elle n'était pas aussi sophistiquée que je l'avais cru de prime abord.

J'avais vu mon patron se diriger vers la table quand j'avais escorté la cliente et je savais que tout devait être rentré dans l'ordre. Le problème, c'était que pour lui, la règle « le client est roi », n'était pas un vain mot. Je savais qu'il offrirait le vin, et probablement aussi le repas, à la jeune femme et ses amis, et il y en avait pour plusieurs centaines de livres.

Je n'étais pas certaine de pouvoir m'expliquer cette fois-ci.

J'ai quitté les toilettes, décidée à affronter la tempête la tête haute, et j'ai vu le groupe d'hommes quitter le restaurant. Rob avait l'air très content de lui et le sourire de commande de mon patron dissimulait de toute évidence de la colère.

— Summer, a-t-il dit quand la porte s'est refermée sur eux, je veux te parler.

Il a fait un geste en direction de la salle des employés.

— Écoute, a-t-il commencé une fois que nous nous sommes retrouvés seuls, ce que tu fais de ton temps libre ne me regarde pas. Et ce gars était un abruti fini.

J'ai ouvert la bouche mais il m'a arrêtée d'un geste.

— Mais si ta vie privée devient publique, a-t-il poursuivi, qui plus est dans mon restaurant, alors ça me concerne. Tu ne peux plus travailler ici, Summer.

— Mais ce n'est pas ma faute ! Il a essayé de me mettre la main aux fesses ! Qu'est-ce que j'aurais dû faire ?

— Peut-être que si tu étais plus…, je ne sais pas, moi, discrète, ce ne serait pas arrivé.

— Comment ça, discrète ?

— Écoute, ce que tu fais en dehors de mon établissement ne me regarde pas, mais fais attention. Tu vas finir par t'attirer des ennuis.

— Parce que perdre mon job, ce n'est pas un ennui ?

— Je suis désolé.

J'ai attrapé mes affaires et j'ai quitté le restaurant.

Que cet abruti et ses mains baladeuses aillent au diable ! J'étais vraiment dans le pétrin. J'avais déjà obtenu un délai pour payer mon loyer, qui était de plus fort bas. Je ne voulais pas donner au propriétaire une bonne raison de m'expulser. Or, si j'étais en retard une nouvelle fois, c'était ce qui risquait de m'arriver.

Merde.

Je ne pouvais pas appeler Chris. Si je lui téléphonais, je serais obligée de tout lui raconter et je n'avais pas envie de l'entendre me faire la leçon sur ma façon de vivre. J'aurais pu faire appel à mes parents en Nouvelle-Zélande, mais je ne voulais pas les inquiéter ; sans compter que je leur avais menti en leur disant que tout allait pour le mieux, histoire qu'ils cessent de me supplier de rentrer à la maison. Charlotte me filerait sans aucun doute un coup de main, mais j'étais trop fière pour réclamer quoi que ce soit et j'avais peur qu'elle ne se serve de l'argent comme d'un moyen de pression à mon encontre. Il y avait bien le job à New York, mais je devais d'abord passer l'audition, et je me doutais que la concurrence serait rude.

Restait Dominik.

Pas question de lui demander de l'argent – jamais – mais j'avais désespérément besoin de le voir : sa voix apaiserait mes angoisses et me permettrait de réfléchir posément. J'étais tendue comme un arc, nouée partout, le cerveau en ébullition. Rien ne pourrait me faire plus de bien que m'abandonner aux mains de Dominik : j'avais besoin qu'il me baise avec ce mélange de rage et de tendresse qui me rendait si vivante.

Mais après l'épisode avec Lauralynn, comment le regarder en face ?

Je n'avais d'autre choix que de tout lui avouer. Mon estomac se tordait à cette idée, mais c'était ça ou vivre avec la culpabilité pour toujours, et je ne pouvais pas la laisser se mettre entre mon violon et moi. Si je ne pouvais plus jouer, je mourrais.

Je suis rentrée chez moi, j'ai pris une douche rapide et enfilé des vêtements qui passeraient inaperçus sur le campus tout en montrant à Dominik que je lui appartenais. J'ai donc remis la tenue que je portais pour lui la dernière fois que nous nous étions vus : un jean, un tee-shirt, des ballerines et mon rouge à lèvres de jour. J'espérais qu'il s'en souviendrait : je m'étais donnée entièrement cette fois-là.

J'ai recherché en ligne les universités du nord de Londres et trouvé le cours de littérature de Dominik. J'ai pensé qu'il y aurait sur place un tableau indiquant les salles, comme au Conservatoire. Je le trouverais.

Ça m'a pris un peu de temps, mais j'ai fini par dénicher sa salle, juste au moment où il commençait son cours.

Il avait beaucoup d'élèves, surtout des filles, très séduisantes pour la plupart, et quand il s'est éclairci la voix et s'est mis à parler, elles lui ont jeté des regards pleins de désir. J'ai ressenti une vive bouffée de jalousie et je me suis assise au premier rang, en face de lui. J'avais envie de me lever et de hurler qu'il était à moi mais je ne l'ai pas fait. Je savais qu'il ne m'appartenait pas plus que je ne lui appartenais, et au fond, possède-t-on jamais vraiment quelqu'un ?

Il ne m'a pas remarquée tout de suite, concentré comme il l'était sur son propos. Quand il m'a vue, quelque chose a brillé dans ses yeux – de la colère ? du désir ? – puis il s'est détendu et a continué comme si de rien n'était. Je n'avais pas lu le roman dont il parlait mais je me suis laissé bercer par le rythme de ses phrases et la musicalité de sa voix. Il avait tout du chef d'orchestre, il modulait son timbre, accélérait parfois son débit : je comprenais pourquoi c'était un professeur populaire. Son regard m'effleurait de temps à autre et je mettais un point d'honneur à ne pas réagir, immobile et silencieuse, espérant en mon for intérieur qu'il se souvienne de la dernière fois qu'il m'avait vue vêtue et maquillée ainsi, et de ce qu'il avait fait avec l'autre bâton de rouge, décorant mes tétons et mon sexe. *Marquée. À lui.*

Le cours s'est achevé et les étudiants ont quitté la salle. J'ai retenu mon souffle. S'il choisissait de m'ignorer, je n'aurais plus qu'à rentrer chez moi.

— Summer, a-t-il dit par-dessus le bruit des sacs et des livres.

J'ai descendu les quelques degrés qui me séparaient de sa chaire, derrière laquelle il rangeait ses affaires.

Il s'est redressé et m'a lancé un regard peu amène.

— Que faites-vous ici ?

— Il fallait que je vous voie.

Son expression s'est adoucie devant mon évidente détresse.

— Pourquoi ?

Je me suis assise sur la première marche, et il est resté debout, me dominant de toute sa hauteur. Je lui ai tout raconté, Lauralynn, son esclave, le gode, la façon dont je l'avais violemment enfoncé dans la bouche de Marcus et dont ça m'avait plu, mais surtout mon désir d'être à lui, rien qu'à lui.

J'ai tout avoué, à l'exception du job à New York et de mon chômage récent. Même assise à ses pieds, dans le monde auquel il appartenait, j'étais trop fière pour ça.

— Vous n'auriez pas dû venir ici, Summer, a-t-il commenté.

Il a ramassé son cartable et il est sorti.

Il m'a envoyé un texto un peu plus tard. J'étais rentrée chez moi et, étendue sur mon lit, l'étui du violon serré contre moi, j'espérais envers et contre tout que quoi qu'il se passe entre Dominik et moi, je pourrais garder le Bailly. Je ressentais une grande honte à l'idée de lui extorquer quoi que ce soit.

C'est alors que mon téléphone a bipé. Dominik s'excusait.

« Je suis désolé. Vous m'avez pris au dépourvu. Pardonnez-moi. »

« D'accord », ai-je répondu.

« Vous donnerez-vous en spectacle encore une fois pour moi ? »

« Oui. »

Il m'a adressé un autre message plus tard avec le lieu, la date et l'heure. Le lendemain, dans un nouvel endroit, pas chez lui.

Il m'a demandé de fournir un public de mon choix. Était-ce une façon de tester ma détermination ?

J'ai compris qu'il voulait répéter la formule de nos précédents rendez-vous, remonter le temps et reprendre où nous nous étions arrêtés.

Qui pouvais-je inviter ? *Certainement pas Lauralynn.* Ça ne ferait que jeter de l'huile sur le feu.

Il restait Charlotte, même si j'étais réticente à l'idée de l'inclure dans cette situation délicate. Elle avait une façon bien à elle de prendre les choses en main, et elle n'avait pas suffisamment d'empathie pour remarquer une éventuelle tension entre Dominik et moi, mais je ne voyais vraiment pas à qui je pouvais faire une proposition pareille en dehors d'elle. J'avais évidemment rencontré d'autres personnes dans les clubs, mais nous étions loin d'avoir franchi le cap de l'amitié.

— Oh, génial, a commenté Charlotte. Je peux venir avec un ami ?

— Je pense que oui, ai-je répondu.

Il avait bien précisé que je devais trouver un auditoire et ce serait gênant si cet auditoire était uniquement composé de Charlotte, sans compter qu'elle serait moins envahissante accompagnée.

Je voulais avant tout coucher avec Dominik, mais aussi lui prouver que notre étrange arrangement pouvait fonctionner : il avait réclamé un public, je lui en fournirais un.

Je portais ma longue robe en velours noir, celle que j'avais mise lors du concert dans le kiosque à Hampstead, et j'ai emporté mon Bailly. Je me suis soudain rendu compte qu'il ne me l'avait pas spécifiquement ordonné, mais il avait parlé de « spectacle », ce qui devait donc signifier qu'il s'attendait à ce que je joue. Et puis de toute façon, mes bras étaient vides sans mon violon.

L'adresse qu'il m'avait donnée correspondait à une garçonnière huppée, anonyme et peu décorée du nord de Londres, comprenant une kitchenette, une salle de bains et une partie salon assez spacieuse avec des canapés en cuir autour d'une table basse en verre, des tapis et un lit *king size* dans un coin.

Le studio était bondé, Charlotte ayant invité une quinzaine de personnes, dont Jasper, le sublime escort boy. Était-il payé à l'heure?

Et Chris.

Oh, non. Pourquoi?

J'ai remarqué avec soulagement que Dominik avait l'air satisfait. Il est venu droit vers moi et m'a embrassée sur les lèvres en m'attrapant gentiment par les épaules.

—Summer, a-t-il dit, manifestement aussi soulagé que moi.

Peut-être avait-il craint que je ne vienne pas.

Chris, Charlotte et Jasper bavardaient avec animation. Tout à leur conciliabule, ils ne m'avaient pas vue. *Tant mieux.* Ça me laissait le temps de parler à Dominik.

Mais avant que j'aie eu la possibilité d'ouvrir la bouche pour suggérer que nous allions discuter en privé, Charlotte a fondu sur moi et m'a enlacée.

— Summer ! s'est-elle écriée. La fête peut commencer.

Chris m'a prise par la taille à son tour et m'a fait une bise affectueuse sur la joue.

J'étais cernée. Une expression de frustration a fugitivement assombri le visage de Dominik mais il s'est rapidement ressaisi et a disparu dans la cuisine, suivi par Charlotte, dont l'air encore plus coquin que d'habitude ne me disait rien qui vaille. Qu'est-ce qu'elle pouvait bien avoir en tête ? J'ai jeté un coup d'œil autour de moi et vu des couples peu vêtus mais pas encore en train de baiser, malgré l'atmosphère chargée de tension sexuelle. Ce n'était pas du tout le genre de Dominik. Je me suis demandé ce qui était de son fait et ce qui venait de Charlotte : je soupçonnais cette dernière d'être responsable de tout ça.

Aucune importance : quand je jouerais, je les oublierais tous.

Chris avait l'air content de me voir et il a tenté de faire la conversation, mais j'étais perturbée par le tête-à-tête de Dominik et Charlotte dans la cuisine. Ils étaient en pleine conversation : de quoi pouvaient-ils bien parler en dehors de moi ? L'impassibilité habituelle de Dominik en faisait un homme difficile à déchiffrer, mais je pouvais voir, à ses lèvres serrées, qu'il n'était pas content de la tournure que la discussion avait prise, ce qui n'empêchait nullement Charlotte de poursuivre.

— La Terre à Summer… On accorde les instruments ? a demandé Chris en me secouant légèrement l'épaule.

— Bien sûr, ai-je répondu en saisissant mon étui à violon et en me dirigeant vers l'endroit où il avait posé son alto et qui, je le supposais, serait notre scène improvisée.

C'est alors que Dominik m'a appelée.

— Summer, venez ici.

J'ai posé mon étui et l'ai rejoint.

— Vous ne jouerez pas ce soir. Du moins, pas du violon.

Il s'est penché et m'a embrassée sur la bouche. Du coin de l'œil, j'ai aperçu Charlotte, qui avait l'air très fière d'elle. Je ne savais toujours pas de quoi ils avaient discuté, mais elle avait manifestement remporté le duel. Dominik était nerveux et sa température avait monté : je sentais la chaleur qui s'exhalait de son corps. Je n'aurais pas été surprise de le voir se mettre à fumer.

J'ai entendu le bruit d'un briquet.

J'ai sursauté.

Charlotte a sorti un sac contenant des cordes et des harnais. Elle m'avait dit que le sujet l'intéressait suffisamment pour qu'elle lise des bouquins qui lui étaient consacrés et j'ai espéré qu'elle avait pris le temps de suivre des cours pratiques avant d'attacher une pauvre victime consentante.

Elle a poussé la table basse de quelques centimètres et est montée dessus, offrant à toute l'assemblée une vue imprenable sur ses jambes fuselées et bronzées ainsi que ses fesses fermes, complètement visibles sous sa longue robe blanche entièrement transparente. Elle ne portait pas de sous-vêtements, mais après tout, moi non plus, et il fallait bien reconnaître qu'elle avait des jambes sublimes.

Dominik m'a serré la main d'une manière rassurante. J'étais pour le moins inquiète. Charlotte était descendue de la table, qu'elle avait éloignée le plus possible, après avoir fixé une corde à un anneau dans le plafond.

— Vous voulez bien faire ça pour moi ? a demandé Dominik.

Je ne savais pas ce qu'il attendait de moi, mais quoi que ce soit, j'étais prête à obtempérer. Je me méfiais de Charlotte quand elle était dans cet état-là, mais j'avais une confiance aveugle en Dominik, même si son comportement était pour le moins étrange.

Charlotte m'a poussée, les mains sur mes épaules, jusqu'à ce que je sois juste sous la corde.

— Lève les mains. N'aie pas peur, tu vas adorer ça.

J'ai supposé qu'elle allait me suspendre.

— Déshabille-la d'abord, a suggéré une voix malicieuse.

Charlotte a obéi, a fait glisser mes fines bretelles et a descendu la fermeture Éclair avant que j'aie eu le temps de bouger. Ma robe s'est répandue en corolle autour de mes pieds. J'étais de nouveau nue en public, mais j'y étais parfaitement habituée à présent.

Heureusement, Chris semblait avoir disparu. Il en avait peut-être eu assez d'attendre, ou il avait fini par être effrayé par les invités, de plus en plus excités.

J'ai levé les bras et Charlotte a noué les deux extrémités de la corde autour de mes poignets, séparément puis ensemble, créant ainsi une paire de menottes compliquée. Elle a glissé un doigt entre la corde et mes poignets pour vérifier que la pression exercée n'était pas trop forte.

—Ça va? a-t-elle demandé. Ce n'est pas trop serré?

—Ça va, ai-je répondu.

Mes pieds étaient fermement plantés dans le sol et mes bras n'étaient pas complètement tendus, histoire que la position ne devienne pas trop vite douloureuse.

—Elle est toute à toi, a-t-elle annoncé à Dominik d'un air de conspiratrice.

J'ai entendu le bruit de l'eau, puis celui d'une porte que l'on ouvre et que l'on ferme.

Chris.

Il était juste aux toilettes.

Merde.

—Hé, a-t-il dit, furieux, à Dominik, qu'est-ce que tu fous, mec?

La question était adressée à Dominik, pas à moi. Il voyait bien pourtant que je ne me débattais pas, que j'étais consentante, que j'agissais de mon propre chef et non à la demande d'un homme.

J'ai été soudain envahie par la colère: il refusait de me comprendre, il voulait juste que je corresponde à l'idée qu'il avait de moi.

— Dégage, Chris! Je vais très bien! On va tous très bien! C'est toi qui ne peux pas comprendre!

— Regarde-toi dans une glace, Summer, tu es devenue un putain de monstre. Tu as de la chance que je vous laisse à vos jeux pervers, je pourrais très bien appeler la police!

Il a ramassé son alto et sa veste, et s'est précipité hors du studio en claquant la porte derrière lui.

— Et voilà pourquoi il ne faut jamais inviter de types ordinaires à une fête SM, a dit la même voix que tout à l'heure.

Il y a eu quelques rires et la tension a diminué.

Qu'il aille au diable! C'était mon corps et je faisais ce que j'en voulais, ce qui incluait tout ce que Dominik avait envie de lui faire.

Il a caressé mes cheveux, m'a embrassée légèrement sur les lèvres et a effleuré mes seins.

— Vous allez bien? a-t-il demandé.

— Je vais mieux que bien.

J'avais juste envie qu'il me baise, me détache et me laisse jouer du violon.

C'est alors qu'il a sorti un rasoir.

10

Un homme et sa part de ténèbres

Les corps et les esprits s'échauffaient.

Les paroles de Chris résonnaient encore aux oreilles de Summer. Elle était toujours sous le choc de ses accusations alors qu'une autre partie d'elle-même, plus libérée et plus inconsciente, lui en voulait de se permettre de la juger et de croire qu'il avait cerné la nature contradictoire de ses instincts.

Summer soupira et bougea ses pieds pour mieux répartir son poids. Elle chercha Dominik du regard. Il bavardait dans un coin de la pièce avec Charlotte, et ses mains effleuraient librement le corps quasiment dénudé de son amie. Jasper, entièrement nu, caressait son impressionnant sexe dressé tout en léchant la chatte de Charlotte. La jeune femme, prise en sandwich entre les deux hommes, ne paraissait pas le moins du monde décontenancée ; elle avait l'air de parfaitement maîtriser l'étrange situation. Dominik, toujours entièrement vêtu de noir, avait ôté sa veste, seule concession à la scène qui se déroulait, et le contact de son pull en cachemire devait très certainement être très doux contre les seins de Charlotte.

Dans la lumière tamisée, Summer pouvait voir et entendre tous les couples, éparpillés sur le sol, affalés sur le canapé, ou sur la grande table rectangulaire débarrassée des verres et des assiettes. Enlacés, ils soupiraient et gémissaient. Quelqu'un frôla ses cheveux en passant mais elle ne se retourna pas, et celui ou celle qui l'avait fait ne s'attarda pas et rejoignit un autre enchevêtrement de corps. Elle ne quittait pas des yeux le trio formé par Dominik, Charlotte et Jasper. De quoi pouvaient-ils bien parler ? D'elle ?

Les pensées de Summer s'emballèrent.

Ce qui avait débuté comme une étape supplémentaire dans la relation qui l'unissait à Dominik semblait rapidement avoir dégénéré.

Les trois membres du conciliabule se tournaient vers elle à intervalles réguliers et elle avait l'impression de les entendre rire, comme si elle était devenue la cinquième roue du carrosse.

Les souvenirs l'assaillirent : le concert privé à Hampstead, celui, nue, dans la crypte avec le quatuor, puis à nouveau nue mais seule, le jour où Dominik l'avait baisée pour la première fois, puis l'épisode, toujours vif dans sa mémoire, où elle avait joué déshabillée devant un spectateur inconnu (elle était à présent persuadée qu'il n'y avait eu qu'une autre personne dans la pièce ce soir-là et son instinct lui disait que c'était un homme), devant lequel Dominik l'avait sautée. Tous ces événements l'avaient menée ici et maintenant.

Qu'avait-elle espéré ? Attendu ? Un cruel palier de plus dans le rituel de leur étonnante relation ? Il lui avait vraiment manqué quand il était en Italie. Elle aimait son assurance tranquille et sa façon de lui murmurer des ordres. Son corps l'avait réclamé et elle avait cherché une compensation dans les clubs fétichistes.

Elle aurait voulu que cette soirée soit spéciale, et pas seulement une variation nouvelle, un événement théâtral tordu.

Summer frissonna. Elle sentait toujours la lame affûtée du rasoir sur sa chatte. Elle baissa les yeux sur la nouvelle nudité de son sexe. Elle tremblait, choquée. Finirait-elle par ne plus ressentir de gêne à l'idée d'avoir été rasée devant des étrangers, dévoilée de la manière la plus humiliante possible ? Elle avait vaguement espéré qu'après ça, Dominik la détacherait et lui permettrait au moins de jouer du violon, mais Charlotte avait pris les rênes de la soirée et Summer avait été abandonnée là, offerte et inutile, simple spectatrice de la luxure à laquelle elle avait bien involontairement donné naissance et qui s'était aussi rapidement que facilement répandue chez les invités, libérant tous les désirs. Dans la tête de Summer, une petite voix criait « Dominik, prends-moi tout de suite, baise-moi devant tout le monde », mais les mots ne parvenaient pas à franchir le rempart de ses lèvres closes et desséchées, parce que, en dépit de tout ce qu'ils avaient fait ensemble, elle ne voulait pas s'abaisser à le supplier. Il y avait, profondément enfouie en elle, l'idée qu'elle devait attendre qu'il lui en donne l'ordre.

Elle vit Charlotte embrasser Dominik, pendant que Jasper mordillait le lobe de l'oreille de la jeune femme. Les murmures érotiques d'un couple en train de faire l'amour sur le tapis juste derrière Summer résonnèrent dans la pièce.

À ce bruit, Dominik se dégagea de l'étreinte de Charlotte et se dirigea vers Summer. Il lui délia les mains sans un mot. Elle baissa les bras, reconnaissante : il l'avait libérée avant qu'une crampe se manifeste. Avec toute la délicatesse du monde, il déposa un baiser sur son front, et Charlotte fit son apparition.

— Tu étais très belle, ma chérie, dit-elle en lui caressant la joue. Absolument merveilleuse.

Summer espérait que Dominik ne la quitterait plus, mais Charlotte, suivie comme son ombre par Jasper toujours en érection, le prit par la main comme pour l'emmener ailleurs.

La circulation se rétablissant dans ses bras, Summer se sentit soudain envahie par une bouffée de jalousie : son amie ne voulait manifestement pas laisser Dominik tranquille. Ne voyait-elle pas que d'une façon étrange et inexplicable, il était à elle ? À Summer ? Pourquoi ne pouvait-elle les laisser tous les deux ? Tout ça ne regardait pas Charlotte, après tout.

— J'ai besoin d'un verre, finit par dire Dominik. Quelqu'un veut quelque chose ? Summer, un verre d'eau ?

Cette dernière acquiesça et il se dirigea vers la cuisine en enjambant des corps agités et en slalomant entre diverses activités charnelles.

Quand il eut disparu, Charlotte se pencha à l'oreille de Summer.

— J'aime bien ton mec, ma douce. Je peux te l'emprunter ?

Choquée, Summer sentit une colère silencieuse monter en elle. Dans d'autres circonstances, dans un bar, à une fête, partout ailleurs que dans une pièce remplie de couples en train de baiser, de se caresser et de se chevaucher en réponse à son exhibition forcée et son rasage cérémoniel, elle aurait protesté avec véhémence ; mais la nature perverse de cet environnement plein d'excès rendait toute objection impossible. Il y avait une étiquette à respecter dans les orgies.

Elle bouillait de rage intérieure, cependant. Comment Charlotte osait-elle ? N'était-elle pas supposée être son amie ?

Summer fulminait toujours quand Dominik revint et se dirigea vers eux avec précaution, verres en main.

Il tendit de l'eau à Summer, qu'elle but avidement. Charlotte, toujours collée par Jasper, posa une main possessive sur la taille de Dominik.

— Qu'est-ce qu'on s'amuse, hein ? dit-elle.

Cette phrase déclencha chez Summer un moment de folie.

Ou de méchanceté.

Elle donna le verre vide à Dominik, pivota pour se retrouver face à Jasper, baissa délibérément sa main gauche et saisit effrontément son sexe.

— Absolument, répondit Summer. Et le tout entre amis.

— C'est très sympa, renchérit Charlotte, qui avait remarqué le geste de Summer avec un sourire amusé.

Quelque part dans la pièce, quelqu'un jouit avec un soupir d'abandon.

Le membre de Jasper était incroyablement dur dans la main de Summer. Elle n'avait jamais tenu un pénis aussi ferme. Elle assura sa prise et vit Jasper sourire en retour : une vague de chaleur et de désir se répandit en elle. Summer se retint de regarder Dominik pour épier sa réaction.

Elle s'agenouilla, prit la longue queue épaisse de Jasper dans sa bouche et sentit son diamètre augmenter encore.

— Vas-y, l'encouragea Charlotte.

Summer sentait le regard de Dominik la transpercer.

Quel goût avait le sexe de Dominik, songea-t-elle brièvement. Elle ne l'avait encore jamais sucé et se demandait pourquoi. Elle se concentra de nouveau sur la tâche à accomplir ; ses lèvres et sa langue jouaient avec le sexe de Jasper, suçant, léchant, mordillant délicatement, suivant le rythme de la pulsation qui courait de son cœur à son gland, tambour distant dans une forêt vierge. Du coin de l'œil, elle vit Charlotte tendre la main vers la ceinture de Dominik, sans aucun doute pour rivaliser avec elle.

La jalousie envahit Summer. Elle avait décidé de faire jouir Jasper, mais les plans les mieux conçus sont faciles à déjouer, et au moment où Summer devinait un frisson dans le corps de l'homme, frisson qui avait toutes les chances d'atterrir dans sa bouche, il détacha doucement sa queue de ses lèvres, la laissant étonnée et déçue, la prit par la main et la conduisit gentiment vers le canapé le plus proche, à présent déserté. Contrairement à Dominik et Charlotte, qui étaient à moitié dévêtus, elle en corset et bas, lui le pantalon sur les chevilles mais le caleçon toujours à sa place, Jasper et Summer étaient entièrement nus, pâles et excités. Summer s'agenouilla, s'exposant aux regards de tous. Elle entendit le bruit de l'emballage d'un préservatif que l'on ouvre et Jasper, après l'avoir déroulé sur son membre massif, se plaça derrière elle, juste à l'entrée de son sexe à présent nu.

Summer inspira profondément et jeta un œil derrière l'épaule du jeune homme : Dominik ne pouvait détacher son regard sombre du spectacle qui s'offrait à lui. C'est alors que Jasper la pénétra d'un seul coup. Il était trop bien membré et Summer se sentit inhabituellement dilatée. Elle soupira, comme si tout l'air avait été expulsé de ses poumons par la seule force du coup de reins de Jasper. Tandis qu'il allait et venait, Summer s'abandonna et vogua sur cette mer vide qu'elle connaissait bien. Elle capitula, laissa tomber toutes ses défenses, indifférente, prête à tout, jouet consentant ballotté par les vagues du plaisir.

Elle ferma les yeux. Sa peau devenait conductrice, ses pensées n'étaient plus que des nuages évanescents ; son cerveau avait abdiqué toute idée cohérente au profit du feu dévorant du désir.

Dans une partie secrète de son esprit (ou de son âme ?), Summer se figura qu'elle avait pris possession du corps de Dominik, non pas pour observer Charlotte le sucer habilement, mais pour se voir, elle, prise par Jasper. Elle était certaine qu'il ne perdait pas une miette des allées et venues de l'escort boy, de ses coups de reins, de la sueur qui ombrait les lèvres de Summer et de son souffle court. *Regarde, Dominik, regarde : voilà comment un autre homme me baise, et me baise bien, et tu voudrais être à sa place, n'est-ce pas ? Comme il est dur. Je suis à lui. Il me fait frémir, frissonner, trembler. Comme il me baise fort. Encore plus fort. Encore. Encore. Il ne s'arrête pas. Comme une machine. Comme un guerrier.*

Elle cria de plaisir, et comprit que ce n'étaient pas uniquement les mouvements mécaniques de Jasper qui l'excitaient autant, mais l'idée que Dominik la regardait.

Elle jouit.

Et cria de nouveau.

Elle sentit que Jasper jouissait à son tour. Il éjacula dans l'enveloppe plastique du préservatif et Summer se demanda alors quel goût aurait le sperme de Dominik si jamais il lui permettait un jour de le sucer jusqu'au bout. Était-elle folle ou malade de penser ce genre de choses ? Les réflexions absurdes avaient une façon bien à elles de surgir au moment le plus inopportun, songea-t-elle.

Elle respirait bruyamment. Jasper se retira, le sexe au repos mais d'une taille et d'un diamètre toujours imposants. Elle ferma les yeux, envahie par une vague de regret. Elle ne voulait pas voir ce que faisaient Dominik et Charlotte.

Elle était épuisée.

Elle s'allongea sur le canapé, enfouit son visage dans le cuir malodorant et se mit à pleurer en silence.

Autour d'elle, l'orgie dont elle avait été le centre de gravité tirait à sa fin.

— Je suis déçu, avoua Dominik.

— Ce n'était pas ce que vous vouliez ? s'enquit Summer.

Ils étaient assis au café sur St Katharine Docks, où tout avait commencé. C'était le lendemain soir ; les travailleurs attardés rentraient chez eux, tandis que les voitures encombraient le pont non loin d'eux.

— Vous ne souhaitiez pas voir un autre homme me baiser et… ? reprit-elle, furieuse.

— Non, l'interrompit Dominik. Pas du tout.

— Qu'est-ce que vous vouliez à la fin ?

Elle avait presque crié contre lui, et l'incompréhension et la douleur se lisaient sur le visage de la jeune femme. Avant qu'il n'ait eu le temps de répliquer, elle enchaîna, comme si un démon profitait de sa colère et de sa souffrance :

— Je suis certaine que ça vous a excité.

— Oui, finit-il par admettre à voix basse après un bref silence, comme s'il avouait s'être rendu coupable d'un délit.

— Vous voyez, rétorqua-t-elle, triomphante.

— Je ne sais plus ce que je veux, poursuivit Dominik.

— Je n'en crois rien, riposta Summer, toujours irritée.

— Je pensais que nous avions un arrangement.

— Vraiment ?

— Malheureusement pour moi.

— Et Dieu sait que vous avez eu des malheurs. Une quantité de malheurs.

— Pourquoi cette agressivité ?

Dominik sentait que la conversation prenait un tour dangereux.

— C'est donc ma faute, c'est ça ? C'est moi qui suis allée trop loin ? interrogea Summer.

— Ce n'est pas ce que j'ai dit.

— Qui a laissé Charlotte le peloter, comme si je n'existais pas ? Alors que j'étais à deux pas, nue et rasée comme une esclave ?

— Je n'ai jamais pensé que vous étiez mon esclave ni que vous le deviendriez.

— Bizarrement, ça ne vous pose aucun problème de me traiter comme si j'en étais une, s'étouffa Summer. Je ne suis pas votre esclave, et je ne le serai jamais.

Dominik, dans une tentative désespérée de reprendre la conversation en main, ne la laissa pas poursuivre.

— C'est juste qu'en vous avilissant avec ce…, ce gigolo, vous nous avez humiliés tous les deux.

Summer se tut, et sentit des larmes de colère et de honte lui monter aux yeux. Elle envisagea brièvement de lui balancer à la figure le verre d'eau qu'elle tenait à la main, mais se ravisa.

— Je ne vous ai jamais rien promis, finit-elle par dire.

— Je ne vous ai rien demandé, répondit-il.

— Je n'ai pas pu m'empêcher, c'était plus fort que moi, avoua-t-elle, avant de s'en prendre de nouveau à lui. C'est votre faute, tout ça. Vous m'avez mise dans cette situation puis vous m'avez laissée tomber. C'est comme si vous aviez réveillé en moi tous mes démons avant de partir à des kilomètres en me laissant gérer quelque chose que je ne comprends pas. Je ne peux pas m'expliquer mieux, Dominik.

— Je sais. J'assume ma part de responsabilité. Je vous demande de m'excuser.

— D'accord.

Elle but une gorgée d'eau tiède, les glaçons ayant fondu depuis longtemps. Le silence s'éternisa.

— Alors…, dit Dominik.

— Alors ?

— Vous voulez continuer ?

— Continuer quoi ? s'enquit Summer.

— À me voir.

— En tant que quoi ?

— Amant, ami, partenaire de plaisir. Comme vous voulez.

— Je ne sais pas, hésita Summer. Je ne sais vraiment pas.

— Je comprends, acquiesça Dominik, résigné. Je comprends tout à fait.

— C'est trop compliqué.

— C'est vrai. D'un côté j'ai envie de vous, Summer, terriblement. Et pas juste comme un jouet ni même une maîtresse. De l'autre, je n'arrive pas à saisir pourquoi j'ai envie de vous, et comment ce désir a pu devenir aussi tordu aussi rapidement.

— Mmmh, rétorqua Summer avec un sourire soudain. On est loin de la demande en mariage, hein ?

— Oui. On pourrait peut-être trouver un arrangement ?

— Ce n'est pas ce que nous avons déjà fait ?

— Peut-être.

— Il faut voir les choses en face : ça ne fonctionne pas. Trop de facteurs inconnus entrent dans l'équation.

Ils soupirèrent de concert, ce qui les fit sourire. Ils percevaient tous deux l'ironie de la situation.

— On devrait arrêter de se voir pendant quelque temps.

Peu importe qui prononça la phrase : l'autre s'apprêtait à le faire aussi.

— Voulez-vous que je vous rende le violon ? demanda Summer.

— Bien sûr que non. Il a toujours été à vous. Sans conditions.

— Merci. Du fond du cœur. C'est le plus beau cadeau qu'on m'ait jamais fait.

— Vous le méritez cent fois. La musique que vous avez jouée pour moi était inoubliable.

— Habillée et nue ?

— Habillée et nue.

— Alors ?

— Alors, attendons. Réfléchissons. Voyons ce qui se passe ensuite, si jamais il se passe de nouveau quelque chose.

— Pas de promesses ?

— Pas de promesses.

Dominik laissa un billet de 5 livres sur la table et, le cœur lourd, observa Summer quitter le café et se dissoudre dans la nuit.

Il jeta un coup d'œil à la Tag Heuer en argent qu'il s'était offerte pour célébrer l'achat de sa maison.

Il ne regarda pas l'heure, à la jonction grise entre le jour et la nuit, mais la date. Cela faisait quarante jours qu'il avait rencontré Summer, qu'il l'avait entendue jouer dans le métro à Tottenham Court Road. *Une date à retenir.*

Le rendez-vous avec la recruteuse qui cherchait une violoniste pour l'orchestre aux États-Unis se déroula extraordinairement bien, et une semaine plus tard, Summer atterrissait à l'aéroport de New York. Elle avait quitté son studio de Whitechapel du jour au lendemain sans chercher à récupérer sa caution. Elle n'avait dit « au revoir » ni à Charlotte ni à ses autres connaissances. Elle avait juste appelé Chris et avait tenté de s'expliquer, comme si elle avait besoin de sa bénédiction.

Elle n'avait pas cherché à joindre Dominik, même si la tentation était grande d'avoir le dernier mot, entre autres raisons.

L'agence lui avait arrangé une colocation avec d'autres musiciens étrangers de l'orchestre, non loin du Bowery. On l'avait prévenue que c'étaient tous des joueurs de cuivre, comme si d'une certaine manière, leur instrument déterminait leur personnalité. La remarque – à moins que ce ne fût un avertissement – l'avait amusée.

Summer n'était jamais allée à New York, et quand le taxi jaune approcha du Midtown Tunnel, elle aperçut pour la première fois la silhouette des gratte-ciel de Manhattan, aussi impressionnants que dans les films. Elle en eut le souffle coupé.

C'était une façon parfaite de tourner la page, pensa la jeune femme. Les quartiers du Queens et de Jamaica, traversés à la sortie de l'aéroport, n'étaient que d'ordinaires banlieues, mais la vision de Manhattan qui s'offrait à elle derrière les vitres sales du taxi, avec ses immeubles et ses points de repère facilement identifiables, l'emplissait de joie et d'espoir.

Sa première semaine fut bien remplie, entre les répétitions urgentes, les formalités administratives et la découverte de la géographie particulière du Lower East Side. Il lui fallait s'acclimater à cette ville étrange et merveilleuse.

Ses colocataires étaient très discrets, ce qui l'arrangeait bien. Elle n'avait jamais été proche non plus de tous ceux avec qui elle avait partagé sa salle de bains à Londres.

Le jour du premier concert de son orchestre, le Gramercy Symphonia, arriva rapidement. Pour entamer leur série de représentations d'automne dans une petite salle de quartier nouvellement restaurée, les musiciens interprétèrent une symphonie de Mahler, dans laquelle

elle ne parvint pas à s'immerger, et elle joua d'une manière mécanique. Heureusement, elle n'était qu'une violoniste au milieu d'une demi-douzaine d'autres, et elle avait assez de talent pour dissimuler son manque d'enthousiasme.

Ils donneraient par la suite des pièces plus classiques : Beethoven, Brahms, et quelques romantiques russes. Summer avait hâte de jouer ces morceaux, même si elle appréhendait le dernier concert, une composition de Penderecki, véritable cauchemar pour les cordes très éloigné de ses goûts personnels : elle la trouvait discordante, impersonnelle et parfaitement prétentieuse. Elle avait cependant le temps de s'y préparer, et les répétitions ne commenceraient pas avant un certain temps. D'ici là, elle aurait pris du plaisir à jouer à de nombreuses reprises.

Le temps était inhabituellement doux pour la saison, même si Summer semblait se trouver toujours dehors quand une averse s'abattait, dans les quelques occasions où elle s'éloigna des endroits qu'elle avait l'habitude de fréquenter vers Greenwich Village ou SoHo. La façon dont ses fines robes en coton lui collaient au corps alors qu'elle cherchait un abri ou rentrait hâtivement chez elle lui rappelait son dernier été en Nouvelle-Zélande. C'était un sentiment étrange : elle n'éprouvait pas de nostalgie, elle avait juste l'impression d'avoir vécu une autre vie.

Elle n'avait aucune envie de sortir, de rencontrer des hommes, de faire l'amour. Elle se sentait en vacances. La nuit, dans la solitude de sa chambre peu meublée, elle écoutait le bruit de la rue, les sirènes qui déchiraient parfois la quiétude fragile, le souffle de cette ville nouvelle. Elle entendait parfois, de l'autre côté de la cloison peu épaisse, un couple marié de musiciens croates faire l'amour. C'était un petit concert de mots étrangers, de murmures étouffés, de sons inévitables comme le lit qui grince, et de souffles courts, qui culminait toujours par le bruit de clairon émis par la flûtiste en jouissant avec un chapelet d'injures croates. C'était en tout cas ce que pensait Summer, en imaginant la guerre et l'amour qu'ils se livraient quand le trompettiste baisait brutalement sa femme. Summer l'avait souvent vu se balader en sous-vêtements dans l'appartement, indifférent à sa présence. Il était petit et poilu, et son membre tendait toujours le tissu de son caleçon. Sans savoir pourquoi, elle s'était mis en tête qu'il n'était pas circoncis, et elle imaginait son gland jaillir des plis de sa peau quand il bandait. Elle essayait de chasser de sa mémoire tous les autres sexes qu'elle avait connus, qu'ils soient circoncis ou pas.

C'est alors qu'elle se caressait, ses doigts délicats jouant une mélodie bien connue. Il y avait certainement des avantages à être musicienne. La musique qu'elle tirait de son propre corps se répandait comme un torrent dans la chambre vide, apportant avec elle plaisir et oubli, et faisant momentanément reculer la douleur lancinante qu'elle ressentait chaque fois qu'elle songeait à Dominik.

Le premier véritable concert de la saison approchait, et l'orchestre avait passé tout le week-end à répéter dans les entrailles d'une pièce humide près de Battery Park. Tous jouèrent jusqu'à ce que Summer pense qu'elle se mettrait à vomir si elle devait encore tirer le moindre arpège de son Bailly.

Elle se rendit dans les toilettes du sous-sol pour se passer de l'eau sur la figure et fut l'une des dernières à quitter le bâtiment. Les derniers rayons du soleil disparaissaient dans l'Hudson. Elle n'avait qu'une envie : manger un morceau, des sashimis à emporter de chez *Toto* sur Thompson Street, et dormir.

Elle était sur le point de se diriger vers le nord quand quelqu'un la héla.

— Summer ? Summer Zahova ?

Elle pivota et se trouva face à un quadragénaire séduisant, pas très grand, grisonnant, avec une barbe soigneusement taillée. Il portait une veste en coton finement rayée de bleu, un pantalon noir et des chaussures de la même couleur parfaitement cirées.

Elle ne l'avait jamais vu.

— Oui ?

— Je suis désolé de vous importuner. Une de mes connaissances m'a permis d'assister à la répétition. Je suis très impressionné.

Sa voix avait un timbre profond et riche, avec une intonation inhabituelle. Il n'était pas américain, mais Summer n'arrivait pas à reconnaître son accent.

— C'est encore tôt. Le chef d'orchestre nous met à l'épreuve parce que nous ne sommes pas encore un véritable ensemble.

— Je sais, répondit l'inconnu. Tout ça prend du temps. J'ai de l'expérience dans ce domaine, et je trouve que vous vous êtes bien intégrée, même si vous êtes arrivée il y a peu.

— Comment savez-vous ça ?

— On me l'a dit.

— Qui ça, on ?

— Disons juste que nous avons des amis communs, répondit-il en souriant.

— Oh, se contenta de réagir Summer, prête à reprendre sa route.

— Vous avez un violon magnifique, remarqua-t-il, les yeux rivés sur l'étui qu'elle tenait dans sa main droite.

Elle portait une minijupe en cuir, une ceinture à large boucle, pas de collants, et des bottes marron qui lui arrivaient à mi-mollet.

— Un Bailly, je pense, poursuivit-il.

— Absolument, acquiesça Summer en souriant, ravie de reconnaître un connaisseur.

— Je sais que vous êtes ici depuis peu, et je me demandais si vous accepteriez de vous joindre à la petite fête que je donne demain soir. La plupart des invités sont musiciens, vous devriez vous sentir à l'aise. New York est une grande ville, et je doute que vous vous soyez déjà fait des amis. Rien de bien extraordinaire, on se retrouve dans un bar pour boire un verre puis on ira chez moi. Vous pourrez partir quand bon vous semblera.

— Où habitez-vous ? demanda Summer.

— J'ai un loft à Tribeca, répondit-il. Je ne viens à New York que quelques mois par an, mais je loue cet appartement toute l'année. Je vis à Londres.

— Je vais réfléchir à votre proposition. Je crains que la répétition ne se termine pas avant 19 heures demain. Où vous retrouvez-vous ?

L'inconnu lui tendit sa carte de visite, sur laquelle elle lut *Victor Rittenberg, docteur en philosophie. Un nom d'Europe de l'Est.*

— Vous venez d'où ? s'enquit-elle.

— Ah, c'est une histoire compliquée. Peut-être qu'un jour…

— Au tout départ ? insista-t-elle.

— D'Ukraine, avoua-t-il.

Cette bribe d'information était étrangement réconfortante.

— Mes grands-parents paternels étaient ukrainiens. Ils ont émigré en Australie puis en Nouvelle-Zélande. Je porte leur nom mais je ne les ai jamais connus.

— Voilà qui nous fait un point commun supplémentaire, remarqua Victor avec un sourire énigmatique.

— On dirait bien, acquiesça Summer.

— Connaissez-vous le *Raccoon Lodge* sur Warren Street à Tribeca ?

— Non.

— C'est là qu'on se retrouve, demain à 19 h 30. Vous vous en souviendrez ?

— Sans problème, répondit-elle.

— Parfait.

Il tourna les talons avec un petit signe de la main et s'éloigna dans la direction opposée.

Pourquoi pas ? songea Summer. Elle ne pouvait pas jouer indéfiniment les ermites et elle se demandait qui pouvait bien être leur ami commun.

Pour séduire Summer, Victor prit son temps et déploya tout son talent. Entre ce qu'il avait découvert d'elle chez Dominik et ce que ce dernier lui avait raconté au cours de plusieurs conversations informelles, Victor savait que Summer, qu'elle en soit consciente ou non, avait tout de la femme sexuellement soumise. Et, par une merveilleuse coïncidence, le job que lui avait fourni Lauralynn, sa vieille complice, avait coïncidé avec sa venue à New York, où il avait accepté depuis longtemps de donner un cycle de cours sur la philosophie post-hégélienne au Hunter College.

Victor était un libertin de longue date et, en tant que tel, un fin connaisseur de la nature des femmes soumises ; il savait donc exactement comment les manipuler et les mener où il le désirait, en exploitant leurs faiblesses et en jouant avec leurs besoins.

À la façon dont elle était tombée dans les bras de Dominik, et dont elle avait joué devant lui, il devinait ses points faibles, et savait précisément que faire et que dire. Il exploita sa solitude et prit soin de provoquer ouvertement sa soumission naturelle, lentement, une étape après l'autre, en chatouillant son côté exhibitionniste et en l'autorisant à se laisser aller à cet orgueil inconscient qui la mettait parfois dans d'embarrassantes situations.

C'était une novice, et elle ne se rendit jamais compte qu'il la manipulait.

Victor n'ignorait pas que les désirs de Summer avaient été troublés et que son appétit sexuel avait été développé par ses expériences avec Dominik. New York était une grande ville, et on s'y sentait facilement isolé. Dominik était de l'autre côté de l'océan, et Summer était seule et sans défense.

Lors de la fête à laquelle il l'avait invitée, Victor révéla prudemment son intérêt pour les pratiques SM et dirigea habilement la conversation vers certains clubs privés de Manhattan, voire du New Jersey. Il lut un désir brûlant dans les yeux de Summer ; elle était incapable de dissimuler ses mœurs sexuelles. Il avait allumé une flamme, et elle était incapable de s'en éloigner, comme un papillon de nuit attiré par la lumière.

Même si elle l'avait voulu, elle n'aurait pas pu résister à l'appel de son corps ni s'extraire de la toile complexe que Victor avait tissée autour d'elle. Summer regrettait Dominik et ses jeux aussi excitants que dangereux auxquels elle ne pouvait s'empêcher de jouer. La voix de Victor était différente, son ton ferme et intraitable, sans la douceur de l'intonation de Dominik, mais si elle fermait les yeux, elle pouvait presque croire que c'était ce dernier qui lui donnait des ordres et la faisait plier.

Summer comprit rapidement que Victor en savait beaucoup sur elle, et elle soupçonna Lauralynn d'être son informatrice. Sans être dupe, elle avait envie de voir jusqu'où iraient les choses : elle ne pouvait plus ignorer l'appel de ses pensées tordues, ni celui de ses sens, qui réclamaient.

À leur troisième rendez-vous, dans un bar sombre de Lafayette Street, elle découvrit qu'elle était à l'aise avec cet homme courtois et bien mis. Elle ne fut pas réellement surprise quand, au beau milieu d'une conversation normale et civilisée sur la laideur de la musique contemporaine (même si elle avait une faiblesse pour Philip Glass, que Victor détestait), il changea soudain de conversation.

— Vous avez déjà servi, n'est-ce pas ?

Elle acquiesça.

— Et vous, vous êtes un *dom*, n'est-ce pas ?

Victor sourit.

Le temps des jeux psychologiques était terminé.

— Je pense que nous nous comprenons, Summer, ajouta-t-il en posant la main sur la sienne.

Ils se comprenaient en effet parfaitement. Le vrai monde, le monde secret autour duquel elle tournait frénétiquement, l'appelait de nouveau, comme une sirène.

On sait parfois que l'on prend un chemin qui ne mène nulle part, mais on l'emprunte tout de même, car s'y refuser nous laisserait inachevé.

Le rendez-vous suivant entre Summer et Victor eut lieu juste après une longue répétition avec l'orchestre, deux jours avant le premier concert de la saison.

Elle avait l'impression d'être droguée par la façon dont la musique coulait et dont son Bailly faisait maintenant partie intégrante de l'orchestre. Son travail acharné portait ses fruits. Elle se sentait prête à affronter n'importe quelle perversion née du cerveau de Victor. Elle était même impatiente.

Le donjon avait été improvisé dans un imposant immeuble en briques rouges à côté de Lexington. Il lui avait été indiqué de se présenter à 20 heures et elle avait décidé de mettre le corset noir qu'elle avait pour servir chez Charlotte, il y avait, lui semblait-il, une éternité. Revêtir la tenue achetée par Dominik lui donnait l'impression de se rendre à une fête à sa demande, de suivre ses ordres.

Tout en se préparant, Summer s'émerveilla de nouveau de la douceur du tissu, qu'elle caressa du bout des doigts, tout en se demandant pourquoi il lui était si difficile de chasser Dominik de sa mémoire.

Elle n'eut pas le loisir de s'attarder : un texto lui apprit que la limousine que Victor avait commandée pour elle l'attendait. Elle enfila son long trench en cuir rouge, beaucoup trop chaud pour la saison, mais qui avait le mérite de dissimuler entièrement le spectacle choquant offert par son corset, ses seins dénudés et les bas noirs qu'on l'avait priée de porter. Ceux-ci s'arrêtaient à mi-cuisse, dévoilant une partie de sa chair laiteuse et de ses fesses, à peine cachées par un string minuscule. Elle avait remarqué avec irritation que ses poils repoussaient : ce n'était pas très net mais elle n'avait pas eu le temps d'y remédier.

Victor arborait une élégante veste de smoking, comme tous ses invités masculins. Les femmes, quant à elles, étaient en robes de soirée haute couture de toutes les couleurs de l'arc-en-ciel. Quelqu'un lui ôta son trench, et Summer se sentit gênée d'être la seule dénudée de la nombreuse assistance qui fumait et buvait dans le grand salon. L'air était saturé de fumée de cigarette et de cigare.

— Notre dernière arrivée, annonça Victor. Je vous présente Summer, poursuivit-il en la désignant, qui rejoint notre petit groupe. Elle a d'excellentes recommandations.

De la part de qui ? s'interrogea Summer.

Les regards de cette vingtaine d'étrangers se posèrent sur elle, curieux et inquisiteurs. Ses tétons durcirent.

— Si vous voulez bien, dit Victor avec un geste théâtral en direction de la porte qui donnait accès au sous-sol.

Summer suivit le chemin indiqué et se dirigea vers la porte, d'un pas mal assuré sur ses hauts talons. Elle se sentait un peu étourdie à présent que le moment était venu. C'était sa première apparition publique depuis l'orgie londonienne qui s'était si mal terminée et les avait éloignés, Dominik et elle.

Une dizaine de marches la menèrent dans un sous-sol bien éclairé. Les murs étaient décorés de tapisseries arabes de prix dont le nom précis, qu'elle avait déjà entendu, lui échappait. Elle remarqua que six femmes (elle n'avait pu s'empêcher de les compter) se tenaient dans un cercle au centre du donjon.

Elles étaient toutes nues à partir de la taille. Pas de sous-vêtements, pas de bas, pas même de chaussures. Elles étaient vêtues de blouses, de chemisiers ou de tops en soie légère plus ou moins transparents. Elles avaient toutes ramassé leurs cheveux, dont la couleur variait du blond platine au noir profond, en chignon. Elle était la seule rousse. Deux d'entre elles portaient un collier ras du cou en velours, trois autres une chaîne métallique ou hérissée de picots, la dernière arborait une ceinture en cuir fermée par un lourd cadenas.

Des esclaves ?

Les invités étaient tous entrés dans le donjon et s'étaient placés le long des murs.

—Comme vous pouvez le voir, ma chère, murmura Victor, qui s'était silencieusement matérialisé à ses côtés, vous n'êtes pas toute seule.

Summer allait répliquer mais il posa vivement un doigt sur ses lèvres pour l'en empêcher. Elle n'avait plus le droit de parler.

Victor fit courir sa main sur son flanc et tira gentiment sur l'élastique de son minuscule string.

—Dévoilez-vous, ordonna-t-il.

Summer leva la jambe et se débarrassa du vêtement.

—Le reste, ordonna-t-il.

Elle jeta un coup d'œil aux femmes aux fesses nues et comprit ce qu'il voulait. Consciente des regards braqués sur elle, elle enleva ses bas et ses chaussures en essayant de ne pas perdre l'équilibre. Victor ne lui offrit pas son bras. Le sol de pierre était froid sous ses pieds.

Elle était à présent fesses nues, comme les autres ; elle ne portait que son corset, qui étreignait sa taille et exposait ses seins.

Summer regarda les autres filles et trouva que leur nudité était abominablement obscène. La nudité était naturelle, même en public, mais c'était différent ici, comme une parodie de sexualité, une forme d'humiliation perverse.

Elle sentit que quelqu'un la prenait par l'épaule et la guidait vers le cercle des femmes, qui s'écartèrent pour l'admettre en leur sein. Elle remarqua qu'elles étaient toutes intégralement épilées, de trop près pour que ce ne soit pas définitif : elles avaient fait ce sacrifice pour affirmer leur statut d'esclave, et entériner leur perte de pouvoir. Elle fut gênée par son épilation peu nette.

Au moment où cette pensée traversait son esprit, Victor dit :

— Tu n'es pas assez propre, Summer. Ta chatte est poilue. À l'avenir tu dois veiller à être intégralement épilée. Je te punirai plus tard.

Lisait-il dans ses pensées ?

Summer rougit violemment et sentit la chaleur se répandre sur ses joues.

Quelqu'un gratta une allumette et elle craignit que ce ne soit le début d'un rituel douloureux, mais il se contenta d'allumer une cigarette.

— Summer, tu nous rejoins donc, affirma Victor qui s'était placé à ses côtés, une main dans ses cheveux, l'autre sur ses fesses.

— Oui, murmura Summer.

— Oui, Maître ! rugit-il en la frappant avec brutalité sur la fesse droite.

Summer tressaillit. L'assistance retint son souffle. Le sourire d'une des convives avait tout de celui de la mauvaise reine des contes de fées. Summer en vit un autre se lécher les lèvres, peut-être de plaisir anticipé.

— Oui, Maître, reprit-elle servilement, un peu effrayée de se soumettre aussi facilement.

— Bien. Tu connais les règles. Tu nous serviras, tu ne poseras pas de questions, tu nous montreras du respect. Est-ce clair ?

— Oui, Maître.

Elle avait compris.

Il saisit l'un de ses tétons et le tordit violemment. Summer retint son souffle pour maîtriser la douleur.

Victor se tenait derrière elle à présent, et ses mots se frayèrent un chemin jusqu'à son oreille.

— Tu es une petite salope.

Elle ne répondit pas et il la frappa de nouveau.

— Je suis une petite salope, reprit-elle.

— Je suis une petite salope, qui ?

Une nouvelle vague de douleur.

— Je suis une petite salope, Maître, dit-elle.

— J'aime mieux ça.

Il y eut un moment de silence et Summer vit du coin de l'œil le sourire ironique d'une des esclaves. Les autres se moquaient-elles d'elle ?

— Tu aimes ça, être nue devant tout le monde, hein, salope ? Tu aimes être regardée, exhibée ?

— Oui, Maître, j'aime ça, répondit-elle.

— Tu seras parfaite alors.

— Merci, Maître.

— À partir de maintenant, tu es à moi, proclama Victor.

Summer eut envie de protester. Ça avait beau être très excitant, une part d'elle se rebellait à cette idée.

Mais pour l'instant, tandis qu'elle était debout dans ce donjon, moite d'excitation, au vu et au su de tout le monde, tout ça n'était que des mots.

Summer brûlait de découvrir ce qu'on lui réservait.

11

Une femme et son Maître

La première claque a été si brutale que j'étais sûre d'en garder la marque pendant des heures, comme la ligne rose d'un dessin d'enfant abstrait.

J'ai avalé ma salive.

Tous les yeux étaient braqués sur moi, guettant ma réaction, espérant que je flanche. J'ai juste serré les dents. *Pas question de leur donner ce plaisir. En tout cas, pas tout de suite.*

Il y avait une dureté dans la voix de Victor que je n'avais pas décelée avant, comme si sa véritable nature ne se dévoilait que maintenant. Quand je me suis débarrassée du peu de vêtements que je portais, à l'exception du corset, j'ai enfin atteint un stade de nudité satisfaisant pour lui. « Maître » par-ci, « Maître » par-là ;

autoritaire, pressant. J'ai obéi, même si cette façon de m'adresser à lui m'a irritée. Dominik ne m'avait jamais demandé de l'appeler « Maître ». J'ai toujours trouvé idiot ce terme qui tourne en ridicule une situation au départ osée. J'ai essayé de rester digne malgré le mauvais goût de la scène.

J'étais immobile à côté des autres femmes ; nous ressemblions à une revue d'esclaves face à un peloton d'exécution. Une blonde mince avec de petits seins, une brune au teint mat et aux jambes courtes, une fille aux cheveux châtain clair et aux courbes voluptueuses dont la cuisse droite était ornée d'une large tache de naissance, une grande, une petite, une ronde. Et moi, la rousse dont l'étroit corset semblait dévoiler la sexualité, tétons durcis, sexe humide et plein d'espoir.

— À genoux.

Cette fois-ci, ce n'était pas la voix de Victor, qui s'était retiré avec les autres invités et dont le costume sombre s'était fondu aux leurs.

Nous avons toutes obéi.

— Tête baissée.

Les femmes à mes côtés ont obtempéré, le menton sur le sol en pierre. Si c'était ça la soumission totale, très peu pour moi. J'ai gardé mon menton à une distance raisonnable du sol. J'ai alors senti un pied sur mes reins, dont la poussée m'a forcée à baisser la tête plus avant, ce qui a fait ressortir mes fesses offertes.

— Ce cul est délicieux, a dit une voix féminine. Sa taille fine met le panorama en valeur.

Elle a ôté son pied. Des chaussures parfaitement cirées et des escarpins ont commencé à circuler autour de nous ; les invités évaluaient et jugeaient la marchandise. Du coin de l'œil, j'ai vu un genou en costume apparaître près de moi et une main a soupesé mes seins qui se balançaient. Un autre participant invisible a fait courir un doigt entre mes fesses jusqu'à mon sexe, dont il a évalué l'humidité, avant de se retirer et de tester l'étroitesse de mon anus. Je me suis crispée, pour éviter qu'il n'y rentre, mais, à ma grande surprise, il y a facilement enfoncé son doigt, sans recours à une lubrification artificielle. La position aidait beaucoup, cela dit.

— Elle n'a pas beaucoup été utilisée par là, a-t-il commenté, avant de me donner une petite claque sur les fesses.

La voix de Victor m'est soudain parvenue, tout près.

— Tu aimes être exhibée comme ça, pas vrai, Summer ? a-t-il remarqué, amusé. Ça t'excite. Je le vois à ta moiteur. Tu ne peux pas le cacher. Tu n'as donc aucune vergogne ?

L'air était lourd et j'étais certaine que j'avais rougi sous son regard perçant.

— Peut-on l'utiliser ? a demandé une voix masculine.

— Pas entièrement, a répondu Victor. Uniquement la bouche aujourd'hui. Je lui réserve des choses plus intéressantes.

— Ça me va, a déclaré l'homme.

— Elle aime être prise en public, a ajouté Victor.

Il s'est rapproché de moi ; j'ai entendu de nouveau le frottement de sa semelle sur le sol. Il avait une démarche reconnaissable entre toutes, en raison d'une très légère claudication. J'étais furieuse mais je n'ai pas eu le temps de me laisser aller à la colère. Victor a placé sa main sous mon menton et m'a forcée à lever la tête. Il m'a fait pivoter pour que je sois au niveau de la braguette ouverte de l'homme, qui a sorti son sexe et me l'a présenté. Une faible odeur d'urine m'est parvenue et j'ai failli m'étouffer, mais Victor, d'une ferme poussée sur les épaules, m'a fait comprendre ce que je devais faire. J'ai ouvert la bouche.

La queue de l'inconnu était courte et épaisse. Il a commencé à aller et venir frénétiquement, les mains dans mes cheveux, et je n'ai donc eu d'autre choix que de le sucer profondément, dans une parodie d'avidité.

Il a joui rapidement, et son sperme s'est répandu dans ma gorge. Il m'a maintenue par les cheveux et a refusé de se retirer jusqu'à ce que j'avale à contrecœur. Ensuite seulement il m'a laissée aller. Je n'avais qu'une envie : me précipiter dans une salle de bains pour effacer le goût amer de sa semence. J'aurais été prête à me faire un gargarisme d'acide pour faire disparaître le goût dans ma bouche.

J'ai jeté un regard rapide autour de moi et j'ai vu que toutes les autres infortunées étaient utilisées. Elles suçaient des invités ou étaient prises en levrette comme des morceaux de viande, à l'exception de celle qui me faisait penser à une mère au foyer, et qui pratiquait un cunnilingus sur une femme qui avait remonté sa robe sur sa taille et qui poussait de petits cris d'oiseau chaque fois que la langue de l'esclave léchait son clitoris, ou une autre zone érogène.

Je n'ai guère eu le temps d'examiner la scène plus en détail : Victor s'est approché de moi et m'a ordonné de m'allonger sur une épaisse couverture étalée sur le sol. J'ai écarté les jambes et il s'est avancé, le pantalon sur les chevilles, son sexe épais déjà couvert de plastique. J'ai remarqué que, contrairement à Dominik, il avait mis un préservatif. N'avait-il pas confiance en moi ? Pensait-il que j'étais malade ? Ou Dominik était-il irresponsable ?

Il m'a pénétrée violemment et a commencé à me baiser. J'ai soudain découvert, que même si j'avais délibérément choisi d'abandonner mon corps à Victor, mon esprit, lui, m'appartenait toujours. J'ai cherché l'endroit virtuel qui m'éloignerait, non pas physiquement, mais mentalement. L'environnement s'est rapidement dissous, les hommes, les femmes et les esclaves ont disparu, les corps et les bruits se sont évanouis et j'ai lâché prise, les paupières fermées, envahie par une excitation brûlante. Victor a joui rapidement et s'est retiré.

J'ai à peine eu le temps de cligner des yeux avant qu'un pénis se présente de nouveau à ma bouche à peine remise. *Une teinte différente de rose et de brun, un large gland, une odeur de savon aux herbes.* Je n'ai pas levé la tête pour voir à qui appartenait ce sexe. *Quelle importance?* Je me suis rapprochée et je l'ai goulûment avalé avec une envie feinte.

Le reste de la soirée s'est déroulé dans le brouillard.

Des hommes anonymes. Des femmes aux parfums nombreux et douceâtres dont les ordres étaient énoncés sur un ton parfois cruel. Je me suis rapidement déconnectée de la réalité: mon corps et mon esprit étaient en pilote automatique.

Quand j'ai fini par ouvrir les yeux et regarder vraiment autour de moi, je me suis rendu compte que la plupart des convives étaient partis; les derniers attardés se rajustaient, pressés. Il ne restait plus que les esclaves au centre de la pièce, souillées, épuisées, résignées.

Quelqu'un m'a tapoté la tête comme si j'étais un animal domestique.

— Tu as été parfaite, Summer. Tu promets beaucoup.

C'était Victor.

Sa remarque m'a surprise. J'avais été parfaitement détachée, lointaine, complètement désinvestie, comme une actrice dans un film pornographique.

— Viens, a-t-il ajouté, le bras tendu pour me relever de ma peu seyante prostration.

Il avait récupéré mon trench et m'a aidée à l'enfiler.

La limousine nous attendait devant l'immeuble.

Il a demandé qu'on me dépose en premier. Le trajet s'est déroulé en silence.

L'épuisement, physique et mental, peut vous transformer en zombie. Je passais mes journées à répéter, j'étais deux soirs par semaine en concert, et Victor me faisait venir dès que j'étais libre.

J'aurais évidemment pu refuser. À vrai dire, j'aurais dû le faire, lui avouer que je trouvais qu'il allait trop loin et que je ne voulais plus être la victime consentante de ses petits jeux pervers. Mais j'étais bien obligée d'admettre qu'une partie de moi, animée par une curiosité presque morbide, mourait d'envie de voir jusqu'où il pouvait aller. Je testais aussi mes propres limites. Chaque rencontre était une étape qui m'entraînait plus loin, un défi que mon corps voulait relever.

Je ne maîtrisais plus ma vie.

Sans la présence de Dominik pour me retenir, j'étais un navire sans moteur, à la dérive sur des mers inexplorées, à la merci des tempêtes et des ouragans. *En avant la musique!* Sauf que je ne risquais guère de jouer celle-ci sur mon violon.

Un chef d'orchestre vénézuélien avait remplacé le nôtre pour la série de concerts de compositeurs russes postromantiques, et il ne nous ménageait pas, n'ayant guère apprécié notre façon de jouer. D'après lui, nous manquions de brio et d'éclat. Ce sont les cordes qui ont été le plus touchées. Les cuivres, quasiment tous des hommes, n'ont pas eu trop de difficultés à se laisser aller à l'emphase, alors que nous, pauvres violonistes et autres, trouvions ces pratiques plus embarrassantes, habitués que nous étions à nous faire discrets. Beaucoup d'entre nous étaient d'origine slave et il est bien difficile de rompre avec les vieilles habitudes quand il s'agit d'ajouter un peu de fioritures à des morceaux que nous connaissions parfaitement.

La répétition de cet après-midi-là fut épuisante et Simon, le chef, se montra fort critique. À la fin de la séance, nous étions tous sur les nerfs.

Tandis que je rentrais chez moi en remontant West Broadway, mon téléphone a vibré. C'était Chris, de passage à Manhattan. Son groupe était en tournée dans des petites salles de la côte Est, et il se rendait à Boston. Il avait apparemment tenté de me joindre la veille, pour m'inviter à un concert sur Bleecker Street ; j'avais oublié de recharger mon portable, que j'avais laissé éteint plusieurs jours de suite, débordée par les répétitions et les demandes de Victor.

— Tu nous as manqué, a dit Chris après de chaleureuses salutations de part et d'autre.

— Je ne pense pas, non, ai-je répliqué.

Je ne jouais jamais tous les morceaux dans les concerts. Dans un groupe de rock, un violon ajoute un aspect intéressant, à condition que l'on n'en abuse pas, histoire de ne pas tomber dans un son country.

— Si, a renchéri Chris. Tu nous as manqué en tant que musicienne et en tant que personne.

— La flatterie ne te mènera nulle part.

Il n'était en ville que pour la soirée. Nous avons décidé de nous retrouver dès que j'aurais eu le temps de me doucher et de me changer.

Nous aimions tous deux la cuisine japonaise et les sushis. Il m'arrive de juger les gens sur leurs goûts culinaires et je n'apprécie guère ceux qui n'aiment ni poisson cru, ni tartare, ni huîtres. Ce sont des lâches gastronomiques.

Le bar à sushis était un tout petit restaurant sur Thompson Street, rarement plein, vu que la majorité de ses clients préférait commander à emporter. Le chef avait donc tendance à se montrer généreux dans les portions de ses quelques habitués présents.

—Alors ? s'est enquis Chris. C'est comment, de bosser dans un orchestre classique ?

—Épuisant. Notre nouveau chef d'orchestre est un véritable tyran, exigeant et capricieux.

—Je t'avais prévenue : nous autres rockeurs sommes beaucoup plus cool.

—C'est vrai, tu me l'avais dit.

Il me le répétait presque chaque fois que nous nous voyions. La blague était tellement éculée qu'elle en était devenue une platitude, mais elle m'a quand même arraché un sourire.

—Tu as l'air fatiguée, Summer.

—Je le suis.

—Est-ce que tout va bien ? a-t-il demandé, inquiet.

—Je suis juste crevée. Débordée. Je ne dors pas bien, ai-je avoué.

—Il n'y a rien d'autre ?

— Que veux-tu qu'il y ait d'autre ? Pourquoi ? J'ai les yeux si cernés que ça ?

Chris a souri. C'était mon vieux pote, celui à qui je ne pouvais pas mentir.

— Tu sais très bien de quoi je parle. Est-ce que tu… as fait des bêtises ? Je te connais bien, Summer.

J'ai transpercé un morceau de thon avec mes baguettes.

Chris était au courant de presque tout ce qui s'était passé avec Dominik. *Enfin, pas vraiment dans les détails : une femme a le droit de garder des secrets.* Mais il avait bien compris que mon départ précipité pour New York était une fuite.

— Ne me dis pas qu'il t'a suivie jusqu'ici. Je ne peux pas le croire.

Il a trempé son maki California dans la soucoupe de sauce au soja mélangée au wasabi.

— Non, ai-je répondu, ce n'est pas lui. Si seulement, ai-je fini par ajouter en surmontant ma réticence à évoquer mes sentiments.

— Qu'est-ce que tu veux dire ?

— J'ai rencontré un autre homme. Il lui ressemble, mais en pire. C'est difficile à expliquer.

— Pourquoi est-ce que tu n'attires que des salauds, Summer ? Je n'aurais jamais cru que tu étais du genre à aimer souffrir.

J'ai gardé le silence.

—Écoute, je sais que Darren était un con, mais les hommes avec qui tu fraies depuis sont dangereux.

—C'est vrai, ai-je acquiescé.

—Mais alors, pourquoi tu te laisses faire?

Il était sur le point de se mettre en colère contre moi. Pour quelle raison est-ce que ça arrivait chaque fois que nous nous voyions à présent?

—Tu sais que je ne me drogue pas, ai-je expliqué. En tout cas pas avec les substances habituelles. Mais ça, ça me fait un peu le même effet. Je joue avec le feu et je teste mes limites, je marche sur la corde entre la douleur et le plaisir. Tu sais, Chris, ce n'est pas si affreux, même si je comprends pourquoi tu réagis comme ça. Chacun son truc. Tant que tu n'as pas essayé, tu ne peux pas juger.

—Mmmmh… Je ne pense pas que ça soit mon truc. Tu es folle.

—C'est vrai, mais tu me connais bien. Il faut me prendre comme je suis.

—Tu es heureuse, au moins? a-t-il fini par demander, tandis qu'une serveuse asiatique desservait la table et nous offrait de l'ananas.

J'ai de nouveau gardé le silence mais je crains que la réponse ne se soit lue dans mes yeux.

Nous avons pris ensuite une bière dans un bar proche et nous nous sommes séparés, un peu mal à l'aise.

— Donne de tes nouvelles, a dit Chris. Tu as mon numéro, n'hésite pas à t'en servir. Que ce soit pour bavarder ou pour appeler au secours. On rentre en Angleterre à la fin de la semaine prochaine, mais je serai toujours là pour toi, Summer, je te le promets.

La nuit était tombée. Greenwich Village était plein d'effervescence et de musique, qui se répandait dans ses ruelles, parfois discordante. *Les résonances d'une grande ville.*

J'avais désespérément besoin de sommeil.

Le morceau de Prokofiev que nous avons donné dans une salle plus huppée de Manhattan a été un triomphe. La perfection que nous avons atteinte justifiait toutes les répétitions harassantes et les crises de nerfs de part et d'autre du pupitre. Les quelques mesures de mon solo dans le deuxième mouvement ont été magiques et j'ai même eu droit à un clin d'œil de la part de Simon, notre jeune chef, au moment des saluts.

Ma bonne humeur a rapidement disparu quand j'ai découvert que Victor m'attendait devant l'entrée des artistes.

— Pourquoi as-tu tant tardé ? a-t-il demandé. Le concert est terminé depuis une heure.

avons fêté ça. La représentation s'est éton-
n déroulée et on ne s'y attendait pas.

Il a froncé les sourcils.

Il m'a fait signe de l'accompagner, et nous avons emprunté la Troisième, en direction du nord. J'ai soudain trouvé qu'il était plus petit que dans mon souvenir, peut-être en raison des talons hauts que j'avais ce soir-là.

— Où allons-nous ? ai-je interrogé.

Je me sentais encore un peu étourdie, à cause des verres de gin que j'avais bus, et de l'adrénaline déclenchée par le concert.

— Ne t'en préoccupe pas, a répondu Victor avec brusquerie.

Qu'avait-il prévu ? Je portais toujours ma robe noire de concert, avec des sous-vêtements ordinaires. Je n'avais même pas mis de bas, que des collants. J'avais enfilé un gilet fin acheté la veille chez *Anna Taylor*. Le corset de Dominik, que Victor insistait pour me voir porter, était soigneusement rangé dans ma chambre.

Nous nous rendions peut-être à une soirée normale.

Connaissant Victor, j'en doutais.

— Tu as du rouge à lèvres dans ton sac à main ? a-t-il demandé comme nous étions toujours sur la Troisième.

— Oui.

J'en avais toujours avec moi. Je suis une femme, après tout.

La mention du rouge à lèvres a fait naître en moi le souvenir d'une autre scène. C'est alors que j'ai compris. Dominik avait invité Victor ce soir-là; c'était lui qui m'avait vue peinte comme « la Grande Prostituée », pour reprendre les termes de Dominik.

Nous avons fini par arriver dans un grand hôtel vers Gramercy Park. Il touchait presque le ciel, illuminé au-dessus de son auvent, la multitude de ses fenêtres carrées perçant la nuit. *Une forteresse ou un donjon ?* Cela virait à l'obsession.

Le portier de nuit s'est découvert sur notre passage, et nous avons gagné les ascenseurs. Nous avons pris celui de gauche, qui menait directement à l'appartement-terrasse du dernier étage. Pour y monter, il fallait une clé, que Victor a sortie de sa poche et a introduite dans la serrure prévue à cet effet dans l'ascenseur.

Le trajet s'est effectué dans un silence tendu.

Les portes se sont ouvertes directement sur une entrée spacieuse et vide, à l'exception d'un canapé en cuir de belles proportions, sur lequel les invités avaient déposé leur manteau et leur sac. J'ai ôté mon gilet et déposé mon violon à contrecœur. Nous sommes ensuite entrés dans une immense salle bordée de baies vitrées, à travers lesquelles on pouvait admirer la moitié de Manhattan, éblouissante de lumières. Les convives bavardaient, verre en main. Dans un coin éloigné de la pièce circulaire se dressait une petite estrade. À la gauche de celle-ci des portes battantes menaient certainement au reste de la suite.

J'étais sur le point de me diriger vers le bar, où étaient exposés de nombreuses bouteilles, des verres et des seaux à champagne, mais Victor m'a retenue.

— Je ne veux pas que tu boives, ce soir, Summer. Tu dois être au top.

Je me suis apprêtée à protester – depuis quand me prenait-il pour une ivrogne ? – mais un inconnu qui portait le smoking comme un serveur plus que comme un homme du monde s'est approché de nous et a chaleureusement serré la main de Victor.

Il m'a ensuite dévisagée effrontément et, royalement indifférent à ma présence, s'est tourné vers Victor :

— Très jolie, a-t-il commenté. Vraiment très jolie. Une très belle esclave.

J'ai eu envie de lui donner un coup de pied dans le tibia mais je me suis retenue. Était-ce ainsi que Victor m'avait présentée ?

Je n'étais pas son esclave et je ne le serais jamais. J'étais Summer Zahova, un individu animé d'un esprit qui lui était propre, une femme soumise, pas une esclave.

L'idée de l'asservissement ne me rebutait pas : je savais que certains hommes et certaines femmes aspiraient à se donner complètement. *Mais pas moi.*

Victor a souri, très content de lui. *Quel salopard.* Il m'a tapoté les fesses avec une effroyable condescendance.

— N'est-ce pas ? a-t-il renchéri.

Ils continuaient à faire comme si je n'étais pas là ; je faisais partie des meubles.

— Elle va se vendre un bon prix, a dit l'un des deux.

J'étais dans une telle colère que j'aurais été bien en peine de savoir lequel d'entre eux avait fait cette remarque.

Victor m'a saisi le poignet. Je me suis ressaisie et je l'ai regardé droit dans les yeux.

— Tu vas obéir, Summer. C'est compris ? Je sais que tu es très partagée, et je comprends. Je sais aussi que tu combats ta propre nature, et viendra un moment où tu t'accepteras enfin comme tu es. Ton envie dévorante de t'exhiber, d'être prise en public, fait partie de toi. C'est même ton vrai *toi*. Ça te rend vivante, ça te permet d'expérimenter des sensations inconnues. Ta résistance provient de ton éducation, de règles sociales démodées. Tu es née pour servir. C'est là que tu es la plus belle. Je veux seulement révéler ta beauté, te voir t'épanouir et t'accepter telle que tu es.

Le discours de Victor était profondément dérangeant, parce qu'il contenait un fond de vérité. Mon corps me trahissait toujours dans les excès. La drogue de la soumission m'attirait parce qu'elle permettait à la vraie Summer d'apparaître, dévergondée, effrontée, sans pudeur. C'était un aspect de ma personnalité que j'aimais mais que je craignais ; j'avais peur qu'il ne me mène trop loin et que l'attrait du danger ne soit plus fort que mon instinct de protection. Mon côté bestial recherchait désespérément ce néant engendré par la frénésie sexuelle, alors que ma conscience rationnelle se demandait pourquoi je faisais ça. On dit souvent que les hommes ont le cerveau à la place du sexe. Dans mon cas, c'était plus compliqué : mon sexe pensait clairement tout seul, mais mon cerveau était paradoxalement aussi exigeant. Je n'avais pas besoin d'être possédée ou utilisée par un ou des hommes ; je voulais juste atteindre ce paradis qui s'ouvrait à moi dans ces moments de sexualité insensée, voire de dégradation et d'humiliation, et qui me faisait me sentir incroyablement vivante. J'aurais peut-être obtenu le même résultat si je m'étais lancée dans l'alpinisme.

J'étais consciente de mes contradictions et je les acceptais, ce qui ne me rendait finalement pas la tâche plus facile.

Tandis que je me livrais à ces réflexions, les conversations s'étaient peu à peu tues : le moment était venu.

Victor et l'étranger en smoking m'ont encadrée jusqu'à l'estrade, où ils m'ont rapidement déshabillée. J'ai pensé que mes collants étaient décidément bien inélégants, mais ils les ont ôtés tellement vite que je n'ai pas eu le temps de protester.

L'inconnu, qui était manifestement le maître de cette étrange cérémonie, a dit avec un geste théâtral :

— Voici Summer, propriété de Maître Victor. Vous serez d'accord avec moi : c'est un spécimen splendide. Une peau pâle, a-t-il continué en me désignant du doigt, et un cul délicieux.

Il m'a fait signe de me retourner afin que tout le monde le voie. Certains ont retenu leur souffle. J'avais de nouveaux admirateurs.

D'une tape sur l'épaule, il m'a fait comprendre que je pouvais de nouveau faire face à la foule. Il y avait principalement des hommes, mais aussi quelques femmes en robes de soirée. J'étais la seule esclave présente ce soir-là.

Le Maître Loyal a soulevé légèrement mon sein gauche afin que tous puissent juger de sa taille.

— Des seins menus, mais voluptueux, a-t-il remarqué.

Ses mains ont poursuivi leur chemin pour montrer comment la finesse de ma taille mettait en valeur la courbe de mes seins et de mes fesses.

— Un corps merveilleusement démodé – ou devrais-je plutôt dire… classique ?

J'ai serré les dents.

Il m'a épargné de l'embarras en s'abstenant de décrire mon sexe de nouveau parfaitement épilé, qui était de toute façon visible par tout le monde.

— Un spécimen de toute beauté. Nos compliments à Maître Victor, qui a encore une fois su dénicher un corps parfait et particulier. On m'a dit que cette esclave n'avait pas encore été proprement brisée, ce qui la rend encore plus désirable.

« Brisée » ? *Comment ça ?*

Dans mon dos, une main s'est glissée entre mes jambes et m'a forcée à les écarter. C'était Victor, dont j'aurais reconnu les doigts n'importe où.

J'étais exposée à la vue de tous, et je sentais les regards d'une trentaine de personnes courir sur ma peau : ces gens me jaugeaient, m'exploraient et appréciaient le spectacle de ma totale vulnérabilité.

Oh, Dominik, quel monstre as-tu créé ?

J'étais cependant obligée d'admettre que j'étais comme ça *avant* lui : il l'avait senti et s'était contenté de le révéler. Et ce faisant, c'est moi qu'il avait révélée.

Des pensées désordonnées tourbillonnaient dans mon esprit.

J'ai suivi les enchères dans un état second, simple spectatrice.

Des souvenirs ont fait surface : images de mauvais films vus des années auparavant et scènes tirées de romans SM pour lesquels j'avais éprouvé une curiosité éphémère. Je m'étais imaginée sur un marché aux esclaves en Afrique ou en Arabie, dans le désert, vendue par un marchand à la peau sombre, solidement charpenté, qui testait mon étroitesse avec ses doigts, puis m'écartait les jambes brutalement afin de montrer à la foule comment la couleur rose nacré de mon intimité contrastait avec la pâleur de ma carnation. Je ne sais plus si dans ces rêves éveillés, il m'arrivait parfois de porter un voile, mais une chose est certaine : dans tous les méandres de mon imagination, j'étais totalement nue, mon intimité terriblement exhibée aux yeux de tous. Je rêvais parfois que j'étais tirée de la cage en bambou dans laquelle un pirate m'avait emprisonnée après m'avoir enlevée, une fois mon bateau arraisonné, puis vendue à un prince oriental, qui ferait de moi un jouet de plus dans son harem. Était-ce cela, être esclave ?

Une femme a lancé les enchères à 500 dollars. Je me suis demandé si je pourrais la servir. Certes, Lauralynn me plaisait, mais de ce que j'avais pu constater, je préférais la domination masculine.

Un chœur de voix masculines a rapidement rejoint la mêlée, et les enchères se sont vite succédé. Chaque fois qu'un prix était annoncé, j'essayais de voir qui l'avait crié, mais tout allait trop vite et je n'ai pas réussi à suivre l'action, noyée sous les voix et les visages inconnus.

La bataille entre les deux acheteurs potentiels les plus acharnés a fini par s'achever, au milieu du silence qui s'était installé. Ironiquement, celui qui l'avait emporté était d'origine arabe, ou à tout le moins, orientale. Il portait un costume en tweed élégant quoiqu'un peu démodé et des lunettes. Il était dégarni, basané, et avait un sourire éminemment cruel.

Mon nouveau maître ?

Pourquoi Victor voudrait-il se débarrasser de moi ? Certainement pas pour l'argent. J'avais atteint la coquette somme de 2 500 dollars, ce qui était cependant bien loin du montant auquel devait se négocier une femme de nos jours.

Victor a tendu au vainqueur une laisse, dont il a attaché le collier autour de mon cou.

— Elle est à vous pour une heure, a-t-il rappelé à l'homme.

C'était donc une location temporaire. Je serais toujours à Victor après ça. Un autre jeu qui me permettait de tester mes limites.

L'homme a ignoré la laisse, qui pendait à mon cou, et m'a prise par la main. Il m'a fait franchir la porte, derrière laquelle se tenait une chambre spacieuse. Il m'a poussée sur le lit, a fermé la porte derrière lui et a commencé à se déshabiller.

Il m'a baisée.

Utilisée.

Quand il a eu fini, il a quitté la pièce sans un mot, complètement indifférent à ma présence. Je suis restée les jambes écartées, anesthésiée par la façon brutale dont il m'avait chevauchée.

J'ai inspiré profondément.

Je me sentais comme une poupée de chiffon abandonnée.

J'entendais le bruit assourdi de la fête, le tintement des verres, le bourdonnement des conversations. Étais-je le centre de toutes les discussions ? Les convives discutaient-ils de ma performance ? Me notaient-ils ?

Qu'allait-il se passer ? Un autre invité allait-il faire irruption et prendre le relais dans un marathon « baisons la nouvelle esclave » ?

Il ne s'est rien passé.

J'en ai été à la fois soulagée et bizarrement déçue. J'avais fait un pas de plus dans l'exploration de ma propre perversion et pourtant, j'étais toujours là, toujours insatisfaite, et je ne me sentais pas vraiment perturbée par ce qui venait de se produire. À quel moment finirais-je par m'arrêter ?

Victor est entré dans la chambre. Il ne m'a pas complimentée. Il n'a fait aucun commentaire.

Il tenait à la main le bâton de rouge à lèvres qu'il avait trouvé dans mon sac à main. Il s'est approché en le brandissant comme une arme.

— Tiens-toi droite, a-t-il ordonné.

J'ai perçu son souffle tiède sur ma peau.

Il a commencé à écrire sur moi.

J'ai baissé la tête pour essayer de lire mais il me l'a interdit.

Le bâton de rouge a dansé sur ma poitrine, puis Victor m'a fait pivoter d'une pression de la main et a tracé quelque chose sur mes fesses.

Une fois sa tâche achevée, il a reculé pour admirer son ouvrage, puis a sorti un petit appareil photo numérique de la poche de sa veste et m'a immortalisée. Il a eu l'air satisfait du résultat.

Il m'a poussée vers la porte, et m'a ordonné de rejoindre la foule des convives. J'étais épuisée par ce qui s'était passé avec l'Oriental, et je n'avais pas la force de protester.

Quand je suis entrée dans la pièce circulaire qui surplombait les lumières de Manhattan, tous les invités m'ont regardée en souriant, admiratifs, concupiscents. Qu'étais-je censée faire ? *M'avancer ? Mais jusqu'où ? Demeurer immobile ?*

Victor m'a arrêtée d'une pression sur l'épaule.

Il a laissé le temps à ses hôtes de lire ce qu'il avait écrit sur mon corps.

— Habille-toi, a-t-il ordonné ensuite. La soirée est finie.

J'ai remis ma robe, dans un état tellement second que j'ai failli en oublier mon précieux violon.

Il a hélé un taxi pour moi, dans lequel il m'a fait monter sans ménagement. Il a donné mon adresse au chauffeur puis s'est penché à la portière.

— Je te rappelle. Tiens-toi prête.

En rentrant chez moi, je me suis tout de suite déshabillée et j'ai regardé dans le grand miroir de la salle de bains ce qu'il avait écrit. Fort heureusement, aucun de mes colocataires croates n'était présent ce soir-là.

Les épaisses lettres rouges zigzaguaient sur ma peau comme des marques d'infamie. Sur mon ventre, Victor avait tracé « SALOPE », au-dessus de mon sexe était marqué « ESCLAVE » et sur mes fesses, s'étalait une inscription, que j'ai eu bien du mal à déchiffrer, étant à la fois obligée de me contorsionner et de lire à l'envers : « PROPRIÉTÉ DU MAÎTRE ».

J'ai eu envie de vomir.

Il me faudrait trois jours de douches, de bains et de savonnages intensifs pour me sentir de nouveau propre.

Victor m'a appelée le lendemain matin.

— Ça t'a plu, n'est-ce pas ?

J'ai nié.

— Tu t'en défends, mais on lisait très clairement le contraire sur ton visage, Summer. Sans parler de la réaction de ton corps.

— Je..., ai-je commencé à protester faiblement.

— Tu es faite pour ça, m'a coupée Victor. Nous allons follement nous amuser. Je vais t'entraîner. Tu seras parfaite.

J'ai senti la bile me brûler la gorge. J'avais l'impression d'être à bord d'un train qui déraillait, incapable d'altérer sa course, enchaînée à ses roues qui m'entraînaient inéluctablement.

— La prochaine fois, a-t-il poursuivi en savourant chaque mot, ce sera officiel. Je vais t'enregistrer.

— M'enregistrer ? ai-je répété.

— Sur le registre des esclaves en ligne. Ne te fais pas de souci, tu n'y figureras pas sous ta véritable identité. On te donnera un numéro et un nom d'esclave. Ce sera notre secret. J'avais pensé à Esclave Elena. Je trouve que ça sonne bien.

— Qu'est-ce que ça implique ?

Ma curiosité avait pris le pas sur mon indignation.

— Que tu acceptes que je sois ton maître pour toujours. Tu porteras ma marque.

— Je pense que je ne suis pas prête, ai-je répondu.

— Bien sûr que si. Tu choisiras entre une bague ou un tatouage à un endroit peu visible. Ce sera un numéro ou un code-barres, qui indiquera ton statut et le nom de ton maître. Évidemment, seuls des pratiquants le verront jamais.

J'ai senti une vague de honte et d'excitation m'envahir. Nous étions au XXIe siècle : comment des pratiques pareilles pouvaient-elles encore exister ?

Il n'en demeurait pas moins que j'étais fortement tentée : mes sens et mon imagination étaient déjà en ébullition. Cependant, je ne voulais pas abdiquer l'indépendance pour laquelle je m'étais farouchement battue pendant tant d'années.

— Quand ? ai-je demandé.

Victor a ronronné de satisfaction. Il pouvait lire en moi comme dans un livre.

— Je te tiens au courant.

Il a raccroché, me laissant dans l'incertitude.

Je me suis effondrée sur mon lit. Il n'y aurait pas de répétitions avant une semaine, ce qui me laissait beaucoup d'heures à tuer et trop de temps pour réfléchir. J'ai essayé de lire mais les lignes de tous les ouvrages que j'ai ouverts dansaient sous mes yeux et j'étais incapable de me concentrer sur les intrigues.

Inutile de compter sur le sommeil : il m'avait abandonnée à la tempête qui faisait rage dans mon esprit.

J'ai attendu le coup de fil de Victor pendant deux jours. J'ai passé mon temps à errer dans Greenwich Village, en espérant que le shopping et les films d'action primaires m'aideraient à ne pas penser à lui tout le temps, mais il ne m'a pas téléphoné. J'étais certaine qu'il me torturait exprès : il voulait être sûr que je brûle d'un désir ardent quand il finirait par le faire. Chaque fois que j'entrais dans une salle de cinéma, je mettais mon portable en mode vibreur pour ne pas rater un éventuel appel. *En vain.*

J'ai commencé à m'effrayer de mes propres pensées et du chemin sur lequel je m'étais engagée.

C'est alors qu'une nuit, à 3 heures du matin, tandis que la douceur de l'air s'engouffrait dans ma chambre par les fenêtres ouvertes sur les bruits des sirènes des ambulances et des voitures de police qui quadrillaient la ville, j'ai eu une révélation.

Un dernier pari.

Il fallait que je laisse quelqu'un choisir à ma place.

Il y avait seulement cinq heures de décalage horaire avec Londres. Ce n'était pas une heure déraisonnable pour passer un coup de fil.

J'ai appelé Chris en espérant qu'il n'avait pas éteint son portable, et qu'il n'était pas en concert à Camden ou Hoxton.

La sonnerie a retenti pendant de longues minutes et je m'apprêtais à raccrocher quand il a fini par décrocher.

— Salut, Chris.

— Salut, ma puce. Tu es rentrée ?

— Non, je suis toujours à New York.

— Comment vas-tu ?

— Je suis à bout de nerfs, ai-je avoué.

— Les choses ne se sont pas arrangées ?

— Non. Je pense même qu'elles ont empiré. Tu sais que je suis parfois ma pire ennemie.

— Je sais.

Il s'est tu un instant.

— Summer ? Rentre à Londres, a-t-il repris. Laisse tout tomber. Je te filerai un coup de main, je te le promets.

— Je ne peux pas faire ça.

— Qu'est-ce que tu veux alors ?

J'ai hésité, répétant à l'avance les mots dans ma tête.

— Accepterais-tu de me rendre un grand service ?

— Bien sûr. Tu peux me demander n'importe quoi.

— Est-ce que tu peux appeler Dominik et lui dire où je suis ?

— C'est tout ?

— Oui.

Un coup de dés. Dominik comprendrait-il ?

12

UN HOMME ET SON BLUES

LEURS RAPPORTS SEXUELS ÉTAIENT ORDINAIRES ET sans conviction.

Dominik avait une libido développée, qu'il pouvait néanmoins mettre de côté sans problème quand il avait besoin de se concentrer sur des domaines différents, notamment la recherche littéraire.

Une fois Summer partie, il n'y avait plus grand-chose d'autre dans la vie de Dominik. Ses cours étaient prêts depuis longtemps, même s'il mettait un point d'honneur à varier ses textes. Il avait assez de notes et il était suffisamment brillant pour ne pas être submergé par le travail. De toute façon, il préférait de loin improviser.

Ses étudiants ne présentaient aucun intérêt autre qu'universitaire. Non pas qu'il voulût entamer une relation avec une élève : c'était bien trop risqué. Il laissait ça aux enseignants sans morale, comme Victor – celui-ci avait disparu du campus pour prendre un poste à la fac de New York qui lui avait été proposé de manière soudaine. Il avait beau être prof, il n'en était pas moins homme, et il ne pouvait s'empêcher de remarquer les jeunes filles aux sourires aguicheurs. Il ne répondait cependant pas à leurs avances : on verrait quand les cours seraient terminés.

Dominik avait décrété qu'il vivait une pause sexuelle, une espèce de traversée du désert, pour compenser le départ de Summer. D'une certaine façon, il s'en était délecté, s'y était complu et avait anticipé avec plaisir les soirées solitaires pendant lesquelles il rattrapait son retard de lecture, n'ayant pas vraiment eu le temps d'ouvrir ses nouvelles acquisitions, qui prenaient la poussière, trop occupé qu'il avait été à planifier ses rencontres avec Summer.

C'est alors que Charlotte avait fait son apparition à l'une des conférences qu'il donnait à l'Université populaire. Il n'avait pas cru une seule seconde qu'elle s'était retrouvée devant lui par hasard, ayant développé un goût soudain pour la littérature contemporaine. Il savait qu'elle l'avait cherché, blessée par sa réponse peu enthousiaste à ses caresses lors de la fête où il avait rasé Summer. Il fut surpris de constater qu'elle avait pris la peine d'acheter et de lire l'un de ses ouvrages, mais il n'en fut pas le moins du monde flatté. Il avait fort bien compris qu'elle voulait obtenir quelque chose et qu'elle avait décidé de s'en donner les moyens.

Ils avaient rapidement entamé une liaison, en se contentant de céder à leurs désirs respectifs. Ni l'un ni l'autre n'avaient éprouvé le besoin de mettre des mots sur leur relation. Dominik se demandait parfois ce que Charlotte attendait de lui. Elle n'était pas en quête d'argent ni de sexe, puisqu'il savait qu'elle voyait régulièrement Jasper, et certainement d'autres hommes. Il s'en fichait complètement. Il pensait parfois qu'elle voulait juste le contrarier, le railler, et s'assurer qu'il n'oublie jamais Summer.

Il remarqua qu'elle avait décidé de s'épiler intégralement. Chaque fois qu'elle se dénudait, il était obligé de se souvenir de Summer, du rituel si parfait dans son esprit, ultime crescendo dans la mélodie de leur désir, acte pervers qui lui avait totalement échappé. Son fantasme avait été utilisé contre lui et, loin de les rapprocher, les avait éloignés l'un de l'autre.

À cause de ça, il était brutal avec Charlotte et il la baisait quand bon lui semblait. Elle ne s'en formalisait pas et paraissait même y prendre plaisir. Il ne lui faisait pas de cunnilingus, alors qu'il adorait ça. Il aurait été capable de lécher la chatte de Summer pendant des jours, jusqu'à ce qu'elle finisse par crier grâce, mais il n'approcha jamais sa langue du sexe de Charlotte. Elle ne s'en plaignit pas et continua à pratiquer la fellation avec une surprenante régularité. Il arrivait parfois à Dominik, pour l'humilier, de se retenir de jouir le plus longtemps possible : elle le suçait alors jusqu'à en avoir mal à la mâchoire, trop orgueilleuse pour admettre l'idée de ne pas savoir mener un homme à l'orgasme.

Elle était relativement séduisante, supposait-il, mais si son sexe répondait sans problème aux sollicitations de sa chair, son esprit était complètement indifférent. Il la trouvait ennuyeuse, une poupée creuse, sans rien de surprenant, d'original ou d'unique. On aurait dit qu'elle n'était qu'une enveloppe vide. Peut-être aimait-il les femmes compliquées. Et puis son parfum à la cannelle lui donnait la migraine.

Dominik soupira. Il ne devrait pas se montrer si cruel. Charlotte n'était pas Summer et elle n'y pouvait rien, de même qu'elle n'était pas responsable de leur morne routine sexuelle. Elle avait certes provoqué leur liaison mais il était autant partie prenante qu'elle à présent.

Charlotte se retourna, soupira doucement dans son sommeil et se blottit contre lui. Dominik ressentit une brève bouffée d'affection pour elle. Le seul moment où elle avait l'air parfaitement sincère était quand elle dormait. Il l'enlaça et sombra dans un sommeil agité.

Il faisait des rêves extrêmement pervers. Ils mettaient tous en scène Summer, souvent avec Jasper, parfois avec d'autres hommes sans visage, qui la chevauchaient sans relâche. Il voyait clairement leurs sexes se mouvoir dans son intimité entièrement dévoilée, et elle portait sur sa figure la marque de l'extase, son corps ondulant sous les vagues de la jouissance. Il regardait, simple spectateur, impuissant, rejeté, dévoré par la jalousie. Il rêvait parfois qu'elle était prise par une légion d'hommes, qui l'emplissaient l'un après l'autre de leur semence, alors qu'il se tenait en retrait, démuni, oublié.

Les matins qui suivaient ces cauchemars, il ne pouvait s'empêcher de penser à Summer. Où était-elle ? Explorait-elle ses désirs sans lui ? Dominik savait qu'il était responsable : il avait soulevé le couvercle de la boîte de Pandore et révélé les profondeurs frémissantes de soumission qu'elle contenait.

Les mails et les textos que la jeune femme lui envoyait pour lui raconter ses aventures lui manquaient. C'était certes une façon de contrôler sa jalousie – elle ne lui appartenait pas, même s'il aurait souhaité le contraire – mais aussi de garder un œil sur elle, pendant qu'elle testait ses propres limites. Il voulait s'assurer qu'elle conservait le pouvoir de s'abandonner de son propre gré, qu'elle ne se laissait pas entraîner trop loin.

Jusqu'où était-elle capable d'aller ? se demandait-il. S'arrêterait-elle jamais ? Quelle serait sa limite ?

Après un de ces rêves, qui l'avait mis d'humeur grincheuse, Charlotte lui fit une scène.

— Tu n'as jamais inventé de scénarios pour moi, se plaignit-elle. Pas de concerts où je serais nue, pas de baise en public, pas de corde, pas d'exhibition. On ne fait jamais rien.

C'était vrai. Il fallait dire aussi qu'elle ne suscitait aucune envie particulière en lui, contrairement à Kathryn ou Summer.

Il haussa les épaules.

— Qu'est-ce que tu veux que je fasse ?

— N'importe quoi ! éructa-t-elle. N'importe quoi sauf du sexe traditionnel ! Tu es un piètre *dom*, tu le sais, ça ?

Elle postillonnait en criant. Il observa ses lèvres bouger avec un curieux détachement. Il avait récemment vu un documentaire animalier sur une bestiole dotée d'une cavité orale anormalement large, et il n'avait pu s'empêcher de penser à Charlotte.

Elle s'énervait souvent après lui, son caractère ombrageux facilement poussé à bout par l'évidente indifférence de Dominik. Chaque fois que son calme de façade se lézardait, il savait qu'il avait gagné une bataille et il en éprouvait un frisson de joie mauvaise.

Il finit par accepter de l'amener dans un club échangiste, mû par la curiosité plus qu'autre chose. Il n'avait jamais trouvé la bonne partenaire pour s'y rendre, sauf une fois, à New York, quand ce type d'établissements naissait à peine. Soit les femmes avec qui il sortait étaient coincées et auraient hurlé à cette idée, soit il était vraiment amoureux et il ne voulait pas partager. Charlotte était peut-être la compagne idéale pour aller dans ce genre d'endroit.

De plus, la perspective de baiser en public avait fait oublier à la jeune femme la volonté d'être dominée par Dominik. Ce dernier n'avait strictement aucune envie de la fesser ni de la forcer à se soumettre. Charlotte était une jouisseuse, une joueuse ; elle aimait tout essayer, juste pour voir. Elle ne souhaitait pas se soumettre à lui, elle cherchait simplement à pimenter leur relation, et ça ne l'excitait pas du tout. Elle ne l'émouvait pas. Elle n'était pas Summer.

Le club était situé dans une zone industrielle du sud de Londres, coincé entre de petites usines et des bureaux vieillots. L'enseigne était très discrète et la seule lumière extérieure provenait des phares des rares taxis, qui déposaient ou emmenaient des clients.

Ils furent accueillis par le patron, un homme efféminé qui portait une veste de costume, malgré la chaleur tropicale qui régnait dans le vestibule. Charlotte lui plut et il la dévisagea comme un connaisseur l'aurait fait d'un pur-sang. Il n'accorda qu'un coup d'œil rapide à Dominik, lui montrant que sa présence était seulement tolérée.

Dominik s'acquitta de l'exorbitant droit d'entrée et déclina la proposition de carte annuelle, qui leur aurait donné droit à des tickets à tarif réduit pour une croisière échangiste en Méditerranée. De toute façon, il avait le mal de mer.

Il n'imaginait pas pire situation que se retrouver coincé pendant une semaine en pleine mer avec des couples échangistes, sans aucune échappatoire possible, à moins de rejoindre le rivage à la nage. Il envisagea sérieusement de fuir quand un homme vêtu comme le maître des lieux les débarrassa de leurs vestes et de leurs téléphones. Dominik s'apprêtait à protester, en arguant qu'il aurait besoin de son portable pour appeler un taxi en sortant, mais l'autre se contenta de désigner le panneau expliquant que tous les appareils permettant de filmer étaient strictement interdits.

Ils furent ensuite conduits dans le club à proprement parler et présentés à Suzanne, l'hôtesse. Elle promit de leur faire visiter l'endroit et de les aider à se sentir à l'aise.

— Salut ! s'écria-t-elle avec une gaieté qui semblait sincère.

Charlotte répondit avec un enthousiasme identique et Dominik se contenta de hocher brièvement la tête.

Suzanne était jeune ; Dominik ne lui donnait pas plus de vingt ans. Petite et ronde, elle n'était clairement pas à son avantage dans l'uniforme peu flatteur composé d'une brassière rose et d'une jupe en forme de tutu.

— C'est la première fois que vous venez, hein ? poursuivit-elle, un peu décontenancée, et ne sachant pas si elle devait s'adresser à Charlotte ou à Dominik.

Ce dernier devinait qu'elle n'avait pas ce type de problèmes d'habitude, les hommes étant certainement le plus souvent les instigateurs de ce genre de sortie. Avec eux, ça avait l'air moins évident.

— Oui, répondit gentiment Charlotte, la sauvant par là même de l'embarras. Nous sommes très impatients.

Suzanne tendit une main potelée pour leur montrer où était le bar du rez-de-chaussée. Ils la suivirent ensuite à l'étage, où elle leur fit visiter un autre bar, une « salle de jeux » et un labyrinthe de couloirs mal éclairés qui desservaient des chambres de toutes tailles. Certaines étaient manifestement conçues pour abriter des orgies de plus de vingt personnes, d'autres n'étaient que des alcôves dans lesquelles ne pouvaient s'installer que deux couples, trois si l'on se serrait. La plupart n'étaient pas fermées, pour que n'importe qui puisse regarder ou participer, mais deux des plus petites possédaient une porte et un verrou, afin qu'un couple à la recherche d'intimité puisse s'isoler.

Leur hôtesse détailla les aménagements présents dans toutes les pièces sans sourciller un seul instant. Elle n'avait pas le moins du monde l'air embarrassée par sa tenue ou son job.

Le regard de Dominik erra dans la salle et il remarqua les barres verticales près du bar, qui invitaient les clients à danser en se déshabillant une fois que l'alcool avait fait son œuvre. Il espéra que c'étaient les femmes qui se livraient à ce genre d'activités. Plusieurs canapés s'alignaient dans la partie salon, près du comptoir, et dans un coin, une espèce de balançoire était accrochée au plafond : faite d'un filet à mailles lâches, avec des entraves pour les pieds et les mains, elle permettait d'emprisonner complètement quelqu'un dans son cocon.

Des saladiers pleins de préservatifs dans des emballages de toutes les couleurs étaient disposés sur toutes les surfaces vides : il y en avait tellement que Dominik soupçonnait qu'ils suffiraient pour un mois même si le club ne désemplissait jamais. Ils donnaient un air étrangement gai à l'établissement, un peu comme des bonbons dans le cabinet du médecin.

Près des chambres, un lourd rideau sombre tombait du plafond. L'un de ses côtés était fendu, formant une tente de fortune, pleine de trous, certains de la taille d'un œil, d'autres d'un poing, afin que les spectateurs puissent observer les silhouettes dissimulées derrière ou attraper ce qui passait à portée de leur main. Dominik y jeta un coup d'œil. *Vide.*

— C'est toujours calme avant minuit, s'excusa Suzanne. Les clients arrivent après. Dans une heure ou deux, ce sera la cohue.

Dominik se retint de grimacer.

Il n'avait jamais compris l'intérêt qu'il pouvait y avoir à mater des gens qui baisaient en public, et l'idée que le sexe puisse être aussi mécanique lui rappelait toujours Summer et Jasper, dont il n'arrivait pas à chasser le souvenir de ses pensées.

Il avait certes un côté voyeur, mais il ne pouvait l'exercer qu'avec des personnes qu'il connaissait et avec qui il était lié par un accord tacite, une espèce de contrat qui l'invitait à regarder. Sans ce lien, il était aussi excité par la vision d'étrangers en train de baiser que par un documentaire animalier sur la reproduction des animaux.

Charlotte, en revanche, voyait les choses de manière totalement différente. Elle aimait le sexe pour lui-même, adorait montrer son audace et son allure en s'exhibant en public, et c'était une véritable frimeuse. L'échangisme était donc l'un de ses passe-temps favoris.

Elle avait déjà entamé une reconnaissance nonchalante près du bar, où se tenaient pour l'instant un jeune couple qui évitait soigneusement de regarder autour de lui et un homme puissant, entre deux âges, qui portait un polo et une ceinture en similicuir : il avait l'air seul et lorgnait les hôtesses en tutu. Il y avait aussi un couple d'Indiens plus âgés, qui donnaient l'impression d'être de vieux habitués.

Charlotte commanda à boire pour eux deux, un cocktail compliqué pour elle, un Pepsi pour Dominik.

Il s'assit à ses côtés et sirota son soda pendant que Charlotte bavardait avec tous ceux qui venaient prendre un verre.

Suzanne avait raison : le club commençait à se remplir.

Jusqu'à présent, personne ne lui plaisait.

Quelques filles étaient jolies, mais elles affichaient des vêtements ridiculement vulgaires, des robes trop courtes achetées sur des sites en ligne bon marché. De plus, elles arboraient un bronzage artificiel sur lequel elles avaient étalé trop de maquillage. Aucune ne l'intéressait. Et les autres clients étaient soit ennuyeux, soit répugnants.

— Tu comptes passer la soirée assis là ? siffla Charlotte au creux de son oreille.

Dominik n'avait aucune envie de l'entendre.

— Va t'amuser, répondit-il. Je te rejoindrai peut-être plus tard.

Elle ne se le fit pas dire deux fois. Elle descendit de son tabouret, lui offrant la vision de ses fesses et de ses longues jambes bronzées qui formaient un contraste saisissant avec sa minirobe blanche, et disparut dans la foule, de nombreux hommes dans son sillage. Ils étaient attirés par elle comme des mouches par un pot de miel.

Dominik ne dit rien quand elle se tourna vers lui, l'air mauvais, et qu'elle prit deux types par la main. Aucun des deux n'était particulièrement séduisant. Le premier était l'homme au polo et à la ceinture en similicuir qui se tenait au bar quand ils étaient arrivés. L'autre était plus jeune, mais déjà empâté, avec un double menton et un ventre proéminent qui tendait sa chemise.

Charlotte les mena vers la balançoire, se hissa dessus, puis s'allongea sur le dos, les jambes écartées. Il devint évident pour tout le monde qu'elle ne portait pas de culotte, et tous les occupants de la pièce avaient une vue plongeante sur son intimité.

Par curiosité, Dominik s'approcha.

Les deux hommes fermèrent les sangles sur les jambes de la jeune femme. En participante active, elle attrapa les cordes qui pendaient du plafond.

Le type au polo avait déboutonné sa ceinture et caressait son pénis encore inerte. Le gros avait sorti le sien aussi, le pantalon sur les chevilles, les pans de sa chemise battant ses fesses nues. Il attrapa rapidement un préservatif, le déroula sur sa queue, s'avança vers Charlotte et fit bouger la balançoire afin de pouvoir la pénétrer.

Dominik se rapprocha encore, et regarda le sexe de l'homme aller et venir dans la chatte de Charlotte. Elle jeta un coup d'œil dans sa direction et il ne vit plus sur son visage qu'une envie dévorante, un besoin qui dépassait largement celui de le blesser.

Était-il blessé d'ailleurs ? Il supposait qu'elle l'espérait, mais il se sentait complètement détaché, indifférent.

Il l'observa se faire prendre par les deux gars, l'un après l'autre, leurs sexes allant et venant, couverts des fluides émis par Charlotte et il écouta ses gémissements sonores : elle ne faisait aucun effort pour cacher son plaisir, ni pour épargner les sentiments qu'il aurait pu avoir.

Une foule s'était formée : plusieurs hommes avaient baissé leur pantalon et se caressaient à côté d'elle.

Quelques-uns s'approchèrent pour la toucher, tendant la main dès que l'occasion se présentait et qu'un morceau de chair pouvait être atteint.

Dominik ne tenta pas de les arrêter. Charlotte avait les mains libres pour repousser toutes les attentions dont elle n'aurait pas voulu, et elle avait aussi une bouche pour s'exprimer. De plus, elle avait l'air de jouir de tout cet intérêt, les lèvres entrouvertes, le visage brûlant de désir et de volupté.

Il imagina Summer à sa place. Ignorant ses propres désirs, elle se donnait à des étrangers, les jambes écartées pour eux. Il se souvint de la façon dont elle s'était offerte à Jasper, dont elle l'avait sucé, dont elle s'était agenouillée pour lui sur le canapé, comme une femelle qui attendait qu'on la saille.

Quand il pensait à Summer, il ressentait au moins quelque chose ; c'était toujours mieux que la sourde absence de sentiments et le vide désabusé qui l'emplissaient depuis qu'elle était partie.

Dominik n'avait plus envie de regarder Charlotte. Il se fraya un chemin entre les spectateurs avides qui s'étaient rapprochés pour avoir un aperçu de la dépravation en cours, descendit rapidement l'escalier et s'installa au bar du rez-de-chaussée, où il attendit que la jeune femme le rejoigne, sans prêter la moindre attention aux hôtesses qui tentaient de bavarder avec lui ni aux clientes à la recherche d'une baise facile.

Charlotte finit par faire son apparition. Quand elle s'assit sur le tabouret à côté de lui, sa jupe remonta, et elle ne fit aucun effort pour dissimuler son sexe, épilé de manière obscène, gonflé et encore humide. Elle écarta nonchalamment les jambes, histoire de lui offrir une meilleure vue.

— Inutile de te fatiguer, remarqua Dominik en détournant le regard.

— Mais qu'est-ce que tu as, putain ? Qu'est-ce que tu imaginais ?

— Charlotte, tu peux baiser avec qui tu veux, je m'en fous. Tu es totalement libre. Je croyais que tu le savais.

— Tu ne t'en foutais pas quand il s'agissait de Summer !

— Tu n'es pas Summer.

— Et je ne veux pas ressembler à cette salope velléitaire ! Rien ne l'intéresse en dehors de son putain de violon. Elle s'est servie de toi, elle t'a utilisé et tu ne t'en rends même pas compte. Elle couche avec n'importe qui ! Elle n'en a jamais rien eu à foutre de toi !

Dominik eut soudain envie de la gifler, de voir son visage se tordre de douleur. Mais il n'avait jamais frappé une femme et il n'était pas question qu'il s'y mette ce soir. *En tout cas, pas comme ça.*

Il se leva et quitta le club.

Elle s'excusa le lendemain par texto.

« Tu ne veux pas venir ? »

Pour Charlotte, c'était ce qui ressemblait le plus à des excuses.

Et ça ne changeait rien.

Leur relation reposait sur des bases claires : ils baisaient et se faisaient du mal. Summer se dressait entre eux, absente encombrante, comme une blessure qu'ils ne pouvaient s'empêcher de rouvrir.

Il se rendit chez Charlotte.

Il la baisa encore plus violemment que d'habitude. Les yeux fermés, il se figura de nouveau qu'elle avait les cheveux roux et non plus châtains, que sa taille était plus fine, sa peau pâle et non bronzée, que ses jambes étaient moins longues, ses fesses plus rondes et qu'elle frémissait sous ses caresses. En réponse, son sexe durcit encore plus et il se sentit envahi par la colère, furieux que cette femme ne soit pas Summer. Il leva la main et la frappa sur la fesse : sa partenaire cria, d'abord de surprise puis de plaisir. Il fit de même de l'autre côté, regarda sa peau rougir et recommença, encore et encore. Elle se frotta contre lui, ravie, et souleva ses hanches pour lui offrir un meilleur angle.

Il la regardait faire en songeant combien l'anus de Summer lui avait paru attirant ; la première fois qu'elle avait joui avec lui avait été quand il lui avait promis qu'un jour, il lui demanderait de se mettre un doigt dans le cul.

Dominik regrettait de ne pas s'être aventuré sur cette terre vierge avant que Summer disparaisse. Il avait retardé le moment, voulant en faire un rituel, de la même manière qu'il avait prévu de la raser en solitaire.

Il se pencha, humidifia l'anus de Charlotte avec de la salive, en caressa les abords avec son pouce, puis introduisit ce dernier. Il fut surpris par son étroitesse. Elle fit un bond en avant et se désengagea. Quand il ôta son pouce, elle recula de nouveau et s'empala sur son sexe.

Dominik était très étonné. Malgré sa sexualité libérée, Charlotte n'avait pas l'air d'apprécier la sodomie.

Il la pénétra le plus profondément possible, absorbé par ses pensées. Elle s'agita encore et jouit en criant.

Il se retira doucement et enleva discrètement le préservatif. Il ne voulait pas qu'elle voie qu'il était vide : il n'avait pas eu d'orgasme.

Charlotte s'affala lourdement sur le lit. Il s'allongea à ses côtés et lui caressa distraitement le buste.

—Tu ne m'avais jamais fait ça, dit-elle, d'une voix douce de femme repue.

—Non.

Il ne voyait pas quoi dire de plus.

—Ne le prends pas mal, mais…

—Mais quoi ?

—Quel genre de dominateur es-tu ? Je n'avais pas eu l'impression jusque-là que tu avais envie de me soumettre.

Dominik réfléchit.

—Je n'ai jamais eu aucun goût pour l'aspect théâtral, finit-il par répondre. Ni pour les liens. Tous ces clichés. Je ne suis pas excité par la souffrance. Enfin, en temps normal, ajouta-t-il avec un regard pour les reins rougis de la jeune femme.

—Tu ne voudrais pas essayer ? Pour me faire plaisir ?

—Qu'est-ce que tu veux ? demanda-t-il, un peu agacé.

—Être attachée. Frappée. Surprends-moi.

—Il ne t'est pas venu à l'esprit qu'ordonner à un dominateur de te dominer n'est pas une preuve de soumission ?

Elle haussa les épaules.

—Bah, tu n'es pas vraiment un dominateur, pas vrai ? le provoqua-t-elle.

—D'accord.

— Vraiment ?

— Je vais te préparer quelque chose.

Dominik y réfléchit. Il n'avait aucune envie de frapper Charlotte. Il l'utilisait mais elle faisait de même. Il trouvait complètement idiot de se forcer à jouer les dominateurs avec elle. Faire semblant ne l'intéressait pas. Leur liaison avait pris un tour ridicule et sordide, elle n'était plus qu'une caricature d'elle-même, une parodie grotesque de ce qu'il avait partagé avec Summer.

Cela étant, Charlotte l'avait provoqué et elle l'avait trouvé.

Quand elle fut sous la douche, il fouilla dans son immense sac à main hors de prix, à la recherche de son téléphone portable. Il n'était pas verrouillé par un mot de passe. Il s'y attendait : Charlotte était une femme sans secrets. Il fit défiler avec indifférence de nombreux textos envoyés par des hommes. Ils commençaient tous par « Salut, ma puce » ou « Salut, beauté ».

Il finit par trouver les coordonnées de Jasper, qu'il nota. Il l'appela une fois rentré chez lui.

— Allô ?

— Jasper ?

— Euh. Oui ? répondit ce dernier, incertain.

Dominik sourit. Ce numéro était manifestement son numéro professionnel : il se demandait peut-être si c'était un client.

— Dominik à l'appareil. Nous nous sommes croisés à une fête il y a peu. Avec Charlotte et Summer.

— Oh, absolument.

Le ton de Jasper devint plus chaleureux à la mention de Summer et Dominik s'en irrita.

— Que puis-je pour vous ?

— Je prépare une surprise pour Charlotte et je pense qu'elle serait ravie si vous étiez là. Je vous paierai, évidemment.

— Avec plaisir, alors. Quand ?

— Demain.

Dominik entendit bruire les pages d'un agenda.

— Je suis libre. Et ravi de pouvoir participer.

Dominik lui donna ses instructions.

Puis il envoya un texto à Charlotte.

« Demain soir, chez toi. Sois prête. »

« Oh, super ! répondit-elle. Comment je m'habille ? »

Dominik résista à l'envie de répondre : « Je m'en fous. »

Puis, dans un accès de colère et de souffrance, il décida de lui infliger une humiliation cuisante :

« En uniforme d'écolière. »

Jasper et Dominik se retrouvèrent devant le domicile de la jeune femme, histoire de vérifier que tout était prêt. Dominik était aux commandes, ainsi que Charlotte le voulait.

— C'est vous qui payez, rappela Jasper, alors tout me va.

Ils sonnèrent, complices dans la soumission qui s'annonçait. Dominik n'avait toujours pas invité Charlotte chez lui. Il n'avait pas envie de la voir dans son foyer ; il ne voulait pas se dévoiler.

Elle ouvrit la porte. Elle portait une minijupe écossaise, un chemisier blanc, des chaussettes hautes et des chaussures noires fermées à petits talons. Elle l'avait vraiment pris au mot, constata Dominik en voyant sa queue-de-cheval haute et ses lunettes à monture noire. Il ne pensait pas qu'elle le ferait et il fut surpris par sa réaction : il bandait. Peut-être que ce ne serait pas une corvée après tout.

Elle sourit largement en apercevant Jasper et ce dernier lui sourit en retour : il y avait entre eux une évidente complicité. *Comme Summer et moi*, songea Dominik, le cœur serré.

— Bonsoir, messieurs, salua Charlotte, les yeux baissés, en faisant une petite révérence.

— Nous sommes venus te punir, annonça Dominik. Tu as été une très vilaine fille.

Il fit la grimace en entendant sa propre voix : ces mots lui étaient complètement étrangers. Charlotte lui jeta un regard ravi.

Il franchit le seuil, la contourna et la fit pivoter, la main dans le creux de ses reins.

— Penche-toi, ordonna-t-il. Montre-moi ton cul.

Elle gloussa, mais s'exécuta promptement.

Dominik lui tourna autour. Et se souvint, avant d'avoir pu écarter cette pensée, de Summer, dans la même position dans la crypte, un peu réticente, un peu effrayée, obéissant malgré tout. Il ne savait toujours pas pourquoi elle avait obtempéré. Peut-être était-elle mue par le même désir que celui qui courait dans ses veines, mais en miroir : il avait envie de la dominer, elle avait envie de se soumettre.

Les genoux de Charlotte se mirent à trembler. Contrairement à Summer, qui demeurait immobile comme une statue, incapable de bouger une fois qu'elle avait obéi, Charlotte jouait la comédie et elle gigotait, impatiente de voir ce qu'il avait imaginé pour ce jeu absurde. Il était à deux doigts de s'asseoir et de regarder Jasper la baiser. De toute façon, c'était ce qu'elle voulait.

Non. Elle avait demandé à être dominée, elle allait être servie.

Il glissa ses doigts dans sa culotte et la fit brutalement glisser le long de ses jambes. Charlotte ne mettait jamais de sous-vêtements, mais elle avait poussé le déguisement jusqu'au bout et portait une culotte en coton blanc.

— Écarte les jambes.

Elle bougea un peu et tenta de se redresser, mais Dominik ne le lui permit pas. Chaque fois qu'elle essayait de trouver une position plus confortable, il posait sa main sur ses reins et la poussait vers le sol.

Il fit un signe en direction de Jasper.

— Prends-la. Tout de suite. Pas de préliminaires. Pas de temps perdu. Vas-y.

Il regarda le jeune homme enfiler un préservatif sur son impressionnante érection.

Dès que l'énorme membre de Jasper fut entré en elle, Charlotte soupira d'aise et en oublia son inconfort.

Dominik les abandonna momentanément et parcourut la chambre de Charlotte jusqu'à ce qu'il déniche un tube de lubrifiant. *À la cannelle. Évidemment.*

Il regagna le salon et découvrit que Jasper avait laissé la jeune femme s'accouder au canapé afin que le poids de son corps repose sur les coussins. Il leur ordonna de se replacer au centre de la pièce. Charlotte gémit. Était-ce de douleur ? Dominik sentit son sexe durcir à cette idée.

Il étala du lubrifiant sur ses doigts, posa doucement la main sur le cul de la jeune femme, écarta ses fesses avec la paume puis inséra son index dans son anus. Charlotte sursauta et il la sentit se contracter violemment autour de son doigt, mais elle ne protesta pas. En réponse à sa crispation, son érection grandit : il était dur comme du bois à présent et sa queue tendait son pantalon.

Dominik percevait, à travers la fine paroi intérieure de Charlotte, la bite épaisse de Jasper qui allait et venait comme un bélier prenant d'assaut une muraille. Il introduisit un deuxième doigt et les remua sur un rythme de plus en plus rapide, à l'unisson de celui de Jasper.

Charlotte commença à s'agiter, incapable de prendre appui sur le sol sous la charge régulière que les deux hommes faisaient subir à son corps.

Il enleva lentement ses doigts de son cul, et les muscles de la jeune femme se serrèrent autour d'eux. Il fit signe à Jasper de se retirer.

Dominik redressa Charlotte. Elle avait les yeux pleins de larmes.

— C'est bien, dit-il. Maintenant qu'on a fait le chemin, les choses sérieuses peuvent commencer.

Elle baissa la tête et acquiesça. Il la prit dans ses bras et l'emmena dans la chambre. Le geste fit surgir en lui le souvenir de la fois où il avait porté Summer de la même manière avant de la déposer sur le bureau où elle s'était caressée.

— Mets-toi à quatre pattes, lui ordonna-t-il sèchement.

Elle obéit, tête basse, sans croiser son regard.

— Ne bouge pas, ajouta-t-il.

Dominik se tourna vers Jasper, qui avait enlevé le préservatif pour le remplacer par un autre.

— Interdiction de la toucher.

Il regagna le salon, récupéra le tube de lubrifiant et passa à la salle de bains se laver les mains. Ce faisant, il contempla son reflet dans le miroir.

Qu'était-il en train de devenir ?

Il écarta cette pensée et revint dans la chambre, où l'attendaient Charlotte et Jasper. La jeune femme portait toujours son uniforme d'écolière, sa culotte sur les chevilles, la minijupe écossaise à moitié remontée sur les fesses. Quant à Jasper, il était entièrement nu à présent ; son jean et son tee-shirt étaient soigneusement pliés sur la commode de Charlotte.

Dominik s'approcha de la jeune femme et l'empoigna par les cheveux.

— Je vais te prendre par le cul, murmura-t-il à son oreille.

Elle ne répondit pas. Son air mécontent disait assez qu'elle pensait avoir été dupée ; elle n'aurait pas dû lui faire comprendre qu'elle détestait la sodomie.

Dominik remonta complètement sa jupe et lui écarta les jambes. Ces dernières étaient si longues que quand il la prenait en levrette, Dominik avait l'impression de monter un poney. Il glissa un doigt dans sa fente, toujours humide de sa baise avec Jasper, qui se tenait non loin, parfaitement immobile, son sexe toujours dressé.

Dominik répandit une bonne dose de lubrifiant sur l'anus de Charlotte, qui frissonna au contact du liquide froid. En réponse, il se remit à bander.

Il était toujours habillé et il dégrafa sa ceinture.

Il libéra son sexe et l'approcha de l'anus de la jeune femme, si près qu'il sentait la chaleur qui en émanait. Il décida soudain de mettre un préservatif, puis frotta le bout de son gland contre son trou, tout en l'agrippant.

— Détends-toi, ma jolie, dit-il.

Jasper se pencha et lui caressa les cheveux.

— Ça va aller, ma puce.

Dominik les regarda. Charlotte avait posé la tête contre le torse de Jasper, détendue, et son amant lui caressait doucement les cheveux.

C'est étrangement romantique, songea Dominik, qui comprit alors qu'il avait été totalement oublié ; il n'était qu'une queue, que n'importe quel homme aurait pu fournir. Il aurait très bien pu être remplacé par un gode, porté par une femme harnachée.

Il ne pouvait pas lui en vouloir. Il ne l'aimait pas, lui non plus.

Dominik ôta le préservatif et reboutonna son pantalon. Il lança un coup d'œil à Jasper en atteignant la porte. Il voulait le rassurer : le contrat avait été rempli, il pouvait faire ce qu'il désirait avec Charlotte. Mais Jasper ne le regardait pas. Il était sur le lit, Charlotte dans les bras, et ils se remirent à baiser avec intensité.

Une fois dans le salon, Dominik promena son regard autour de lui. Il était douloureusement conscient de n'avoir jamais été invité chez Summer, dans le dernier refuge de son intimité. Charlotte n'avait pas ce genre de scrupule : elle adorait recevoir et ne s'en privait pas. Son appartement était meublé de manière spartiate. Le salon était grand mais ne contenait qu'un canapé, une balancelle et un petit bureau sur lequel était posé un Mac.

Sa cuisine comportait un large plan de travail, sur lequel trônait une coûteuse machine à expressos. Les Australiens et les Néo-Zélandais accordaient beaucoup d'importance à leur café, ils étaient même plus maniaques à ce sujet que les Italiens, qui avaient pourtant quasiment inventé cette boisson.

Dominik remarqua un faible clignotement sur la machine. Était-ce… ? *Non. Certainement pas.* Il s'approcha, histoire d'en avoir le cœur net.

C'était le téléphone de Charlotte, posé de manière à pouvoir enregistrer en mode vidéo.

Dominik s'en saisit, arrêta l'enregistrement et revint au début. Elle avait filmé la scène, ou du moins la partie qui s'était déroulée dans le salon. Elle était vraiment gonflée, la salope.

S'observer lui procura une étrange sensation. Quand il lui arrivait de baiser dans une pièce avec un miroir et de surprendre son reflet, il détournait le regard. Il ne voulait pas se voir en pleine action.

Charlotte avait quasiment tout filmé. Elle avait dirigé l'objectif vers le centre du salon, pas vers le canapé ni la chambre. Elle avait deviné qu'il s'arrêterait là. Il n'était peut-être pas si mystérieux ni si surprenant, finalement.

Dominik effaça le film et replaça le téléphone où il l'avait trouvé, sans remettre la caméra en marche. Charlotte risquait de remarquer que la bande avait été trafiquée mais ces appareils s'interrompaient souvent de leur propre chef. Et c'était toujours mieux que de se filmer en train de quitter la pièce. Il récupéra sa veste, abandonnée sur l'accoudoir du canapé. Il avait déjà payé Jasper ; tout ce qui se passait après son départ serait à la charge de Charlotte.

C'est alors qu'une pensée lui vint. Qu'avait-elle enregistré d'autre ?

Il revint sur ses pas, reprit le téléphone et parcourut les vidéos sauvegardées. Elles étaient classées par dates. L'une d'elles remontait à la veille de sa dispute avec Summer au café. La nuit où il l'avait rasée et où Jasper l'avait baisée devant lui.

Le cœur lourd, Dominik appuya sur la touche « Lecture ». L'image était petite mais claire. Charlotte avait bien filmé Jasper et Summer. Savait-elle ce qui allait arriver ? Avait-elle payé Jasper pour le faire ? Tout organisé ? Elle avait dû poser le téléphone sur les coussins du canapé ou sur le linteau de la fenêtre. L'angle avait permis de saisir le visage de Summer, qui affichait un mélange de souffrance et de plaisir. Le sexe de Jasper était peut-être trop imposant pour elle. Elle jeta un regard en arrière une ou deux fois. Était-ce lui, Dominik, qu'elle cherchait ?

Il fit défiler la bande plusieurs fois, incapable de détacher ses yeux du spectacle enregistré par Charlotte. Il était persuadé que Summer n'aurait jamais consenti à être filmée. Il appuya sur quelques boutons, s'envoya le film par mail, l'effaça et remit soigneusement le portable de Charlotte à sa place, même s'il se souciait fort peu qu'elle découvre ce qu'il avait fait. Il ne voulait plus jamais la voir.

Il quitta l'appartement sans un regard en arrière.

Il était tard. Il se glissa derrière le volant de sa BMW et inspira profondément avant de manœuvrer habilement pour sortir de l'emplacement où il était garé. La rue tranquille, déserte quand il était arrivé, était maintenant remplie de voitures, les voisins de Charlotte ayant regagné leur domicile pour la nuit. Deux autres BMW stationnaient devant et derrière lui. *Une brochette. Pas besoin d'en esquinter une en partant.*

Dominik roula lentement vers l'artère principale, qui lui permettrait de rejoindre l'A41, et de prendre Finchley Road vers Hampstead, tout en regardant au passage les fenêtres des maisons qui bordaient la rue. Il vit des chambres et des salons éclairés, et aperçut une mince silhouette, *a priori* féminine, jeter un bref coup d'œil à l'extérieur avant de tirer les rideaux.

Il était obsédé par Summer et par les regards qu'elle avait lancés par-dessus son épaule quand Jasper la chevauchait. Il serra à gauche pour croiser le véhicule qui arrivait face à lui dans l'étroite avenue et évita de justesse un chat qui traversait en courant.

Il se demanda distraitement si Charlotte était la seule à se livrer à des plaisirs coupables ce soir-là ou si les habitants de ce quartier faisaient secrètement la même chose, et dissimulaient eux aussi de sombres secrets.

Une fois rentré chez lui, il se déshabilla rapidement et s'effondra sur son lit sans même se doucher.

Il devait absolument rendre un article le lendemain matin.

13

Un homme et une femme

Victor m'a appelée le lendemain.

— Summer ?

— Oui ?

— Sois prête dans une heure. Une voiture viendra te chercher à midi.

Il a raccroché sans me laisser le temps de dire quoi que ce soit.

J'ai répondu à son coup de fil comme je l'avais toujours fait, en bon petit soldat incapable de faire autre chose que ce qu'on lui ordonnait.

Un registre des esclaves ? L'idée était tellement absurde qu'elle en devenait irréelle. J'étais certaine que j'allais me réveiller et découvrir que tout ça n'avait été qu'un cauchemar.

Je me suis quand même douchée et soigneusement rasée, comme Victor me l'avait ordonné. Je ne voulais surtout pas lui donner un prétexte pour qu'il le fasse à ma place. J'étais sûre qu'il serait beaucoup moins doux que Dominik, un rasoir à la main.

Dominik. M'appellerait-il ? Je sentais mon cœur se serrer à la simple évocation de son nom. Il comprendrait ce qui m'arrivait. Malgré leurs points communs, Victor et lui étaient complètement différents. Dominik ne cherchait pas à me briser, ni à faire de moi une soumise sans âme. Il voulait plus que ça. Il voulait que je le choisisse.

La voiture arriva, aussi énorme et aussi brillante que d'habitude ; avec ses vitres teintées, elle aurait été parfaitement à sa place dans un film de mafieux. Je n'ai même pas tenté de voir vers où nous nous dirigions. *Une autre adresse anonyme, un autre donjon improvisé. Aucune importance.* Après tout, j'avais consenti. Je ne risquais donc pas d'appeler la police pour signaler mon propre enlèvement.

Mon portable a vibré dans mon sac à main, mais je l'ai à peine entendu à cause du bruit du moteur. Je craignais que Victor ne m'appelle quand j'étais en pleine répétition et je prenais donc toujours soin de laisser mon téléphone sur vibreur ou en mode silencieux. Les chefs d'orchestre ou les directeurs artistiques n'accepteraient certainement pas qu'un coup de fil interrompe le travail, ou, pire, que je sois obligée de quitter brusquement une séance pour obéir à un ordre de Victor.

J'ai commencé à fourrager dans mon sac pour voir qui avait téléphoné. Était-ce Dominik ? Je me suis immobilisée, tétanisée par la peur. Victor avait-il installé des caméras dans la voiture ? Un micro pour surveiller mes éventuels appels ? Je me suis penchée en avant pour jeter un coup d'œil au chauffeur, mais le panneau vitré entre l'avant et l'arrière était levé. Pour ce que j'en savais, Victor était peut-être même au volant ; c'était exactement le genre de tour qui l'excitait.

La voiture a ralenti, et j'ai deviné à travers la vitre teintée, la silhouette familière de Victor sur le trottoir. Ce n'était donc pas lui qui conduisait. Ma portière serait ouverte dans une seconde : je n'avais le temps ni d'appeler ni d'envoyer un texto, ni même de vérifier que c'était bien Dominik qui avait cherché à me joindre. La seule chose que je pouvais faire, c'était me tenir prête à raccrocher tout de suite si mon portable se remettait à vibrer ; je ne voulais pas que Victor découvre que nous étions de nouveau en contact.

J'espérais juste que Dominik, si tant est que ce soit lui, rappelle. Peut-être arriverais-je, à un moment donné au cours du scénario imaginé par Victor, à lui parler.

Victor a ouvert la portière et m'a tendu la main pour m'aider à descendre. Étais-je tombée si bas ? De manière totalement ironique, j'étais plus offensée par ce geste, qui faisait de moi une femme incapable de tenir debout toute seule, que par les relations sexuelles qu'il m'avait imposées, et que j'avais librement acceptées. J'avais envie de me révolter, de le regarder de haut puis de le faire s'effondrer violemment sur le trottoir, mais je ne l'ai pas fait. Je m'en suis sentie incapable. Je me suis contentée de prendre la main qu'il me tendait et de le suivre, soumise.

Nous étions chez lui, dans son loft de Tribeca, transformé pour l'occasion en une espèce de harem. Le décor était grotesque, avec des coussins brodés jetés çà et là, et des pans de mousseline légère et colorée accrochés au plafond. Les hommes et les femmes, maîtresses et maîtres, étaient vêtus comme ils supposaient qu'il seyait à leur rang, et le résultat était complètement ridicule.

— Baisse la tête, esclave, a murmuré Victor à mon oreille, manifestement mécontent.

J'ai obéi, mais un frisson de satisfaction m'a parcourue. J'avais donc l'air beaucoup trop assurée, la tête haute, le dos droit. *Tant mieux.*

Victor a ôté le sac de mon épaule.

— Déshabille-toi, a-t-il ordonné.

Ma petite rébellion l'avait apparemment mis en colère. J'ai enlevé ma robe et la lui ai tendue. Je ne portais rien dessous. *Pour quoi faire?* J'arrivais presque à ôter une robe avec élégance mais impossible de faire de même avec une culotte; voilà pourquoi j'avais abandonné les sous-vêtements.

— Plus rien n'est à toi ici, a-t-il dit en mettant de côté ma robe et mon sac.

Heureusement que j'avais laissé mon Bailly chez moi. J'avais beau me sentir nue sans lui, au moins personne ne me l'enlèverait. J'avais très peur que Victor ne découvre à quel point j'étais attachée au violon et ne cherche à le détruire. C'était la seule chose qui parviendrait à me briser vraiment.

Tête baissée, le sol pour tout horizon, je ne pouvais voir les convives qu'à la dérobée. J'ai saisi le plus de bribes de conversations possible.

— C'est la dernière trouvaille de Victor, a remarqué une petite brune nonchalamment allongée sur les coussins près de moi.

Je la voyais du coin de l'œil: elle avait choisi de se faire un look de star des années quarante, rouge à lèvres très rouge et coupe au carré chic.

— Fougueuse, a répondu son compagnon, un homme mince et grand, qui avait une moustache tellement clairsemée qu'on aurait dit qu'il avait oublié de se laver la lèvre supérieure.

— Victor la brisera. Il est très fort pour ça.

J'ai attentivement regardé Victor enfermer mon sac et ma robe dans son bar à alcools, qu'il a fermé à clé avant de ranger cette dernière dans sa poche.

Il s'est alors tourné vers moi, un sourire triomphant sur les lèvres.

— Les préparatifs commencent ce soir. La cérémonie aura lieu demain.

Dominik, ai-je pensé en jetant un regard en coin au bar contenant à présent mon portable, *où es-tu ?*

Dominik savait que Chris était un ami proche de Summer. Ils se connaissaient depuis qu'elle était arrivée de Nouvelle-Zélande. Ils étaient musiciens tous les deux et il lui était arrivé de jouer du violon dans son petit groupe de rock. Dominik n'avait cependant pas pensé un seul instant à entrer en contact avec ce dernier après la disparition soudaine de Summer. Il avait évidemment tenté de la joindre mais elle avait changé de numéro et le propriétaire de son appartement de Whitechapel lui avait appris, furieux, qu'elle était partie sans donner de préavis.

Quelque chose, de l'orgueil mêlé à de la souffrance, l'avait empêché de la chercher davantage.

Aucune femme ne lui avait jamais fait cet effet-là.

Elle avait beau être consentante et accepter les jeux inhabituels qu'il lui proposait, il avait toujours senti qu'elle restait volontairement en retrait. Il avait l'impression qu'elle se méfiait de ses propres ténèbres et paradoxalement, qu'elle le dominait d'une façon qu'il ne comprenait pas.

Il fut donc stupéfié par le coup de fil inattendu de Chris. Pourquoi n'appelait-elle pas elle-même ?

— À New York ? répéta-t-il.

— C'est ce que je viens de vous dire.

— Pourquoi vous a-t-elle téléphoné ?

— Comment voulez-vous que je le sache, putain ? Pour que je vous apprenne où la trouver, je suppose. C'est mon amie, et je tiens à vous informer que je n'approuve pas du tout ce qui se passe, poursuivit Chris, de plus en plus furieux. Elle a commencé à avoir des ennuis quand elle vous a rencontré, alors je serai franc avec vous : je ne vous apprécie pas du tout, Dominik. Et si j'avais mon mot à dire, je lui conseillerais de se tenir loin de vous.

Dominik réfléchit un instant, le combiné contre l'oreille, le regard errant dans son bureau, où il rédigeait le brouillon d'un article pour une revue universitaire. Le lit était jonché de livres et de notes.

— Elle va bien ? demanda-t-il.

— Non. Elle a de gros problèmes. C'est tout ce que je sais, parce qu'elle n'a pas voulu m'en confier davantage. Elle m'a seulement demandé de vous appeler et de vous dire où elle était.

Il avait toujours aimé New York, une ville emplie de souvenirs de femmes et de liaisons. Des images lui revinrent en désordre : l'hôtel *Algonquin* et ses minuscules chambres meublées d'authentiques antiquités, où on n'avait même pas la place de lever le bras pour fesser un cul consentant ; le bar à huîtres sous la gare centrale ; l'hôtel *Iroquois*, où les chambres étaient plus grandes, mais d'un chic plus louche et où il n'était pas rare de voir un cafard se balader sur le mur. Il se souvenait d'un bar à sushis sur la 13e, où la nourriture était exquise mais où les toilettes puantes n'auraient jamais passé l'inspection de l'Hygiène britannique ; *Le Trapeze Club*, à Flatiron, où il avait regardé Pamela, employée de banque à Boston, se livrer à ses fantasmes les plus secrets ; l'hôtel *Gershwin* juste à côté, et la reproduction du tableau de Picasso peinte sur le mur au-dessus du lit, qu'il ne pouvait s'empêcher de voir les rares fois où il baisait dans la position du missionnaire et qu'il levait la tête. *New York, New York.*

Et voilà que Summer était là-bas. Et ce n'était pas lui qui l'y avait emmenée, pour la récompenser ou la distraire.

Dominik se ressaisit et entendit le souffle de Chris à l'autre bout de la ligne.

— Vous avez son numéro de téléphone ? Vous pouvez me le donner ?

Chris surmonta son évidente réticence et s'exécuta ; Dominik le nota sur une des pages qui traînaient sur son bureau.

Un silence tendu s'installa alors entre les deux hommes et ils furent chacun profondément soulagés quand l'un d'eux raccrocha.

Dominik s'assit sur son fauteuil en cuir face à l'écran de l'ordinateur et contempla sans le voir le clignotement du curseur, en plein milieu d'un mot ; il était en train de rédiger son article quand le téléphone avait sonné.

Il finit par inspirer profondément et composer le numéro de Summer. Même si New York était à des heures de vol et des milliers de kilomètres, la sonnerie lui donnait l'impression qu'il appelait quelqu'un se trouvant dans la pièce voisine.

Mais elle retentissait dans le vide. Personne ne décrocha.

Dominik jeta un coup d'œil à sa montre et calcula le décalage horaire. C'était encore la journée là-bas. Peut-être travaillait-elle et ne pouvait-elle pas décrocher ? Avait-elle trouvé un job de musicienne ? Le Bailly ne pouvait que l'y aider.

Il reposa le téléphone, assailli par des sentiments contradictoires.

Il tenta de se concentrer de nouveau sur son travail mais les subtiles variations des rapports entre auteurs américains et britanniques qui habitaient la rive gauche à l'apogée de l'existentialisme, dans les années cinquante, ne l'intéressaient plus. Il abandonna et se mit arpenter son bureau de long en large.

Quand il eut l'impression d'avoir laissé s'écouler suffisamment de temps, il rappela. Il lui semblait que chaque sonnerie était chaque fois plus éloignée de la précédente, comme si le temps s'étirait infiniment. Alors qu'il s'apprêtait à raccrocher, une voix automatique annonça qu'il pouvait laisser un message.

Il parla lentement et clairement, essayant de ne pas céder à la panique.

— Summer... C'est moi, Dominik... Rappelle-moi. S'il te plaît. Plus de jeux. Je veux juste avoir de tes nouvelles. Si pour une raison ou pour une autre, tu ne peux pas me parler, ajouta-t-il, envoie-moi un texto. Tu me manques terriblement.

Il raccrocha à contrecœur.

Il passa l'heure suivante à tourner en rond dans son bureau. Il finit par consulter les horaires des avions pour New York : plusieurs vols partaient de Heathrow à l'aube et arrivaient vers midi. Il réserva une place sur le premier vol, en classe affaires.

Il espérait avoir de ses nouvelles d'ici là, étant donné qu'il ne savait absolument pas comment entrer en contact avec elle une fois sur place.

Un espoir bien ténu.

J'ai attendu, immobile, que Victor annonce la suite du programme.

Sentant peut-être mon impatience, il a pris tout son temps pour sortir un objet de sa boîte à magie, une clochette, qui ressemblait, en plus grand, à celle que Dominik m'avait offerte pour la soirée chez Charlotte. Elle a émis un son clair qui s'est réverbéré sur les murs de la pièce, semblable à celui d'un glas. Son timbre m'a fait grincer des dents.

Une porte s'est ouverte au fond du couloir et une femme a répondu à l'appel. Elle était vêtue, si un tel verbe peut être employé dans son cas, d'une robe complètement transparente, qui évoquait vaguement une toge. Ses cheveux étaient noués en un chignon lâche et les boucles qui s'en échappaient, encadrant son visage, lui donnaient l'air d'une Méduse des temps modernes.

Elle s'est approchée, m'a complètement ignorée et a incliné la tête devant Victor. Elle était très grande, plus d'un mètre quatre-vingts, et pieds nus. Il avait une prédilection pour les femmes sans talons, certainement parce qu'il était petit.

— C'est Cynthia qui se chargera de te préparer ce soir, esclave. Agenouille-toi devant elle.

J'ai obéi, le front au niveau du sol. Ce faisant, j'ai remarqué qu'elle portait un élégant bracelet en argent à la cheville. Une seule breloque y était attachée, un minuscule cadenas. C'était vraiment très joli. Si je pouvais avoir un bijou de ce genre au lieu d'un tatouage ou d'un piercing, ce ne serait peut-être pas si terrible.

Mais je savais que je n'aurais pas mon mot à dire ; et vu l'humeur de Victor, j'étais certaine qu'il choisirait l'option la plus humiliante et la plus indélébile, à savoir le tatouage.

— Victor ? a appelé la brune élégante alanguie sur les coussins.

— Oui, Clarissa ?

J'avais remarqué qu'il n'appelait pas ses invités « Madame », « Maître » ou « Maîtresse », quand ils ne parlaient pas d'eux à un esclave.

— Où sont les esclaves ce soir ? Mon verre est vide depuis une éternité. Qui faut-il payer ou sauter pour avoir du champagne ?

Je l'avais vue finir sa coupe trois secondes auparavant.

— Ne t'inquiète pas, ma chère, a-t-il répondu. Le coupable sera fouetté.

— Parfait. J'espère que tu m'autoriseras à regarder. En attendant, puis-je avoir quelque chose pour m'hydrater ? Tu ne veux pas demander à la nouvelle de s'en charger ? Elle me plaît beaucoup.

Clarissa m'a regardée avec un sourire en coin.

Le moustachu affalé à ses côtés m'a jeté un coup d'œil à son tour.

— Il se trouve que j'ai soif, moi aussi, a-t-il ajouté d'une voix traînante. Tu n'aurais pas quelque chose de plus fort ? Les femmes semblent apprécier le champagne, mais j'aime quand c'est plus… corsé.

Il m'a dévisagée en disant ça et je me suis recroquevillée un peu plus.

En matière de domination sexuelle, Victor avait des goûts plutôt traditionnels et faciles à assouvir ; il m'arrivait même parfois d'y prendre plaisir si je parvenais à oublier que c'était lui qui était aux commandes. Mais je savais pertinemment qu'il y avait des dominateurs plus violents, voire des sadiques, qui aimaient des pratiques que je n'apprécierais pas, et qui m'infligeraient peut-être même des cicatrices. J'avais eu de la chance jusqu'à présent : Victor et ses amis ne m'avaient laissé que des griffures et des petits bleus, que je pouvais dissimuler sous mes vêtements ou expliquer facilement. Ça pouvait changer.

— Certainement, a répondu Victor.

J'ai senti que son acquiescement n'était que de façade et qu'il était contrarié par leurs demandes, qui perturbaient l'ordonnancement de ses plans. Il m'a tirée par le bras pour me mettre debout.

— Sers une coupe à Maîtresse Clarissa et un verre de whisky à Maître Edward.

Les pseudonymes des dominants étaient toujours parfaitement ridicules. Je suppose que Victor avait le droit de garder son prénom classique, puisqu'il était ukrainien.

Il a fouillé dans sa poche, en a sorti la clé du bar et me l'a tendue.

— Si tu touches quoi que ce soit en dehors du whisky, m'a-t-il murmuré à l'oreille, je te tatouerai où je veux.

J'ai commencé par le champagne.

— Pardonnez-moi, maîtresse, maître, de ne pas avoir apporté les deux verres en même temps, mais maîtresse a l'air assoiffée et j'avais peur que le champagne ne devienne tiède.

— Elle est parfaite, a remarqué Clarissa. Quand est-ce qu'on pourra l'utiliser ?

— Ce soir, a répliqué brusquement Victor.

— Ah ? Mais je croyais que tu voulais la marquer demain avec les autres ?

— C'est ce que j'avais prévu, mais elle est différente.

Il a consulté sa montre.

— Dans deux heures, a-t-il repris. À 18 heures. Ça nous laisse amplement le temps. Tu veux bien la surveiller, Clarissa ? Je dois passer quelques coups de fil.

Il a sorti son portable de sa poche et a disparu dans le couloir.

— Si vous voulez bien m'excuser, ai-je dit. Je reviens avec le whisky.

Comme je m'y attendais, Clarissa n'a absolument pas fait attention à moi. J'ai ouvert le bar et j'ai pris mon portable. J'ai consulté les appels en absence : Dominik avait essayé de me joindre deux fois et laissé un message. Je ne pouvais ni lui téléphoner ni lui envoyer un long texto ; j'avais peur que Victor ne me surprenne. J'ai tapé un court SMS :

« Eu ton message. Suis à NY. Rappelle-moi. S. »

Je n'avais plus qu'à espérer qu'il rappelle.

J'ai rangé mon téléphone et refermé la porte sans la verrouiller.

Victor est rentré dans la pièce et je lui ai rendu la clé.

— C'est bien, a-t-il dit. Tu feras une excellente bonne, Esclave Elena.

— Il me tarde de servir, maître.

— Très bientôt. Il est temps que tu ailles prendre un bain.

Il a claqué des doigts et Cynthia s'est matérialisée à ses côtés, une main tendue vers moi. Je l'ai suivie le long du couloir, dans une chambre où trônait une grande baignoire ouvragée, remplie d'eau très chaude, qui n'était pas parfumée. Je ne voyais ni savon ni produits de bain et j'ai supposé que Victor me voulait comme j'étais mais encore plus propre.

Je suis entrée dans l'eau et Cynthia s'est assise dans un coin de la pièce, silencieuse. Était-elle là pour me surveiller ? Avais-je besoin de l'être ? Étais-je prisonnière ?

Je ne le pensais pas. Après tout, j'avais accepté de venir. Victor avait gardé mes affaires, mais rien ne m'empêchait de sortir de l'appartement pour appeler la police. Il y avait fort à parier que si je me mettais à crier, les voisins feraient leur apparition. Aucune esclave n'était enchaînée ; elles étaient toutes là de leur plein gré, jouant un rôle dans une pièce de théâtre à caractère sexuel, se livrant toutes à leurs fantasmes comme aux dominateurs.

Victor avait affirmé que c'était là ma place, que je n'étais jamais plus belle que quand je servais. Ça m'avait blessée, mais je ne pouvais nier qu'il avait en partie raison. Son comportement m'écœurait et m'excitait tout à la fois.

J'aimais sa façon de me pousser dans cette zone où rien n'avait d'importance, où j'étais prisonnière physiquement mais libre mentalement.

La porte s'est ouverte sur lui. Dans le smoking qu'il portait à présent, il ressemblait à Danny de Vito en Pingouin dans *Batman*. J'ai réprimé une envie de rire.

— Esclave Elena, a-t-il dit, c'est l'heure.

L'avion de Dominik atterrit à New York sous un ciel dégagé. À cause du décalage horaire, il était à peine plus de midi. La queue à l'immigration était monstrueuse. C'était peut-être dû à l'horaire, en tout cas, plusieurs vols en provenance d'Europe étaient arrivés en même temps et avaient déversé leur marée humaine dans le terminal. Quatre-vingt-dix pour cent des passagers n'étaient pas de nationalité américaine et il n'y avait que trois employés, indifférents à l'impatience générale.

Dominik n'avait pas enregistré sa valise, mais cela n'avait aucune importance, puisque la récupération des bagages se faisait après le passage à l'immigration.

Quand on lui demanda s'il était là pour affaires ou pour les loisirs, il hésita brièvement et choisit la première option.

— Quelles sortes d'affaires ? interrogea l'employé.

Il regretta de ne pas avoir opté pour les loisirs.

— Je suis professeur d'université. Je viens donner un cycle de conférences à Columbia, mentit-il.

On le laissa passer.

Assis à l'arrière d'un taxi jaune, il contempla les voitures qui empruntaient à toute allure l'autoroute vers Jamaica et le Queens. Le conducteur, derrière une frêle grille de sécurité, portait un turban. Sa pièce d'identité était presque illisible. Il devina qu'il s'appelait Mohammad Iqbal. À moins que ce ne soit le nom de son cousin, ou de celui avec qui il partageait le permis.

La climatisation ne fonctionnait pas et Dominik, comme le chauffeur, avait ouvert sa vitre. Le changement de température par rapport à Londres était important et il transpirait désagréablement. Il ôta sa veste en lin gris.

Après l'hôpital de Jamaica, la circulation devint plus fluide, le taxi accéléra et prit la route qui menait au tunnel vers Manhattan.

Dominik se souvint soudain qu'il avait éteint son portable quand il faisait la queue à l'immigration, comme on le lui avait demandé. Il le ralluma et regarda l'écran s'éclairer en éprouvant plus d'espoir que d'attente.

Il avait un texto.

Summer.

« Eu ton message. Suis à NY. Rappelle-moi. S. »

Bon sang! Il savait déjà qu'elle était à NY. Ce texto ne lui était d'aucun secours.

Il la rappela et tomba encore sur sa messagerie.

Et merde! Sans informations complémentaires, ce serait comme chercher une aiguille dans une botte de foin.

Il s'apprêtait à lui envoyer un texto quand la voiture emprunta le tunnel. Il avait réservé une chambre dans un hôtel de Washington Square, où il avait demandé au taxi de le déposer. Une fois que le véhicule fut sorti du tunnel, il décida d'attendre d'être à l'hôtel pour tenter de la joindre de nouveau.

Il fut autorisé à s'enregistrer, une chambre étant déjà prête, même s'il n'était pas encore 15 heures. Il avait grand besoin de se doucher et de se changer.

L'arc de triomphe de Washington Square, qu'il voyait de sa fenêtre, offrait une vision apaisante. Il entendit des musiciens de jazz jouer près de la fontaine.

Peu après, en peignoir, la peau humide, il essaya de rappeler Summer. *En vain.* Que se passait-il ? Pourquoi lui envoyer un texto et ne pas répondre ensuite ?

Il était en train de prendre une chemise à manches courtes dans sa valise quand son téléphone sonna enfin.

— Summer ?

— Non. C'est Lauralynn.

— Lauralynn ?

Dominik ne la remit pas tout de suite. Il était sur le point de raccrocher, de peur de manquer un appel de Summer.

— Oui, Lauralynn. J'ai participé à ce quatuor un peu spécial, vous vous rappelez ? Je suis blonde. Je joue du violoncelle. Ça vous dit quelque chose ?

Dominik se souvenait effectivement d'elle. Qu'est-ce qu'elle lui voulait ?

— Oui, répondit-il, impatienté.

— Bien, rétorqua-t-elle en riant, je n'aime pas que les hommes m'oublient.

— Je suis à New York, l'informa-t-il.

— Ah bon ?

— Je viens d'arriver. Que puis-je pour vous ? s'enquit-il, s'étant enfin ressaisi.

— Quelque chose d'un peu difficile à cette distance. Je voulais vous dire que j'avais beaucoup apprécié notre petit concert et je me demandais si vous comptiez organiser un truc du même genre. Vu que vous n'êtes pas à Londres, ça risque d'être compliqué, remarqua-t-elle, malicieuse.

— On peut reprendre contact quand je serai rentré, répondit poliment Dominik, qui n'en pensait pas un mot.

— Pas de problème. Tant pis. C'est juste qu'avec Victor à New York, je n'ai plus de partenaire de jeu.

— Vous connaissez Victor ?

— Bien sûr. C'est un, comment dire ? un vieil ami.

— Je pensais qu'il vous avait recrutée par une petite annonce.

— Non. Victor m'avait expliqué ce que vous aviez en tête et m'avait suggéré la crypte. Vous ne le saviez pas ?

Dominik jura entre ses dents. De sombres pensées se formèrent dans son esprit et il se sentit oppressé.

Victor, ce pervers libertin, se trouvait à New York en même temps que Summer. Ça ne pouvait pas être une coïncidence.

Il affermit sa résolution.

— Lauralynn ? Vous sauriez comment je peux le joindre ici par hasard ?

— Bien sûr.

— Génial.

Il nota l'adresse qu'elle lui donna.

— Vous avez mentionné Summer, reprit Lauralynn. Pardonnez ma curiosité, mais vous êtes à New York à cause d'elle ?

— Oui, répondit Dominik avant de lui raccrocher au nez.

Il enfila sa veste et décida de faire un tour dans le square non loin, histoire de mettre de l'ordre dans ses pensées avant d'entrer en contact avec Victor. Il dépassa l'aire de jeux pour enfants, le bac à chiens, aperçut une nuée d'écureuils qui couraient dans l'herbe et montaient aux arbres, et s'assit sur un banc.

Cynthia s'est levée et m'a aidée à sortir de l'eau avant de nouer une serviette autour de mon corps. Je n'avais même pas remarqué que l'eau avait refroidi.

Victor m'a prise par la main et m'a conduite dans une autre pièce. Quelle taille faisait donc cet appartement ? C'était un petit salon de tatouage. J'avais pensé me faire tatouer avant de quitter la Nouvelle-Zélande. Je voulais quelque chose qui me rappelle mon pays. J'avais fini par renoncer parce que je n'arrivais pas à trouver une image qui mérite d'être gravée à jamais sur ma peau. C'était une façon de régler le problème : quelqu'un d'autre déciderait pour moi.

Victor m'a fait signe de m'allonger sur le banc et j'ai obéi, toujours complètement nue. Il m'a pressé la main et c'était la première fois qu'il faisait preuve de tendresse à mon égard.

J'ai fermé les yeux. J'avais raison finalement : il ne me laissait pas la possibilité de choisir un piercing.

Sans que je le lui ordonne, mon esprit a glissé dans ma zone paradisiaque et je me suis préparée à la morsure de l'aiguille, que j'attendais d'un instant à l'autre. De l'autre côté de la fenêtre, le bruit de la circulation s'est réduit à un lointain bourdonnement. Je ne prêtais aucune attention aux gens qui s'étaient sans nul doute réunis dans la pièce pour regarder ; ils n'étaient pour moi que de vagues ombres à l'arrière-plan. J'ai pensé à mon violon, aux voyages que j'accomplissais grâce à lui. Le sexe et la soumission au pouvoir des autres m'apaisaient, mais ce n'était rien au regard des sensations que me procurait le Bailly.

J'ai revu en pensée la première fois que j'avais joué Vivaldi pour Dominik, dans le métro, sans savoir qu'il écoutait, puis la deuxième fois, à Hampstead. Il avait semblé apprécier à ces deux occasions la rêverie dans laquelle me plongeait la musique.

Dominik. J'avais presque oublié le texto que je lui avais envoyé. Mon téléphone vibrait-il dans le placard à alcools ? Dominik avait-il tenté de me joindre de nouveau ?

J'ai senti une main sur mon nombril, puis sur mon pubis épilé. Peut-être Victor cherchait-il le meilleur endroit pour me marquer. Je me suis demandé s'il comptait me tatouer lui-même.

— Esclave Elena, a-t-il dit d'un ton solennel, voici venu le moment de te marquer.

Il a inspiré profondément puis a observé une pause comme avant de prononcer un discours. Avait-il écrit des vœux, comme pour un mariage ? *Étrange.*

— Il est temps pour toi d'abandonner ton ancienne vie et de promettre de me servir, moi, Victor, dans tout ce que je te demanderai, jusqu'à ce que je choisisse de te rendre ta liberté. Acceptes-tu de te soumettre, esclave, et de m'abandonner ta volonté à jamais ?

J'étais au bord du gouffre, à l'un des instants de l'existence où tout peut basculer, où un choix fait en une seconde peut changer une vie tout entière.

— Non, ai-je répondu.

— Non ? a répété Victor incrédule.

— Non. Je refuse de me soumettre à toi.

J'ai ouvert les yeux et me suis assise, soudain consciente de ma nudité. Malgré ça, j'ai essayé de rassembler toute l'autorité que je possédais. Je m'étais beaucoup entraînée avec Dominik.

Victor était médusé. Il m'a paru soudain tout petit. Comment avais-je pu tomber sous la coupe de cet homme ? Il jouait un rôle, comme tous les autres.

Je me suis frayé un chemin dans la foule. Les convives étaient à la fois stupéfaits, embarrassés et inquiets, et j'en ai entendu certains supposer que ça faisait partie de la mise en scène imaginée par Victor.

J'ai récupéré ma robe, l'ai enfilée, ai pris mon sac et mon portable, et me suis dirigée vers la porte d'entrée. Elle n'était pas verrouillée.

Victor a mis son pied pour m'empêcher de la refermer derrière moi.

— Tu le regretteras, Esclave Elena.

— Je ne pense pas, non. Et mon nom est Summer. Et je ne suis pas une esclave.

— Tu ne seras jamais rien d'autre. C'est dans ta nature. Tu finiras par l'accepter. Tu n'y peux rien. Regarde-toi. Tu t'es vue ? À partir du moment où tu as enlevé ta robe, tu étais tout excitée. Ton esprit se bat mais ton corps s'est déjà rendu.

— N'essaie pas de me joindre ou j'appelle les flics.

— Et que leur diras-tu ? a-t-il ricané. Tu crois vraiment qu'ils croiront une salope dans ton genre ?

J'ai tourné les talons et je suis sortie, tête haute, même si je ne pouvais pas empêcher ses paroles de résonner dans mon esprit. Je voulais juste rentrer chez moi. Et jouer.

J'ai remonté Gansevoort Street et hélé un taxi. J'ai sorti mon portable dès que je me suis assise, histoire que le chauffeur ne tente pas de me faire la conversation ni de me poser des questions en voyant mon air troublé. Les taxis new-yorkais sont étranges : certains sont totalement silencieux, d'autres tellement loquaces qu'il est très difficile de les faire taire. J'ai appelé ma messagerie et je me suis laissé submerger par la voix de Dominik.

Je lui avais manqué. Il ne m'avait jamais dit ça auparavant. Il m'avait terriblement manqué lui aussi.

J'ai contemplé la circulation, écouté son vacarme, regardé les monuments : tout ce qui m'avait semblé si excitant à mon arrivée me paraissait maintenant étranger, et me rappelait que je n'étais pas chez moi. À vrai dire, je n'étais plus chez moi nulle part.

Le crépuscule commençait seulement à tomber quand nous avons atteint le parc près de Washington Square. Les ombres des arbres s'étiraient sur l'herbe, formant comme un chœur de verdure. La nuit était encore loin. J'avais le temps de jouer.

J'avais promis à Dominik de ne pas utiliser le Bailly en public. C'était trop dangereux d'exhiber un instrument si cher, mais je pensais qu'il me pardonnerait cette entorse.

Le taxi m'a déposée devant chez moi et j'ai donné un gros pourboire au chauffeur, pour le remercier de m'avoir laissée tranquille tout le trajet.

J'ai monté l'escalier quatre à quatre et je me suis débarrassée de ma robe aussitôt entrée dans l'appartement. Je ne voulais plus jamais la porter. J'achèterais une autre tenue pour les concerts, une tenue qui ne serait pas chargée d'autant de souvenirs. J'ai enfilé des vêtements ordinaires, pour ne pas attirer plus d'attention que nécessaire, ai saisi mon Bailly et pris le chemin du parc.

Je me suis placée à côté de l'arc de triomphe de Washington Square. Il me rappelait celui de Paris, et tous ces endroits où je souhaitais aller.

Je me suis installée près de la fontaine principale, celle qui domine l'arche. J'ai glissé le violon sous mon menton, le manche fermement en main, et ai fait courir l'archet sur les cordes. Je n'ai pas eu le temps de me demander ce que j'allais jouer : mon corps a décidé pour moi.

Les yeux fermés, je me suis concentrée sur le premier mouvement des *Quatre Saisons*, l'allégro de *L'Été*.

Le temps s'est écoulé. Personne n'a pris garde à moi. J'ai joué la dernière mesure et ouvert les paupières pour découvrir que la nuit était presque tombée.

C'est alors que j'ai entendu des applaudissements. Pas ceux, bruyants, d'un public entier, mais ceux, assurés et clairs, d'un seul individu.

J'ai pivoté, le Bailly serré contre moi, au cas où je me retrouverais face à un psychopathe qui voudrait me voler mon violon.

C'était Dominik. Il était venu me chercher.

Dominik ouvrit les yeux.

Il était minuit, et seule la lumière de l'arc de Washington Square éclairait faiblement sa chambre d'hôtel. La climatisation ronronnait doucement en répandant sa brise légère.

Summer dormait à ses côtés. Sa respiration était imperceptible, à l'unisson des battements de son cœur ; l'une de ses épaules était nue, et il ne voyait qu'une partie de son sein, caché par son bras replié entre son menton et son oreiller.

Il retint son souffle.

Le souvenir des lèvres de la jeune femme autour de son sexe était encore vif dans sa mémoire. Elle l'avait sucé pour la première fois. Sa langue l'avait caressé habilement et s'était enroulée autour de sa queue, excitante. Elle l'avait goûté, exploré, centimètre par centimètre, découvrant du bout de la langue la géographie de sa peau.

Il n'avait ni demandé ni ordonné. Ça s'était produit naturellement ; c'était la seule chose à faire à ce moment-là, parce qu'ils étaient tous les deux vulnérables, s'étaient dévoilés entièrement l'un à l'autre, refoulant le passé, les erreurs, les mauvais choix.

Il ressentait encore en lui comme un écho du désir qu'il avait éprouvé pour Summer et il regrettait le temps perdu. *Avant elle. Après elle.* Il ne rattraperait jamais ces jours-là.

Il la contempla.

Et soupira.

De joie et de chagrin.

Des voix pleines d'entrain lui parvinrent de la rue : des gens revenaient des bars de Bleecker et de MacDougal et regagnaient le centre-ville ; et pendant un bref instant, Dominik se sentit profondément heureux d'avoir retrouvé Summer.

Cette nuit-là, pour la première fois, ils avaient partagé un moment normal, sans jouer.

Il se rendormit, bercé par le rythme de la respiration de la jeune femme, apaisé par la chaleur qui émanait de son corps tiède quand elle se blottit contre lui.

Il émergea de nouveau alors que l'aube n'était qu'un rai de lumière au-dessus de Manhattan. Summer était réveillée aussi et elle le regardait, curieuse et affectueuse.

— Bonjour, dit-elle.

— Bonjour, Summer.

Le silence s'installa, comme s'ils n'avaient déjà plus rien à se dire.

— Tu découvriras bien assez tôt que je peux être très taciturne, s'excusa-t-il.

— Ça ne me dérange pas, répondit-elle. Parler, c'est surfait.

Il sourit.

Peut-être que ça fonctionnerait après tout. Peut-être parviendraient-ils à bâtir quelque chose au-delà du sexe et des ténèbres intérieures que chacun abritait. *Peut-être.*

Elle tendit la main vers lui, dévoilant ce faisant un sein effronté, et posa ses doigts sur le menton de Dominik.

— Tu piques, remarqua-t-elle en le caressant légèrement.

— Oui. Ça fait deux jours que je ne me suis pas rasé.

— Je n'aime pas toutes les marques, tu sais, observa-t-elle en souriant. Les brûlures dues à la barbe, très peu pour moi.

— Bah, il n'y a pas de raison pour que je te laisse toujours des traces.

— Je suis certaine que nous réussirons à trouver un équilibre.

Dominik sourit et lui caressa la poitrine le plus délicatement possible.

— Est-ce que ça signifie que nous pouvons être…

— Amis ? l'interrompit Summer. Je ne crois pas.

— Plus que des amis.

— Ça, en revanche, c'est possible.

— Ce ne sera pas facile.

— Je sais.

Dominik fit glisser le drap qui la couvrait, la dénudant jusqu'aux cuisses.

— Tu es toujours épilée.

— Oui. Je n'ai pas aimé la sensation de repousse. Et je me suis habituée.

Elle ne jugea pas bon de lui avouer que Victor lui avait ordonné de se raser intégralement, même s'il était vrai qu'elle aimait la vulnérabilité que sa nudité évoquait dans son propre esprit, et le contact sensuel de sa peau lisse quand elle se caressait.

— Accepterais-tu de continuer à t'épiler ou au contraire de laisser tes poils repousser à ma demande ? s'enquit Dominik. Selon mon bon vouloir ? Ou selon mes ordres ?

— Il faudrait que j'y réfléchisse, répondit Summer.

— Et si j'exigeais que tu joues du violon pour moi ?

Les yeux de Summer brillaient dans le petit matin.

— Je le ferais. N'importe quand, n'importe où, habillée ou nue, j'exécuterais n'importe quel air, n'importe quelle mélodie…, acquiesça-t-elle en souriant.

— Comme un cadeau ?

— Comme ma façon de me soumettre.

Dominik fit courir la main jusqu'au sexe de la jeune femme, dont il écarta les lèvres avant d'introduire lentement un doigt en elle.

Summer gémit doucement.

Elle aimait faire l'amour le matin, encore ensommeillée.

Il retira son doigt et se déplaça. Sa bouche se posa sur son intimité. Summer mit les mains dans ses cheveux en bataille afin de le guider et de maîtriser la montée du plaisir.

J'ai ouvert la porte de mon appartement, j'ai doucement déposé mon étui à violon sur le sol et me suis dirigée vers mon armoire. J'étais passée chez moi pour récupérer des vêtements de rechange. Dominik repartait le lendemain ; pour fêter nos retrouvailles, il m'avait invitée à dîner et avait réservé des places pour une comédie musicale à Broadway.

Cette soirée avait un goût doux-amer. Nous ne savions pas quand nous nous reverrions, et nous allions passer un certain temps sur des continents différents.

Arriverions-nous à faire durer notre histoire ? me suis-je demandé en prenant ma petite robe noire, celle que j'avais brièvement portée pour le premier concert que je lui avais donné.

J'étais persuadée que nous le pouvions. Nous étions les deux moitiés de la même âme. Même un océan ne pouvait nous séparer éternellement.

J'ai préparé un petit sac avec mes affaires pour la nuit, jeté un dernier coup d'œil au Bailly, puis j'ai quitté l'appartement.

Dominik n'avait toujours pas mis les pieds chez moi.

La prochaine fois, je l'inviterais peut-être.

EN AVANT-PREMIÈRE

Retrouvez Summer et Dominik dans :

80 NOTES DE BLEU

(version non corrigée)

Bientôt disponible chez Milady Romantica

Traduit de l'anglais (Grande-Bretagne)
par Angéla Morelli

1

Un festin d'huîtres

Il m'a embrassée en plein milieu de la gare centrale de New York.

Un véritable baiser d'amant : rapide, doux et tendre, chargé des souvenirs récents de cette journée passée à tenter d'oublier que c'était la dernière que nous passions ensemble à New York. Nous n'avions pas osé évoquer l'avenir ni le passé ; les jours et les nuits qui venaient de s'écouler étaient une parenthèse enchantée entre ces deux fantômes menaçants, que nous nous efforcions de faire semblant d'ignorer avant que le temps qui passe ne nous rappelle inéluctablement à l'ordre.

Nous avions vingt-quatre heures devant nous. Une journée pour être un couple comme les autres.

Un jour et une nuit à New York. L'avenir pouvait attendre.

Il me semblait approprié de passer quelques instants de cette journée dans la Gare Centrale, l'un de mes endroits préférés. Le passé et le futur s'y côtoient et tous les aspects de New York s'y mélangent – les riches, les pauvres, les punks, les traders de Wall Street, les touristes, les banlieusards – ils sont tous de passage, différents mais unis le temps d'une brève expérience : se précipiter pour prendre un train.

Nous nous tenions dans le grand hall, à côté de la célèbre horloge à quatre côtés. Il m'a embrassée, puis j'ai regardé le plafond, comme je le fais toujours à cet endroit-là. J'adore les piliers en marbre et les voûtes qui soutiennent un ciel méditerranéen à l'envers et le zodiaque fantastique imaginé par des cartographes qui se demandaient à quoi pouvait bien ressembler la Terre vue du ciel.

J'avais l'impression d'être dans une église ; cependant, comme la religion m'inspire des sentiments pour le moins ambigus, j'ai plus de respect pour le pouvoir du chemin de fer, manifestation de l'éternelle volonté des hommes de toujours se rendre quelque part. Chris, mon meilleur ami londonien, disait toujours que l'on ne connaît jamais vraiment une ville tant qu'on n'a pas emprunté ses transports en commun, et s'il y a un endroit où cet adage s'applique parfaitement, c'est bien New York. La Gare Centrale est la quintessence de ce que j'aime à Manhattan. Elle est pleine de promesses, nourrie par l'énergie des voyageurs qui vont et viennent, véritable creuset de corps en mouvement, et la splendeur des lustres dorés qui pendent du plafond promet la richesse à tous ceux qui débarquent sans un sou en poche.

Tout est possible à New York, semble dire cette gare. Si vous travaillez suffisamment dur, la ville finira par vous le rendre au centuple.

Dominik m'a prise par la main et m'a conduite vers la galerie des murmures, située au niveau inférieur. Je n'y étais jamais allée, de même que je n'avais pas visité celle de la cathédrale Saint Paul de Londres : ces lieux faisaient partie de ma liste infinie de choses à voir.

Il m'a laissée dans un coin, face à un pilier qui joignait deux arches basses et a couru à l'autre bout de la salle.

— Summer, a-t-il chuchoté d'une voix douce et claire, qui m'a semblé provenir directement de la colonne que je regardais, comme si le mur me parlait.

Je savais qu'il s'agissait d'un phénomène acoustique dû à l'architecture – le son circulait d'un pilier à l'autre par le plafond voûté – mais j'ai trouvé ça magique. Dominik se tenait à plus de trois mètres de moi, le dos tourné, et pourtant, je l'entendais aussi clairement que s'il m'avait murmuré à l'oreille.

— Oui ? ai-je répondu doucement au mur.

— Je vais te faire de nouveau l'amour.

Je me suis mise à rire en me tournant vers lui. Il m'a souri d'un air coquin.

Il m'a rejointe, m'a saisi la main et m'a attirée vers lui. Son torse était agréablement musclé, et comme il mesurait près de trente centimètres de plus que moi, je ne dépassais pas son épaule, même en portant des talons hauts. Dominik n'était pas baraqué – à ma connaissance, il ne fréquentait pas les salles de gym – mais il était mince et bien découpé et il se déplaçait avec l'aisance fluide d'un homme bien dans sa peau. Ce jour-là, la chaleur avait été tellement étouffante que l'on aurait facilement pu faire cuire un œuf sur le trottoir new-yorkais, et il faisait toujours très lourd. Malgré la douche que nous avions prise avant de quitter sa chambre d'hôtel, je sentais la moiteur de sa peau sous sa chemise. J'avais l'impression d'être enveloppée dans un nuage de tiédeur.

— En attendant, m'a-t-il murmuré à l'oreille, allons manger.

Nous étions juste devant l'*Oyster Bar* [1]. Je n'avais pas le souvenir d'avoir jamais avoué à Dominik que j'adorais le poisson cru, mais il avait encore une fois deviné ma marotte. J'ai vaguement envisagé de lui mentir et de lui

1. Restaurant de fruits de mer ouvert en 1913, au moment de la construction de la gare, célèbre pour son décor et devenu un lieu incontournable de New York.

dire que les huîtres me dégoûtaient, histoire de lui prouver qu'il n'avait pas toujours raison, mais il était hors de question de ne pas tester enfin ce restaurant, dans lequel je rêvais de me rendre depuis mon arrivée à New York. Sans compter qu'il partageait peut-être mon instinctive méfiance à l'égard de ceux qui n'aiment pas les huîtres. Inutile de compliquer les choses par un mensonge.

L'*Oyster Bar* est un endroit très prisé, et j'ai été surprise de découvrir que Dominik parvenait à avoir une table, même si, le connaissant, il était plus que probable qu'il ait effectué une réservation sans me le dire. Nous avons quand même attendu une vingtaine de minutes qu'une table se libère, mais une fois assis, nous avons bénéficié d'un service ultrarapide.

— Champagne ? m'a proposé Dominik, qui venait de commander son éternel Pepsi.

— Une Asahi, s'il vous plaît, ai-je demandé au serveur qui nous avait apporté les menus.

Ma désobéissance a provoqué le sourire de mon amant.

— Le menu est incroyable, a-t-il commenté. On prend des huîtres pour commencer ?

— En raison de leur vertu aphrodisiaque ?

— S'il y a bien une femme qui n'a pas besoin de ça, c'est toi, Summer.

— Je prends ça pour un compliment.

— Ça tombe bien, c'en est un. Quelles sont tes huîtres préférées ?

Le serveur est revenu avec nos boissons. J'ai refusé d'un geste le verre qu'il me proposait : la bière ne peut se boire qu'à la bouteille. J'ai pris une gorgée avant de me replonger dans la carte.

Il y avait même des huîtres de Nouvelle-Zélande, cultivées dans le golfe d'Hauraki, non loin de ma ville natale. J'en ai ressenti un pincement de nostalgie, éprouvant brièvement le mal du pays, qui est la malédiction du voyageur fatigué. J'avais beau aimer passionnément les villes que je découvrais, il m'arrivait parfois d'être assaillie par mes souvenirs. Les fruits de mer provoquaient ce genre de réminiscence : ils me rappelaient la chaleur des journées et la fraîcheur des nuits, la pêche aux palourdes dans les eaux peu profondes des plages et la douzaine d'huîtres panées bien salées, accompagnées de leur tranche de citron, que le serveur du fish and chips me servait, emballées dans un cornet de papier blanc, tous les vendredis soirs.

J'ai commandé une demi-douzaine d'huîtres américaines, en me fiant aux recommandations du serveur, et Dominik m'a imitée. Mal du pays ou pas, je n'étais pas à New York pour manger néo-zélandais.

Après le départ du serveur, Dominik a tendu le bras et a posé sa main sur la mienne. Ses doigts étaient froids, et j'ai frissonné, surprise. Il avait dû tenir son Pepsi, qu'il aimait boire bien glacé, de cette main-là, ai-je songé.

— La Nouvelle-Zélande te manque ?

— Oui. Pas tout le temps, seulement quand un mot, une odeur ou quelque chose m'y font penser. Ce n'est pas tant ma famille ou mes amis : je leur écris souvent et je leur téléphone. Non, ce qui me manque, c'est la terre et l'océan. J'ai eu du mal à m'habituer à Londres, parce que c'est plat. Pas autant que certains endroits d'Australie, mais quand même. La Nouvelle-Zélande est un pays très vallonné.

— Quand je te regarde parler, je lis en toi comme dans un livre. Tu n'es pas si secrète, tu sais. Et tu ne te livres pas uniquement lorsque tu joues du violon.

Il avait été déçu de constater que j'avais laissé mon Bailly dans mon appartement avant de le rejoindre dans son hôtel, à deux rues de chez moi. Il avait pris un billet sur un vol de nuit qui le ramènerait vers son travail à l'université et sa maison d'Hampstead pleine de livres, et il avait prévu de prendre un taxi pour l'aéroport le lendemain vers 16 heures. Ma semaine de vacances imprévue tirait à sa fin, et je retournerais moi aussi à mes obligations, et aux répétitions de l'orchestre, notre prochain concert étant prévu pour lundi.

Nous n'avions pas évoqué notre avenir. Quand j'étais à Londres, avant mon départ pour New York, nous avions un arrangement, une espèce de liaison assez lâche. Il m'avait dit que j'étais libre de faire des découvertes, tant que je lui racontais tout, ce qui me plaisait beaucoup. Me confesser m'excitait, et il m'arrivait d'expérimenter certaines choses ou au contraire de les éviter, juste pour le frisson du récit qui suivrait. Je n'avais jamais révélé à Dominik que je le prenais presque pour un prêtre. Il avait été tour à tour amusé et émoustillé par mes aventures, jusqu'au soir où j'avais couché avec Jasper, la nuit où tout avait dérapé.

J'avais délibérément omis de lui parler de Victor, l'homme sous la coupe duquel j'étais tombée en arrivant à New York. Je ne savais pas comment aborder le sujet. Les jeux de Victor étaient éminemment plus pervers que tout ce que Dominik avait pu inventer ; il m'avait même vendue, prêtée à ses amis afin qu'ils usent de moi comme bon leur semblait. Je m'étais laissé faire, j'avais même apprécié l'expérience. Raconterais-je un jour à Dominik ce qui s'était passé ? Je n'en étais pas certaine. Quarante-huit heures seulement s'étaient écoulées depuis que j'avais quitté la fête de Victor, au cours de laquelle il avait voulu me marquer de manière indélébile, pour faire de moi son esclave et sa propriété. J'avais refusé. Le tatouage avait été la goutte d'eau qui avait fait déborder le vase. J'avais l'impression que c'était arrivé dans une autre vie. La présence de Dominik m'avait fait oublier les actions de Victor, et je savais que les deux hommes se connaissaient, ce qui ajoutait une dimension embarrassante à toute l'histoire.

— Quoi de neuf à Londres ? ai-je demandé, changeant de sujet.

L'entrée est arrivée rapidement, comme pour donner tort aux critiques qui jugeaient le service de l'*Oyster Bar* trop lent. Un citron, dont les deux moitiés étaient emballées dans un sachet de mousseline blanche, habilement noué, afin d'empêcher un pépin hérétique de gâcher la saveur des fruits de mer, était posé au milieu d'une douzaine d'huîtres artistiquement déposées sur une grande assiette blanche, comme des joyaux.

Dominik a haussé les épaules.

— Pas grand-chose. J'ai beaucoup travaillé. Entre les cours et les articles, j'ai passé tout mon temps à écrire.

Il m'a regardée et a poursuivi après une brève hésitation :

— Tu m'as manqué. Il s'est passé des choses dont nous devons absolument discuter. Mais ce n'est pas le moment. Profitons plutôt du dîner. Mange.

Il a porté une huître à sa bouche, et, la coquille dans une main, a saisi la chair du bout de la petite fourchette en argent fournie par le serveur et a l'a avalée d'une chiquenaude. Il avait auparavant extrait le jus du citron d'une façon assez barbare, en écrasant le fruit plutôt qu'en le pressant. Puis, d'une façon presque rituelle, qui dénotait une longue pratique, il avait répandu du poivre sur ses huîtres, de deux mouvements secs du moulin. Il mangeait avec efficacité, transperçant soigneusement les huîtres avec sa fourchette, sans en perdre une miette.

Je préférais me passer de la fourchette et je me suis contentée de les gober directement, me délectant de la chair glissante, de l'humidité iodée sur mes papilles et du jus salé sur mes lèvres.

Quand j'ai levé les yeux, j'ai découvert que Dominik me regardait.

—Tu manges comme une sauvage.

—Ce n'est pas la seule chose que je fais comme une sauvage, ai-je rétorqué avec un sourire que j'espérais entendu.

—C'est vrai. C'est d'ailleurs l'une des choses que j'aime chez toi : tu n'hésites pas à t'abandonner à tes désirs, quels qu'ils soient.

—En Nouvelle-Zélande, on considère que c'est une manière raffinée de manger les huîtres. Là-bas, quand on ramasse les palourdes sur la plage, il y a toujours des gens qui les mangent tout de suite, vivantes.

—Ça t'est déjà arrivé ?

— Non. Je trouve ça cruel.

— Mais je parie que tu admires ceux qui font ça.

— Oui. Absolument.

Je suppose que c'est une manifestation de mon esprit de contradiction et de ma nature un brin rebelle, mais plus un mets divise les gens, plus il y a de chances pour que je l'aime, ou du moins, que j'admire ceux qui le mangent.

— On rentre à pied ? a proposé Dominik en quittant le restaurant.

À la sortie, il a remercié le serveur, qui nous a chaleureusement salués. Dominik lui avait laissé un généreux pourboire. J'avais lu quelque part qu'il fallait prêter attention à la façon dont un homme se comportait avec les animaux, sa mère et les serveurs. J'ai donc ajouté cette découverte dans la colonne des « Pour ».

J'ai jeté un coup d'œil à mes pieds. Je portais des talons aiguilles noirs en cuir verni, et je n'avais pas pu glisser une paire de ballerines dans mon tout petit sac à main de soirée.

— On peut prendre un taxi si tu as mal aux pieds, a-t-il poursuivi.

— Je veux bien. Ces chaussures n'ont pas été conçues pour la marche.

Je pensais qu'il allait gagner la rue pour héler un taxi, mais il m'a saisi le poignet et m'a attirée tout contre lui. Il m'a coincée contre le mur du restaurant, près des marches qui menaient vers la sortie sur la 43e Rue, et a fait courir ses mains sur ma taille et mon dos. Je sentais un renflement contre ma cuisse. J'ai pensé qu'il bandait, et j'ai tendu la main vers lui pour m'en assurer, mais il l'a repoussée. Zut. Il avait l'habitude de m'exciter puis de me laisser attendre et ça me rendait folle. Plus vite on rentrerait, mieux ce serait.

— Je vais t'en débarrasser rapidement, a-t-il dit en s'éloignant de moi, sans prendre la peine de chuchoter.

Dans la longue file qui s'était formée devant l'*Oyster Bar*, une femme entre deux âges qui portait un pantalon crème, des chaussures à talons en faux python, et malgré la chaleur, un gilet rose, nous a lancé un regard désapprobateur.

Dominik m'a prise par le bras et nous avons quitté la gare. Nous nous sommes dirigés vers l'ouest, en remontant la 42e Rue vers Park Avenue, bousculés par la foule enthousiaste du samedi soir, composée de fêtards, de touristes, de danseuses et de spectateurs, tous à la recherche d'un peu d'excitation. Le week-end ne faisait que commencer pour la plupart d'entre eux ; leur énergie était à son paroxysme, nourrie par les vives illuminations et les panneaux publicitaires clignotants, par l'incessante circulation et par le gratte-ciel de Times Square, qui s'élançait vers le ciel au-dessus de nous comme un gigantesque doigt d'honneur à destination des quartiers plus respectables de la ville.

— Tu as toujours envie d'aller voir une pièce ? ai-je demandé en espérant que la réponse serait négative.

Nous avions évoqué plus tôt l'idée de nous comporter en touristes et de prendre des places pour une pièce à Broadway. Nous avions passé la plus grande partie de la journée au lit : je n'étais pas fatiguée et je ne voulais pas perdre un instant de notre dernière nuit ensemble.

— J'ai plutôt envie de te voir, toi, a-t-il répondu, les yeux brillants.

Mon cœur s'est mis à battre la chamade. Dominik adorait jouer les voyeurs, et les concerts que j'ai donnés pour lui, à différents degrés de nudité, l'ont toujours beaucoup excité. J'ai eu une pensée pour mon précieux violon, qu'il m'a offert quand le mien a été brisé, à condition que je joue une pièce classique pour lui, nue. À l'issue du premier récital que je lui ai donné en solo, dans la crypte, il m'a baisée contre le mur, avant de me ramener chez lui, dans sa maison de Hampstead, et de me regarder me caresser sur son bureau.

Nous étions immobiles, au carrefour, indifférents au reste du monde. J'ai songé que si ce moment était immortalisé sur pellicule, on ne verrait que Dominik et moi, clairement encadrés par un tourbillon de formes et de couleurs, comme si nous étions les deux seuls habitants entiers de New York, les autres n'étant que des silhouettes indistinctes et floues.

Nous avons fait une longue balade le long de Broadway, contourné Union Square, puis nous avons bifurqué vers University Place pour éviter l'extravagance fanée et le tape-à-l'œil de la Ve Avenue. Quand nous avons fini par arriver chez moi, j'avais les pieds en compote, mais la douleur était atténuée par les deux bières que j'avais bues au restaurant et le sentiment de joie que m'avait procuré cette promenade au bras de Dominik. J'avais l'impression que tous mes soucis s'étaient envolés, du moins pour encore une nuit et un jour.

Achevé d'imprimer en février 2013
N° d'impression 1302.0256
Dépôt légal, février 2013
Imprimé en France
81121020-2